W9-ASO-228

Théâtre et mise en scène
1880-1980

COLLECTION FONDÉE PAR JEAN FABRE
ET DIRIGÉE PAR ROBERT MAUZI

LITTÉRATURES MODERNES

Théâtre et mise en scène

1880-1980

JEAN-JACQUES ROUBINE

PRESSES UNIVERSITAIRES DE FRANCE

pour Vincent

ISBN 2 13 036437 3

1re édition : 4e trimestre 1980

108, Bd Saint-Germain, 75006 Paris

SOMMAIRE

Avant-propos

La bibliographie relative à la mise en scène de théâtre est inégale et, finalement, d'une étendue peu considérable, si l'on prend comme terme de référence la situation qui prévaut, par exemple, dans les domaines de la littérature ou de la peinture. Cela s'explique sans doute à la fois par le statut historique de cet art, et par son caractère spécifique.

Aux yeux de l'historien, la mise en scène ne s'affirme comme art autonome, « à part entière » pourrait-on dire, qu'à une date récente : on s'accorde ordinairement sur l'année 1887 où Antoine fonde le Théâtre-Libre. A des titres divers, d'autres millésimes pourraient être retenus comme années (symboliquement) inaugurales d'une ère nouvelle du théâtre, celle de la mise en scène au sens moderne du terme : 1866, par exemple, l'année de naissance de la troupe des Meininger ; 1880, qui voit l'éclairage électrique adopté par la plupart des salles européennes... En tout état de cause, il reste que les trente dernières années du XIXe siècle constituent, à nos yeux, les trente premières d'une période nouvelle pour l'art du théâtre. Nouvelle à la fois par la transformation des techniques, par la formulation des problèmes, par l'invention des solutions...

Aussi bien l'étude de la mise en scène, en tant que telle, n'a guère été entreprise avant une date encore plus rapprochée, compte tenu du décalage chronologique qui sépare généralement l'apparition d'un phénomène nouveau de sa reconnaissance par les instances académiques.

A quoi s'ajoutent les difficultés méthodologiques qui tiennent à la spécificité même de la mise en scène, au caractère éphémère et changeant des représentations, à la rareté et à la pauvreté des documents textuels et iconographiques, aux questions qu'ils soulèvent quant à leur déchiffrement... On voit qu'il ne manque pas d'explications pour rendre compte de l'état de la recherche dans ce domaine particulier.

Quoi qu'il en soit, on dispose aujourd'hui, en schématisant, de deux sortes d'ouvrages :

1° les monographies consacrées à un metteur en scène ou à une troupe[1] ;
2° les études de mises en scène analysées singulièrement ou par comparaison[2].

Il faudrait, bien entendu, mentionner également quelques ouvrages de haute érudition, tels que ceux de Denis Bablet[3], ainsi que deux revues spécialisées qui se complètent l'une l'autre, la *Revue d'histoire du théâtre* et *Travail théâtral.* Voilà, cursivement brossé, et en prenant le risque de quelques omissions, le tableau de la littérature de langue française à la disposition de l'amateur de théâtre.

L'essai qu'on va lire procède donc du constat qu'il n'existe pas, à l'heure actuelle, de synthèse maniable permettant d'appréhender la mise en scène contemporaine dans ses tentatives les plus diverses, les débats qui la font vivre, les formes qu'elle expérimente... Précisons d'entrée de jeu qu'il n'était pas question d'adopter ici le ton normatif, de prétendre trancher du bon et du moins bon. C'est là affaire de goût, de sensibilité, de jugement individuel. Toutefois, parler du théâtre contemporain, c'est nécessairement procéder à des choix, s'étendre sur tel spectacle, « oublier » tel metteur en scène, saluer trop rapidement tel théoricien... Ces choix inévitables et inévitablement tributaires d'une appréciation personnelle, on a tenté de leur donner un fon-

1. Voir notamment la collection « Théâtre vivant » publiée par les Ed. de la Cité - L'Age d'homme, à Lausanne.

2. Voir notamment les recueils d'études publiés par le CNRS sous le titre générique *les Voies de la création théâtrale* (6 vol. parus).

3. Voir la bibliographie ci-après. Son étude sur *le Décor de théâtre de 1870 à 1914* est, à tous égards, fondamentale.

dement plus objectif : le critère de ce qu'on pourrait appeler l'importance historique qui ne se mesure pas forcément à l'aune du parisianisme, ou du nombre des représentations. Les quelques représentations du Berliner Ensemble, dans le cadre du Théâtre des Nations, ont exercé sur l'évolution de la mise en scène actuelle un effet plus manifeste, il faut le dire, que les plus estimables succès de Jean-Louis Barrault et de sa compagnie.

En tout cas, on a renoncé, sans trop de regrets, à un découpage monographique centré sur les grands noms du théâtre. Pourtant une telle option présentait certaines commodités. Elle permettait, notamment, de saisir, dans son foisonnement, l'œuvre d'un metteur en scène, l'évolution de sa pensée et de sa pratique. Mais, outre que de telles monographies existent déjà par ailleurs, un semblable dispositif ne permet guère de dégager les grandes tendances qui structurent la pratique et l'évolution d'un art comme le théâtre. Or ce sont elles que ce livre voudrait décrire, les saisissant à la fois dans leur émergence théorique et dans la multiplicité de leurs modulations pratiques. D'où un va-et-vient délibéré du discours théorique à l'évocation de tentatives ponctuelles, singulières. Et aucune prétention à l'exhaustivité ! D'une théorie, d'un spectacle, il s'agissait seulement de désigner les composantes les plus révélatrices d'une évolution, d'un modernisme...

Sans se vouloir, *stricto sensu*, historique, cet essai tente d'éviter une approche idéaliste du théâtre que le parti pris monographique suscite généralement, un point de vue individualisant qui attribue au seul « génie » des metteurs en scène la paternité de tout ce que produit le théâtre. Ici, plus encore peut-être que dans les arts connexes, la singularité d'une pratique se nourrit d'autres pratiques. Planchon a maintes fois proclamé ce qu'il doit à Brecht, et les animateurs du Living Theatre, Julian Beck et Judith Malina, saluent en Artaud leur père spirituel.

Le caractère éphémère de toute représentation légitime, en un sens, ce phénomène d'irrigation. Que Vilar ou Svoboda utilisent l'escalier monumental cher à Craig, que Chéreau, dans *la Dispute*, exploite une bande sonore dont la richesse et le raffinement auraient enchanté Stanislavski, il n'y a pas là de quoi crier au plagiat. Car le modèle n'existe plus, littéralement plus, du jour où il a cessé de fonctionner. L'œuvre scénique a en effet cette particularité d'être irrécupérable, d'exclure toute « reprise » que son auteur ne pourrait contrôler. (On a vu les tristes résultats que cela donnait avec les mises en scène de Jouvet ou de Wieland Wagner !) Dans un art à ce point tributaire du temps qu'aucune de ses œuvres ne peut être ni préservée, ni même ressuscitée, il est, après tout, normal, souhaitable même, que les formes les plus efficaces soient réinvesties par chaque génération...

L'abus commence lorsque le théâtre, profitant de l'amnésie qui découle de ce statut particulier, tente de faire passer des vessies pour des lanternes et de donner pour nouveauté absolue ce qu'on pouvait déjà voir une cinquantaine d'années plus tôt ! Le regard historique a au moins pour effet d'affiner la perception et d'assurer le jugement. Parfois, ce peut être salubre !

D'autre part, à l'instar peut-être de la musique, et plus encore que la littérature ou la peinture, le théâtre est complètement asservi à son infrastructure matérielle. Parler de la mise en scène, c'est tenir un discours qui, au moins autant qu'à l'esthétique, ressortit à l'économique et au politique. Vilar n'a pas produit le même type de mise en scène au Théâtre de Poche, soumis aux conditions de l'entreprise privée, et à Chaillot, à la tête d'un théâtre national subventionné par l'Etat.

Toutes ces considérations n'ont d'autre but que de rendre compte de l'économie de ce livre. Prétendant parler de la mise en scène contemporaine — en gros, celle des trente dernières années —, il s'ouvre par la description d'un « patrimoine », il tente d'évoquer des racines presque centenaires dont le théâtre actuel est moins coupé qu'on ne pourrait l'imaginer. Prétendant parler d'art, il se clôt par une étude de l'organisation du théâtre en France, organisation qui, à bien des égards, éclaire des options relevant, elles, d'une esthétique de la scène. Entre les deux, des synthèses centrées sur les grandes problématiques dont se nourrit le théâtre contemporain : questions relatives au rapport du texte et de la représentation, à l'espace de cette dernière, à la fonction et au travail de l'acteur...

Eu égard aux conditions de la représentation théâtrale aujourd'hui, il n'était pas concevable d'imposer à ce livre une stricte limite géographique : parler du théâtre en France, c'est aussi parler de Brecht, du Living Theatre, de Grotowski... Et la multiplication des festivals, des tournées rend complètement inadéquat un découpage du champ théâtral démarqué des critères de l'histoire ou de la politique.

Les clivages génériques ne sont guère acceptables non plus : s'il est vrai qu'on pouvait parler de Copeau ou de Dullin en se limitant au domaine proprement dramatique, comment évoquer Strehler ou Lavelli sans dire un mot du théâtre lyrique ? Comment parler de la scénographie moderne sans mentionner l'apport des Ballets russes de Diaghilev ou celui de Wieland Wagner à Bayreuth ? Là encore, les classements traditionnels n'ont plus de pertinence, s'agissant des pratiques contemporaines.

Il est évident qu'un volume succinct, dans ces conditions, ne pouvait espérer être exhaustif, ou même équitable. Aussi bien a-t-on préféré assumer une sorte d'arbitraire contrôlé ! Autrement dit, puisqu'on ne pouvait parler de tout, on a choisi de s'attarder sur les entreprises qui, fussent-elles déjà anciennes, avaient abordé des questions encore à l'œuvre dans les préoccupations actuelles. De parler davantage de Craig et d'Artaud, par exemple, que de Dullin et de Jouvet. Ce n'est pas que l'œuvre du Cartel soit le moins du monde négligeable ; c'est simplement qu'elle n'apporte pas, aux questions qui se posent à l'entreprise théâtrale, des réponses par lesquelles le théâtre d'aujourd'hui se sente vraiment concerné.

Faut-il enfin préciser que la production de textes dramatiques ne sera pas étudiée ici ? Trop d'articles, d'ouvrages ont excellemment dit ce que le théâtre moderne devait à des auteurs comme Pirandello, Beckett, Genet... pour qu'il soit besoin d'y revenir.

On l'aura sans doute compris : avec ses lacunes, ses limites, ses partis pris, cet essai n'a d'autre ambition que celle de contribuer cursivement à une défense et illustration de la mise en scène contemporaine. Il serait à souhaiter que celle-ci n'en eût pas besoin.

CHAPITRE PREMIER

Naissance de la modernité

Dans les dernières années du XIXe siècle, deux phénomènes, consécutifs à la révolution technologique, retiennent l'attention en ce qu'ils sont d'une importance décisive pour l'évolution de la représentation théâtrale, et en ce qu'ils éclairent ce qu'on a appelé l'*avènement du metteur en scène* : ce sont : 1° l'effacement des frontières et, bientôt, des distances ; 2° la découverte des ressources de l'éclairage électrique.

Si, par exemple, au début du XIXe siècle, et ce jusque dans les années 1840, une véritable frontière, à la fois géographique et politique, sépare ce goût, prétendu « bon » ou spécifiquement « français », de l'esthétique shakespearienne, dès les années 60, les théories et les pratiques théâtrales ne peuvent plus être circonscrites géographiquement, ni complètement expliquées par une tradition nationale. C'est vrai du *naturalisme* : deux ans après la fondation du Théâtre-Libre par Antoine, à Paris (1887), on inaugure, à Berlin, la Freie Bühne, et onze ans plus tard, à Moscou, le Théâtre d'Art de Stanislavski et Némirovitch-Dantchenko. *Les Revenants* d'Ibsen sont créés en Norvège en 1881 et présentés à Paris, par Antoine, en 1890. Quant aux *Tisserands* de Hauptmann, ils sont donnés la même année (1892) en Allemagne et en France. Phénomène de diffusion qui ne saurait être limité aux produits, aux œuvres. Il n'est que la conséquence d'une diffusion analogue des théories, des recherches, des pratiques... De ce point de vue, les tournées, à partir de 1874, à travers toute l'Europe — sauf la France ! —, des Meininger, la troupe créée, quelques années auparavant, par le duc de Saxe-Meiningen, et leur retentissement sur l'évolution du théâtre européen, sont la première manifestation de ce phénomène caractéristique du théâtre moderne.

La même « multipolarité » se repère avec le courant symboliste. La volonté d'assumer et d'explorer les ressources de la théâtralité, le refus du carcan de la représentation illusionniste, dont le naturalisme n'est que l'extrême aboutissement, on les voit s'affirmer dans la plupart des capitales théâtrales de l'Europe, avec Appia en Suisse, Craig à Londres, Behrens et Max Reinhardt en Allemagne, Meyerhold à Moscou... Compte tenu des pesanteurs matérielles (technologiques et économiques) inhérentes à la pratique du théâtre, l'étalement des dates n'est pas d'une grande signification : les mutations sont évidemment plus rapides dans le domaine de la peinture de chevalet qu'à la scène. Et pourtant les choses vont très vite : Paul Fort fonde le Théâtre d'Art en 1891, Lugné-Poe l'Œuvre en 1893. De 1895 date *la Mise en scène du drame wagnérien* d'Appia qui est la véritable matrice du « nouveau Bayreuth » des années 1950-1960. Dix ans plus tard, c'est l'ouvrage fondamental de Craig, *De l'art du théâtre* (1905) et dès l'année suivante, le Suisse et l'Anglais s'associent, à l'instigation d'une grande tragédienne italienne (Eleonora Duse), pour monter, à Florence, l'œuvre d'un dramaturge norvégien, le *Rosmersholm* d'Ibsen. En 1912, à l'invitation de Stanislavski, Craig vient à Moscou mettre en scène *Hamlet* avec la troupe du Théâtre d'Art...

On reviendra sur les théories symbolistes. Mais on peut, dès à présent, observer que la condamnation, si véhémente qu'elle fût, portée par quelques intellectuels du théâtre à l'encontre des pratiques dominantes, n'aurait sans doute pas suffi, à elle seule, à entraîner les mutations caractéristiques du théâtre moderne. Il serait certainement plus exact de dire que ces mutations eurent lieu — fort progressivement d'ailleurs, si l'on songe aux résistances que Vilar, en France, et Wieland Wagner, en Allemagne, rencontrent, dans les années 1950, avant de faire triompher des conceptions héritées d'Appia, de Craig et de Copeau — grâce à la conjonction d'une volonté de rupture et d'une possibilité de mutation. Autrement dit, les conditions d'une mutation de l'art de la scène étaient réunies, parce qu'étaient réunis l'outil intellectuel (le refus de théories et de formules périmées et aussi les propositions concrètes permettant de réaliser « autre chose ») et l'instrument technique qui rendait « pensable » un tel bouleversement, la découverte des ressources de l'éclairage électrique.

A la charnière des deux siècles, Loïe Fuller fait une incroyable sensation. Ce qui frappe aujourd'hui, dans les spectacles de la danseuse américaine, ce n'est pas tant leur dimension chorégraphique ou gestuelle, apparemment rudimentaire (encore qu'il y eût là, pour les contemporains, l'exemple palpable d'un art expressif mais affranchi du souci de la représentation figurative), mais ce qu'ils révèlent relativement à l'espace scénique : que l'éclairage électrique peut, à lui seul, modeler, moduler, sculpter, bref faire vivre un espace nu, vide, en faire cet espace du rêve et de la poésie que les tenants de la représentation symboliste appelaient de leurs vœux.

1891 : Loïe Fuller se produit aux Folies-Bergères à Paris. 1900 : Craig présente sa mise en scène de *Didon et Enée*, l'opéra de Purcell, dont les contemporains admirent le dépouillement et le picturalisme raffiné. Ces deux événements n'ont apparemment rien à voir. Ils ont pourtant quelque chose en commun : l'éclairage, électrique ou oxhydrique, devient le principal instrument de structuration et d'animation de l'espace scénique... 1951 : Vilar prend la direction du TNP de Chaillot et fait sensation avec ses mises en scène du *Cid* et du *Prince de Hombourg*. La même année, le Festpielhaus de Bayreuth rouvre ses portes, et le *Parsifal* que met en scène Wieland Wagner déconcerte, ou suffoque, les nostalgiques du « culte » d'avant-guerre. Là encore, deux événements sans lien apparent, si ce n'est que, dans chacun des spectacles mentionnés, la lumière devient le matériau prépondérant de la scénographie. Ces repères, choisis plus ou moins arbitrairement, ne doivent pas masquer d'autres jalons. Les textes théoriques, par exemple, qui, s'ils passent généralement à peu près inaperçus à leur parution, prennent, avec le recul du temps, l'importance qui leur revient. On a déjà cité les ouvrages d'Appia et de Craig. On pourrait y adjoindre *le Théâtre et son double*, d'Artaud, qui rassemble, en 1938, des textes parfois antérieurs. Chacun de ces auteurs ne cesse de dire l'importance potentielle de la lumière au théâtre, et de déplorer la médiocrité avec laquelle les scènes de leur temps en exploitent les ressources. Une conclusion au moins peut être tirée de tout cela : l'art de la mise en scène est assujetti à de telles contraintes économiques et sociologiques que son évolution en est singulièrement ralentie et que son histoire semble constituée de phases répétitives. A trente, à cinquante ans de distance, les mêmes propositions, les mêmes tentatives suscitent le même étonnement, la même surprise, tantôt indignée, tantôt enthousiaste.

Mais revenons à Loïe Fuller. L'utilisation de la lumière, dans ses spectacles, a ceci d'important qu'elle ne se limite pas à une définition atmosphérique de l'espace. Elle ne répand plus sur la scène un crépuscule embrumé ou un clair de lune sentimental. Colorée, fluide, elle devient le véritable partenaire de la danseuse dont elle métamorphose sans limite les évolutions[1]. Et si la lumière tend à devenir un protagoniste du spectacle, en sens inverse la danseuse tend à se dissoudre, à n'être plus que formes et volumes sans matérialité. Ancêtre, sur ce plan, d'un Alwin Nikolaïs, ce chorégraphe américain qui intègre l'éclairage à la danse, Loïe Fuller n'hésite pas à expérimenter de nouvelles techniques, à recourir aux projections, aux jeux de glaces, etc. Féerie, magie... sont les termes qui caractérisent le mieux, pour les

1. Précisons que les chorégraphies de Loïe Fuller reposaient sur une gestuelle amplifiée, « poétisée » par l'utilisation d'immenses voiles de gaze fixés à des tiges de bois que la danseuse manœuvrait habilement.

contemporains, l'art de la danseuse américaine. La représentation théâtrale retrouve une dimension qu'elle avait progressivement perdue au cours du XIXe siècle — sauf peut-être dans certains théâtres destinés au « grand public » —, celle que le XVIIe et le XVIIIe siècles avaient cultivée avec les spectacles « à machines » : la dimension du rêve et de l'enchantement. Une trentaine d'années plus tard, Artaud revendiquera, dans un langage techniquement peu précis, mais puissamment suggestif, une semblable imagination créatrice dans l'utilisation de la lumière[2]. Ce qui confirme, si besoin en est, que la sensation provoquée par les recherches de Loïe Fuller dans ce domaine n'a pas laissé de trace sensible dans la pratique théâtrale des années qui suivirent...

> Les appareils lumineux actuellement en usage dans les théâtres ne peuvent plus suffire. L'action particulière de la lumière sur l'esprit entrant en jeu, des effets de vibrations lumineuses doivent être recherchés, des façons nouvelles de répandre les éclairages en ondes, ou par nappes, ou comme une fusillade de flèches de feu. La gamme colorée des appareils actuellement en usage est à revoir de bout en bout. Pour produire des qualités de tons particulières, on doit réintroduire dans la lumière un élément de ténuité, de densité, d'opacité en vue de produire le chaud, le froid, la colère, la peur, etc.[3].

La révolution potentielle, que l'éclairage électrique permet au moins d'imaginer, enrichit la théorie de la représentation d'un nouveau pôle de réflexion et d'expérimentation, d'une thématique de la *fluidité* qui se dialectise à travers les oppositions du *matériel* et de l'*irréel*, de la *stabilité* et de la *mobilité*, de l'*opacité* et de l'*irisation*, etc. Bref, apparaît, pour la première fois sans doute, la possibilité technique de réaliser un type de mise en scène libéré de

2. Dans les années 1970, Gérard Gélas et sa troupe du Chêne Noir ont tenté de mettre en pratique, non sans talent, une théorie de la lumière directement héritée d'Artaud. Que ce travail ait fait sensation confirme, une fois encore, la lenteur avec laquelle les pratiques nouvelles s'imposent dans le domaine du théâtre...

3. ARTAUD, *le Théâtre et son double*, Le Théâtre de la Cruauté, 1er Manifeste, *OC*, t. 4, Gallimard, p. 114.

toutes les pesanteurs des matériaux traditionnels[4]. Ce rêve, même s'il retrouve une nouvelle jeunesse, a toujours habité le théâtre, comme en témoigne le raffinement des procédures illusionnistes inventées et mises en pratique par les scénographes du XVIIe et du XVIIIe siècles.

Le débat qui traverse toute la pratique théâtrale du XXe siècle et qui oppose, à des degrés divers, et sous des dénominations variées selon les époques, la tentation de la représentation figurative du réel (naturalisme) et celle de l'irréalisme (symbolisme), n'aurait sans doute pas eu la même intensité et la même fécondité s'il n'avait été sous-tendu par une révolution technologique fondée sur l'électricité.

On a fait d'Antoine le premier metteur en scène, au sens moderne que le terme a pris. Affirmation qui se justifie de ce que le nom d'Antoine est la première *signature* que l'histoire de la représentation théâtrale ait retenue (comme on dit que Manet ou Cézanne sont les signataires de leurs toiles). Qui se justifie aussi de ce qu'il est le premier à systématiser ses conceptions, à théoriser l'art de la mise en scène[5]. Or, de nos jours, c'est probablement la pierre de touche qui permet de distinguer le *metteur en scène* du *régisseur*[6], si compétent qu'il soit par ailleurs : on reconnaît le metteur en scène à ceci que son œuvre est autre chose et plus que la simple mise en place d'un cadre scénique, que le simple réglage des entrées, sorties, intonations et mimiques des comédiens. La véritable mise en scène donne un sens global

4. Voir l'article consacré par Mallarmé à Loïe Fuller (Autre étude de danse : les fonds dans le ballet, in *Crayonné au théâtre*, *OC*, Gallimard, « Pléiade », p. 307).

5. ANTOINE a rédigé cinq brochures qu'il destinait à son public. C'est dans la troisième, datée de mai 1890 et intitulée *le Théâtre libre* qu'il rassemble l'essentiel de ses idées sur la mise en scène et sur la représentation théâtrale.

6. On n'emploie pas ce terme dans le sens très particulier (on y reviendra : que Craig, puis Vilar, lui donnent, mais dans son acception ordinaire) « celui qui organise matériellement les représentations » (ROBERT).

non seulement à la pièce représentée, mais à la pratique du théâtre en général. Aussi bien procède-t-elle d'une vision théorique qui intéresse tous les éléments constitutifs de la représentation : l'espace (scène et salle), le texte, le spectateur, l'acteur. Qu'on évoque Gémier ou Vilar, Craig ou Peter Brook, Baty ou Chéreau, Piscator ou Strehler..., c'est sans doute, au-delà de mille différences et divergences, le seul dénominateur commun sous lequel on puisse tous les rassembler.

Mais si Antoine est incontestablement, à cet égard, un novateur, c'est aussi un liquidateur. Il inaugure l'ère de la mise en scène moderne, mais, en même temps, il assume un héritage. Et il le consume! Ce n'est pas ici le lieu d'évoquer en détail les liens qui unissent l'art d'Antoine au courant naturaliste. Qu'il suffise d'observer qu'Antoine, en réalisant l'ambition mimétique d'un théâtre rêvant d'une coïncidence photographique entre le réel et sa représentation, précipite la fin de l'ère de la représentation figurative[7]. C'est qu'en ce rêve risquait de s'engloutir la spécificité même de l'art de la scène. Confrontée à l'expansion de la photographie, la peinture de l'époque avait eu à affronter le même problème et ne l'avait résolu que par l'éclatement de la théorie de la représentation sur laquelle elle se fondait jusqu'alors.

L'œuvre d'Antoine, c'est peut-être, au théâtre, l'accomplissement de ce rêve du capitalisme industriel : la conquête du monde réel. Conquête scientifique, conquête coloniale, conquête esthétique... Le fantasme originel de l'illusionnisme naturaliste, c'est bien cette utopie démiurgique qui vise à prouver qu'on maîtrise le monde en le reproduisant. Ces remarques ne prétendent aucunement diminuer les mérites d'Antoine, mais simplement suggérer qu'ils ne sont peut-être pas là où l'on a coutume de les placer : si Antoine

7. Toute l'histoire récente de la mise en scène témoigne, à travers les tentatives les plus diverses, d'un même refus, plus ou moins radical, de la figuration mimétique prônée par les naturalistes et leurs épigones.

est *moderne* dans sa conception et sa pratique du théâtre, c'est moins par sa référence à la vérité d'un modèle qu'il s'agirait de saisir et de reproduire — quel artiste n'a pas proclamé que son entreprise de rénovation ou de révolution procédait d'une exigence de vérité que ses prédécesseurs, voire ses contemporains, étaient devenus incapables de satisfaire ? — que par sa dénonciation de toutes les conventions forgées, puis usées (comme on use un vêtement) par des générations d'acteurs formés à une certaine rhétorique de la scène, c'est-à-dire à une pratique figée par le respect d'une tradition, alors même que les conditions techniques de la représentation se transformaient.

Le même refus gouvernera toute l'entreprise de Stanislavski dont les recherches, faut-il le souligner ? prolongeront et compléteront celles d'Antoine. Le jeune Stanislavski, au cours de ses voyages à Paris, a découvert à la fois la tradition déclamatoire qui l'exaspère au Français, et le jeu désinvolte, élégant (de cette « élégance » qui a sombré dans la facticité avec ses gestes « dégagés » et sa diction roucoulante, parce qu'elle n'est plus aujourd'hui qu'une tradition fossilisée) des acteurs du boulevard. Stanislavski est ravi : il découvre un « naturel », une « authenticité »... Il ne faut pas sourire trop vite : ce que Stanislavski percevait, c'était la fraîcheur, la nouveauté, là où nous ne trouvons plus qu'une pratique aux procédés apparents et qui n'a même pas pour elle l'excuse d'avoir servi ou suscité de grands textes[8].

Ce qu'Antoine et Stanislavski exigent de leurs comédiens, cette conquête difficile d'une vérité singulière sur une vérité générale, cette lutte pour l'authenticité, fût-elle déconcertante, et contre le stéréotype, fût-il expressif, cela caractérise bien le combat, sans cesse relancé, du metteur

8. Feydeau est assurément un dramaturge incomparable. Ce n'est pourtant pas un auteur : hors de la représentation ses textes ne résistent guère à la lecture. En scène ils fusent, instruments d'une admirable efficacité pour qui sait les utiliser. Après tout, les scenarii de la commedia dell'arte ne constituent pas non plus des œuvres impérissables. Mais ce furent d'extraordinaires « tremplins » pour l'art du théâtre.

en scène du XXe siècle. C'est le signe même de la modernité. Il faut seulement se souvenir que le champ de bataille se déplace avec les générations, que le stéréotype naît aussi bien de la sincérité que de l'artifice et qu'un jeune metteur en scène se battra (et devra se battre) contre ce que son prédécesseur avait eu tant de mal à conquérir. La scénographie de Vilar, si neuve, si émouvante, dans son austérité, est aujourd'hui devenue la tarte à la crème (rancie) d'épigones sans inspiration. Et la fraîcheur, la jeunesse de la diction des acteurs du TNP se percevaient, dans les années 50, par référence à l'emphase et à l'enflure de la déclamation des comédiens-français. Pourtant, aujourd'hui, l'enregistrement du *Cid* par la troupe du TNP n'est plus tout à fait audible. C'est qu'entre temps un nouveau style de diction s'est affirmé (Planchon, Chéreau, Vitez...) et a retrouvé une spontanéité que le temps avait peu à peu fait perdre au style du TNP.

Le refus de l'esthétique naturaliste, il faut le rappeler, n'est pas postérieur à l'avènement de celle-ci. Quelques années seulement séparent la fondation du Théâtre-Libre (1887) de celle du Théâtre d'Art (1891) ou de l'Œuvre (1893) qui devaient devenir les pôles de « l'opposition » symboliste. Si *la Princesse Maleine* (1889) est d'un an postérieure aux *Bouchers*, l'œuvre de Maeterlinck précède de trois ans *les Tisserands* de Hauptmann... Cette concomitance doit prêter à la réflexion : le naturalisme définit, délimite un lieu. Par là même se trouvait désigné un en-dehors, une périphérie qu'il refusait d'occuper, mais que d'autres choisirent de mettre en valeur. Qu'il y ait eu conflit doctrinal entre le naturalisme et le symbolisme, cela va sans dire. Mais c'est un conflit qu'il faut situer dans la synchronie et non dans la diachronie, comme, par exemple, celui qui avait suscité, contre l'esthétique classique, la dramaturgie romantique. Le naturalisme est loin d'être une tradition usée et poussiéreuse lorsque s'affirme l'aspiration symboliste. Et, s'agissant de la représentation théâtrale, celle-ci est liée à une prise de conscience. Avec les progrès technologiques, la scène est devenue un instrument riche d'une infinité de ressources potentielles, dont le naturalisme n'exploite qu'une petite partie, celles qui permettent de reproduire le monde réel. Restent la vérité du rêve, la matérialisation de l'irréel, la représentation de la subjectivité...

Et puis une autre technique apparaît qui, avant même de devenir un art, va bouleverser les données de la question : les premières projections cinématographiques datent de 1888, l'année même des *Bouchers* ; en 1895 sont projetés, au Grand-Café, les premiers films de Louis Lumière, dont *l'Arroseur arrosé*... Sans doute, les gens de théâtre se sont-ils longtemps aveuglés. La prise de conscience a été lente, et les résistances tenaces. Il n'en reste pas moins que, tout au long du XXe siècle, le théâtre va avoir à redéfinir, face au cinéma, non plus seulement une orientation esthétique, mais son identité et sa finalité. Et, dans les années 1960, un Grotowski pourra encore affirmer que cette redéfinition n'a toujours pas été sérieusement entreprise!

Voilà, en bref, le contexte dans lequel on peut dire que la pratique moderne de la scène prend naissance.

L'une des grandes interrogations du théâtre moderne porte, on y reviendra, sur l'espace de la représentation. Entendons par là que s'épanouit une double réflexion relative, d'une part à l'architecture du lieu théâtral et au rapport que cette architecture détermine entre le public et le spectacle, d'autre part à la scénographie proprement dite, c'est-à-dire à l'utilisation, par le metteur en scène, de l'espace attribué à la représentation.

A cet égard, la rigueur de l'exigence naturaliste d'Antoine est à la source de son modernisme, en ce qu'elle l'amène à poser les premières questions modernes relatives à l'espace scénique et, plus précisément, au rapport que cet espace entretient avec les personnages singuliers d'une pièce singulière. C'est bien en effet le souci d'exactitude naturaliste qui l'incite à demander que le salon bourgeois de *la Parisienne*, d'Henry Becque, que la Comédie-Française présente en 1890, ne ressemble pas à une grande salle du Louvre[9]. Revendication qui contient en germe trois postulats fondamentaux :

1° L'ouverture de scène, dans le cadre de la représentation à l'italienne (la seule qu'on connaisse alors), peut et doit être modulée en fonction de certaines exigences.

2° Entre l'espace scénique et ce qu'il contient existe une relation d'interdépendance : si la pièce parle d'un espace, le délimite et le situe, inversement cet espace n'est pas un boîtier neutre. Matérialisé, l'espace parle de la pièce, dit quelque chose sur les personnages, sur leurs rapports entre eux et sur leur rapport au monde. A partir du moment où l'on ne prend pas en compte cette interdépendance, tout se brouille. La pièce parle d'un espace qui n'est pas exactement celui qu'on voit, et l'espace représenté parle d'une autre pièce, d'autres personnages... Plus tard, on saura jouer efficacement de ces décalages, opposer le discours des hommes et le discours des choses qui les entourent. Encore faut-il en jouer comme le fera Brecht. Assumer les ruptures, ce n'est pas les subir dans l'inconscience ou dans l'indifférence, c'est les intégrer à une conception esthétique et à une totalité organique.

3° L'occupation, l'animation de cet espace doivent faire l'objet d'une réflexion rigoureuse. On sait les implications de la théorie dite du *quatrième mur*[10] : jeu plus varié, plus réaliste, utilisation de la totalité du plateau, etc. Là encore, la dénonciation du jeu à la rampe, au public, jeu qui procède à la fois de la routine et du narcissisme des acteurs, est moins intéressante par ce qu'elle refuse (l'irréalisme) que par ce qu'elle signale : le jeu à la rampe n'est pas « naturel » ; ce

9. Lettre à Francisque Sarcey publiée par *le Temps* du 24 novembre 1890 (citée par Denis BABLET dans *le Décor de théâtre de 1870 à 1914*, p. 120).

10. « Il faut que l'emplacement du rideau soit un quatrième mur transparent pour le public, opaque pour le comédien », écrivait Jean JULLIEN (*le Théâtre vivant*, p. 11). C'est la formulation la plus cursive qu'on puisse donner de cette théorie.

n'est pas le seul mode d'intervention de l'acteur qu'on puisse concevoir. Et cette pratique a des conséquences qu'on ne peut complètement ignorer : elle brise l'illusion théâtrale ; elle rappelle au spectateur qu'il existe comme tel, que celui qui parle et agit en face de lui n'est pas seulement un personnage, mais en même temps quelqu'un qui représente un personnage. C'est donc une modalité du jeu théâtral qu'on peut condamner au nom de certains principes (c'est la position d'Antoine), mais qu'on peut tout aussi bien réintégrer au nom de principes différents (Brecht). Le génie d'Antoine est ici de permettre une prise de conscience : la pratique du théâtre est constituée d'un ensemble de phénomènes historiques ; elle ne va pas de soi. Elle n'est ni immuable, ni « naturelle ». Ainsi Antoine prend-il possession des deux territoires du metteur en scène moderne, l'espace de la représentation et le jeu de l'acteur. Il les intègre l'un à l'autre. Il révèle que l'espace de la pièce, c'est aussi l'aire de jeu, un ensemble d'éléments qui orientent, qui marquent l'intervention du comédien. Et que le rôle d'un véritable metteur en scène, c'est bien de refuser de subir, mais d'assumer et de gouverner cette relation.

On a maintes fois souligné (Denis Bablet, Bernard Dort...) que l'un des apports majeurs d'Antoine à la mise en scène moderne tient à son refus de la toile peinte et du trompe-l'œil en usage au XIXe siècle. Il introduit sur la scène des objets réels, c'est-à-dire lourds d'une matérialité, d'un passé, d'une existence... Il s'agit, bien sûr, de faire « plus vrai ». Ou plutôt de faire « absolument vrai ». Mais, ce faisant, Antoine révèle quelque chose que le théâtre du XXe siècle ne pourra plus oublier, qui est ce qu'on pourrait appeler la *théâtralité du réel*.

S'agissant de l'acteur, on parle volontiers de sa *présence*. Notion tout à la fois mystérieuse et parfaitement claire pour le professionnel ou l'habitué du théâtre. Cette présence, c'est au fond la violence qu'une incarnation exerce sur moi. Si j'ai, en face de moi, un phénomène qui ne me donne plus le sentiment d'un simulacre, d'une imitation habile du désespoir, mais celui d'un désespoir réel clamé par un être réel, alors mon immobilité, ma passivité deviennent à la fois insupportables et inévitables : fasciné, je regarde sans intervenir et sans pouvoir m'arracher à ma fascination. Présence de l'acteur... Grotowski, on le verra, a choisi d'organiser toute sa recherche autour de l'élucidation et de l'approfondissement de ce phénomène, autour de sa maîtrise et de sa démultiplication. De la même façon, Antoine nous a appris qu'il y a une présence de l'objet réel. C'est qu'il nous rappelle la corporéité du monde : la flaque d'eau vraie dans laquelle pataugent les personnages de *la Dispute* de Marivaux, dans la mise en scène de Patrice Chéreau, je la reçois autrement que, par exemple, les flots fictifs du Rhin obtenus par de savants effets lumineux au premier tableau de *l'Or du Rhin* mis en scène par Wieland Wagner. Il ne s'agit pas ici d'opposer les deux options, de choisir entre l'une et l'autre, mais de dire que le théâtre, ce peut être l'une et l'autre et que par sa réflexion et ses options, Antoine a placé le théâtre moderne en face d'une de ses interrogations essentielles : la question de la *théâtralité*.

On a suffisamment brocardé les quartiers de bœuf véritables qu'Antoine a cru bon d'accrocher sur la scène des *Bouchers* de F. Icres (1888). On sourit d'un « effet de réel » dont on dénonce la naïveté. Il faudrait quand même y regarder à deux fois : cet « effet de réel » est aussi « effet de théâtre ». Il n'y a pas de commune mesure entre la fade théâtralité de quartiers de bœuf en carton bouilli, et celle de la viande, du sang, de la vie et de la mort connotées par l'objet réel. Qu'il suffise de rappeler l'effet que produisent sur le plus endurci des amateurs de théâtre certains simulacres dont il sait bien pourtant que ce ne sont que des « effets de théâtre », l'apparition éperdue de la femme ensanglantée sur le plateau nu de *la Résistible ascension d'Arturo Ui*, quelques crépitements de mitraillettes en coulisse. On sait bien que le sang est factice, que les mitraillades ne sont qu'un bruit inoffensif. Il n'empêche... Le problème est donc moins de choisir entre l'objet réel et son simulacre que de faire apparaître et percevoir sa « présence », la violence de sa théâtralité.

A Antoine, on est également redevable d'une interrogation que les progrès techniques ne vont plus cesser de mettre à l'ordre du jour : la question de l'éclairage. On l'a dit, la recherche d'Antoine est inséparable de l'introduction de l'électricité dans la pratique du théâtre. Aujourd'hui, sans doute a-t-on le plus grand mal à se représenter exactement l'effet que produisait un éclairage aux chandelles ou au gaz. Est-il sûr qu'en sens inverse, on se soit, d'entrée de jeu, représenté concrètement les ressources du nouvel instrument ? Antoine, quant à lui, en a tout de suite pris conscience. Et si son esthétique naturaliste le conduit à utiliser la lumière électrique comme un moyen d'accentuer l'effet de réel, ce faisant il révèle la souplesse et la richesse potentielle du nouvel outil.

De fait, il y aurait une histoire de l'éclairage à écrire. Et la scène du XXe siècle ne cessera d'explorer les formules les plus opposées. Ce sera l'éclairage atmosphérique d'Antoine et de Stanislavski, mais aussi des expressionnistes, et aujourd'hui de Strehler et de Chéreau ; ce sera encore ce qu'on pourrait appeler l'éclairage-scénographie, la lumière constituant, à elle seule, l'espace scénique, le délimitant et l'animant (Appia, Craig, Vilar...) ; ce sera également l'utilisation non figurative, symbolique, de l'éclairage, préconisée par Artaud dès les années 1930 et mise en pratique par quelques jeunes troupes des années 60-70. Et, singulier retour à la simplicité, ce sera parallèlement l'éclairage qui se désigne comme pur outil de la représentation, qui n'est plus que le moyen de rendre un spectacle visible et lisible, qui rappelle au spectateur où il est, ce qu'il est et où est le monde réel, conception qui, *mutatis mutandis*, est à la fois celle de Brecht, de Grotowski, et de Peter Brook dans ses dernières expériences.

La même analyse vaudrait, s'agissant du *bruitage* : quelles que soient ses limites, l'esthétique naturaliste est à l'origine d'une théorisation qui va englober tous les instruments de production sonore dont peut disposer la scène moderne. Le théâtre ne va plus cesser de chercher des réponses aux questions que soulèvent les possibilités de sonorisation que la technique enrichit sans cesse : qu'est-ce qu'un *bruit* par rapport à l'ensemble de la représentation ? A quoi peut-il servir ? Les réponses naturalistes d'Antoine ou de Stanislavski vont, bien entendu, susciter des réponses diamétralement opposées (Artaud, Brecht...). Il reste que la question posée à la fin du XIXe siècle ne peut plus être éludée par qui que ce soit. En revenir aux violons entre les actes de la comédie, ce ne serait plus neutre. On ne pourrait, aujourd'hui, y voir qu'un refus, à la lettre réactionnaire, ou une volonté délibérée d'historiciser une représentation classique. Dans tous les cas, une réponse...

L'apport du symbolisme à la mise en scène moderne n'est pas moindre. Grâce à la théorie symboliste de l'espace théâtral, le peintre de chevalet entre en scène ! Sans doute le décor de peintre a-t-il aujourd'hui mauvaise presse. Mais, historiquement, il s'agit d'un phénomène de première importance. Quelles que soient les critiques qu'on puisse émettre à l'encontre d'une conception picturale de la scénographie (aplatissement de l'image scénique, réduction de l'espace tridimensionnel à celui de la toile, etc.), lorsque les Nabis, lorsque Bonnard, Vuillard, Odilon Redon... contribuent à l'élaboration de la partie scénographique de la représentation, on se doute que ce n'est pas dans le même esprit que Chaperon, l'un des décorateurs de la Comédie-Française, ou même que Cornil, Amable ou Jusseaume, les artisans scénographes qui, avec Antoine, sont à la recherche d'une représentation plus « vraie » de l'espace. Avec l'arrivée des peintres de chevalet, deux questions sont formulées qui vont traverser toute l'histoire de la mise en scène du XXe siècle : comment rompre avec l'illusionnisme figuratif ou, si l'on veut, comment inventer un espace spécifiquement théâtral ? Comment faire pour que l'espace scénique soit autre chose qu'une image picturale ?

Donc, avec les symbolistes, les peintres investissent la scène. Et avec eux la peinture! Lapalissade, dira-t-on. Il faut tout de même en voir les implications : on prend conscience que ce qui est donné à voir par l'espace scénique, c'est une image. Image en trois dimensions, organisée, animée... On découvre que cette image peut être *composée* avec le même art qu'un tableau, c'est-à-dire que la préoccupation dominante n'est plus la fidélité au réel, mais l'organisation des formes, le rapport des couleurs entre elles, la relation des pleins et des vides, des ombres et des lumières, etc. Cette prise de conscience, la mise en scène moderne la perpétuera, même lorsque la vogue de la collaboration avec les peintres de chevalet se sera atténuée. De fait, si Craig exclut de la création scénique toute autre personnalité que celui qu'il appelle le « régisseur », il n'exige pas moins de ce dernier qu'il compose son œuvre comme un ensemble organique d'images mouvantes, tendant à l'abstraction (*The Steps*, 1905). Et, plus près de nous, on sait l'importance que des metteurs en scène comme Patrice Chéreau, en France, Giorgio Strehler, en Italie, attachent à ce travail de composition de l'image scénique. Certains d'entre eux, voici une vingtaine d'années, cherchaient à reproduire en scène l'éclairage, les couleurs, l'organisation des groupes... caractéristiques de la manière de tel ou tel grand peintre du passé. C'était notamment l'option de Luchino Visconti et Franco Zeffirelli[11]. Sans doute la représentation théâtrale tendait-elle à devenir une annexe de la pinacothèque ou du livre d'art. Mais, les dangers du picturalisme étant soulignés, il convient de reconnaître la plus-value esthétique dont ces contacts avec les peintres et la peinture ont pu enrichir l'art de la mise

11. Déjà Maeterlinck, pour la création de *Pelléas et Mélisande*, en 1893, demandait à Lugné-Poe, le metteur en scène, que les costumes s'inspirent des tableaux de Memling. Et, de façon plus générale, au contact des représentations symbolistes le public eut le sentiment d'assister à l'avènement d'un art de la scène complètement renouvelé par symbiose avec la peinture.

en scène, ne serait-ce qu'en donnant au spectateur des termes de référence qui l'ont rendu visuellement plus sensible et plus exigeant.

Transformé en espace de jeu ou de rêve, le décor symboliste propose une nouvelle conception de la *couleur*. Si jusque-là elle n'était que l'instrument d'une figuration, elle va maintenant assumer une fonction symbolique. On s'avise du retentissement de la couleur sur la sensibilité du spectateur. Chaque gamme, chaque teinte provoquent une sensation, un ébranlement comparables à l'effet des sonorités. Le metteur en scène ne laissera plus au décorateur le soin de déterminer, seul, l'organisation des couleurs intervenant dans l'élaboration de la scénographie. De façon délibérée, il cherchera à exploiter ces potentialités chromatiques placées sur un plan d'égalité avec la musique. Il utilisera les couleurs « pour métaboliser certaines intentions », comme l'écrit Alphonse Germain, qui proclame également que « la couleur [...] ingénieusement distribuée [...] agit sur les foules presque autant que l'éloquence »[12]. Evoquant les décors de *Pelléas et Mélisande*, à la création de 1893, Denis Bablet note que « toute la valeur de ces décors réside dans l'harmonie de leurs tons embrumés, reflet du mystère et de la mélancolie qui s'exhalent du drame : bleu sombre, mauve, orange, et une gamme de différents verts (vert mousse, vert de lune, vert d'eau) » (*le Décor de théâtre de 1870 à 1914*, p. 160). On assiste à la naissance d'une tradition, dans l'usage scénographique de la couleur, qui se perpétuera jusqu'à une époque fort récente. « Ce n'est pas par hasard, signale le même Denis Bablet à propos de la mise en scène du *Didon et Enée* de Purcell par Craig, en 1900, que les coussins du trône, écarlates au premier acte, deviennent noirs dans la dernière scène lorsque Didon pleure la perte d'Enée et exhale son chant de mort » (*Edward Gordon Craig*, p. 58). Et, pour sa mise en scène de *Phèdre*, en 1942, Jean-

12. De la décoration au théâtre, in *la Plume* du 1er février 1892, p. 62 (cité par Denis Bablet, *le Décor de théâtre de 1870 à 1914*, pp. 150-151).

Louis Barrault décrit ainsi les costumes de l'héroïne et de sa nourrice :

> Si le costume de Phèdre est de tonalité rouge, celui d'Oenone est d'un rouge presque noir ; comme l'ombre de celui de Phèdre. En tragédie, le personnage est à son confident ce que l'homme est à son « double » [...] Oenone est le mauvais génie de Phèdre, c'est son démon ; sa valeur noire. Oenone est son destin néfaste. C'est le corbeau de son malheur »[13].

Le style peut faire sourire... Il n'en révèle pas moins, à l'œuvre, une conception symboliste de la couleur prise comme véhicule d'un sens diffus, travaillant, pourrait-on dire, non plus seulement « à la dénotation » mais aussi « à la connotation ».

Lumière et couleur font l'objet d'une théorisation et d'une pratique symbolistes qui se perpétueront durablement à travers tout le XXe siècle. On pourrait en dire autant de la *matière* dont la présence scénique n'est pas moins forte, comme d'ailleurs l'utilisation de l'objet réel par les naturalistes en avait déjà témoigné. Quoique se fondant sur des prémisses opposées, les symbolistes font la même expérience. Par exemple, l'emploi de l'or, qui est à la fois couleur et matière, pour les toiles de fond inspirées des peintres primitifs et brossées, pour le Théâtre d'Art, par Sérusier ou Maurice Denis[14], permet de faire entrer la matière dans l'esthétique de la représentation symboliste. Et, un demi-siècle plus tard, Wieland Wagner, à Bayreuth, privilégiera, dans l'élaboration scénographique, le couple *matière-lumière*. A propos des costumes, Claude Lust souligne que « le choix et le travail de la matière sont au moins aussi importants que leur dessin ou leur couleur » (*Wieland Wagner*, p. 110). Il s'agit en effet d'éviter de donner au spectateur le sentiment du déguisement, de l'oripeau de théâtre. La matière choisie — le cuir — confère aux figures mythiques de Wagner l'indispensable étrangeté que requiert leur statut, en ce sens que le costume suggère à la fois le vête-

13. *Mise en scène de « Phèdre »*, Ed. du Seuil, p. 81.

14. Pour *la Fille aux mains coupées* de Pierre QUILLARD en 1891 (Sérusier), et pour *Théodat* de Rémy de GOURMONT, la même année (Maurice Denis).

ment et le corps. De même, la conception abstraite que Wieland Wagner se fait de la scénographie visant, avant toute chose, à caractériser la relation que les personnages entretiennent avec l'espace dans lequel ils évoluent, cette conception se réalise à travers une utilisation symboliste de la matière et de l'éclairage. Tel est bien le cas du dispositif scénique mis au point pour le premier acte du *Crépuscule des Dieux* :

> Trois menhirs trappus et fendus sur leur centre se dressent symétriquement au fond de la scène derrière le plateau ; une énorme poutre transversale les relie en un seul bloc. L'éclairage lui donne sa couleur vert sombre tout en faisant ressortir l'extraordinaire relief de la matière alvéolée mais cependant parfaitement lisse [...].
> Par rapport à la position initiale des personnages, la massivitié des formes du décor, leur pesanteur et leur caractère archaïque font percevoir parfaitement au spectateur quel sentiment de domination anime ces souverains et quel type d'oppression ils exercent sur leur peuple ; dans le même temps, la richesse assez singulière de la matière fait ressortir la cupidité des deux personnages masculins[15] si manifestement crispés en avant. Lorsque Siegfried entrera en scène il ne pénétrera pas dans la Gibichhalle, mais dans la place-forte d'un monde fondé sur le pouvoir de l'or[16].

Ce que la scène moderne doit essentiellement à la représentation symboliste, c'est la *redécouverte de la théâtralité*. La tendance illusionniste, qui prévalait depuis le XVIIIe siècle, se souciait, avant tout, de camoufler les instruments de production de la théâtralité pour en rendre la magie plus efficace. Avec la création par Lugné-Poe de l'*Ubu roi* de Jarry (1896), la mise en scène s'engage dans une direction totalement opposée. Sous l'impulsion de Jarry, elle réinvente ce qu'on pourrait appeler l'*affichage de la théâtralité*. A dire vrai, l'auteur d'*Ubu* préconise d'en revenir à une conception beaucoup plus radicale encore que celle des symbolistes proprement dits. Pour ces derniers, le signe théâtral devait suggérer, faire rêver, susciter une participation imaginaire du spectateur... S'il renonçait à l'exactitude mimétique de

15. Trois personnages sont en scène au lever du rideau : Günther, le roi des Gibichungs, sa sœur Gutrune et Hagen, leur demi-frère.
16. Claude LUST, *op. cit.*, p. 111.

la représentation naturaliste, il n'en conservait pas moins une certaine dimension *signifiante*, nécessaire à la structuration même de ce nouveau rapport qu'on cherchait à établir entre le spectateur et la représentation : si l'une des toiles de fond de *Pelléas et Mélisande* évoque un château appartenant à « un onzième siècle vague » (l'expression est de Camille Mauclair), si, dans une lettre à Lugné-Poe, Maeterlinck propose que les costumes suggèrent le XIe ou le XIIe, voire le XVe siècle de Memling, « comme vous voudrez et selon les circonstances », il n'en reste pas moins que décors et costumes resteront figuratifs, affectés d'un pouvoir de connotation floue dont le référent serait « Moyen Age ». Jarry, quant à lui, va beaucoup plus loin dans la rupture avec la tradition figurative, lorsqu'il propose à Lugné-Poe d'en revenir à la pancarte indicatrice du théâtre élizabéthain, ce qui est, après tout, pousser jusqu'au bout la théorie « suggestionniste » du courant symboliste : le mot écrit, quoique non figuratif, a la même puissance d'évocation que n'importe quelle toile peinte. Dire, ou afficher : « un champ couvert de neige », c'est offrir au spectateur la même impulsion de l'imaginaire que lui montrer, par la grâce de la toile, de la peinture et de l'éclairage, un horizon neigeux. Insidieusement, c'est sans doute lui apporter quelque chose de plus, c'est lui montrer l'instrument (la pancarte) générateur de sa rêverie. C'est donc lui rappeler que même s'il se transporte par l'imagination dans « un champ couvert de neige », il ne cesse pas d'assister et de participer à du théâtre... D'autres propositions de Jarry rendent la démonstration encore plus nette. Par exemple, le *praticable* sera exhibé comme tel, comme l'outil qu'on introduit sur scène au moment où (et parce que) les acteurs en ont besoin. La fenêtre, la porte ne donneront plus l'illusion qu'ils sont fenêtre ou porte percées dans la matérialité d'un mur :

> Toute partie de décor dont on aura un besoin spécial, fenêtre qu'on ouvre, porte qu'on enfonce, est un accessoire et peut être apporté comme une table ou un flambeau[17].

17. *De l'inutilité du théâtre au théâtre*, *OC*, t. I, Gallimard, « Pléiade », p. 407.

Et, dans le même article, préconisant d'en revenir au *masque*, de fonder le jeu de l'acteur sur la recherche de la stylisation, de cultiver tous les artifices du geste et de la voix, Jarry fait apparaître la théâtralité à découvert.

Surréaliste avant la lettre, le décor d'*Ubu roi* « qui voudrait représenter Nulle Part, avec des arbres au pied des lits, de la neige blanche dans un ciel bleu » *(Programme)*, qui présente « des cheminées garnies de pendules [se fendant] afin de servir de portes, et des palmiers [verdissant] au pied des lits pour que les broutent de petits éléphants perchés sur des étagères » (Discours prononcé à la première représentation d'*Ubu roi*, *OC*, t. I, p. 400), ce décor procède sans doute, comme l'observe Jacques Robichez[18], d'une volonté de provocation, de négation et de destruction du théâtre. Du moins d'un certain théâtre. Est-il sûr en effet qu'on puisse détruire le théâtre par le théâtre ? La négation ne peut se donner en spectacle. Sauf à devenir spectacle elle-même. Et, lorsqu'il n'y a plus rien à voir sur la scène qui ressortisse à la figuration, à la vraisemblance, à la cohérence... il y a encore à voir la *théâtralité*.

Jarry inaugure ainsi une tradition fondamentale dans l'histoire de la mise en scène moderne. Désormais, le théâtre osera se montrer à nu. Ce qui lui conférera d'abord une grande souplesse et une grande liberté d'allure. L'espace scénique va devenir une « aire de jeu » ; l'acteur va se faire pur instrument de la représentation, renonçant à sa personnalité d'acteur ou à l'identité de son personnage. Jacques Robichez, dans son *Lugné-Poe* (p. 79), rapporte le témoignage de Gémier, le principal interprète d'*Ubu roi* :

> Pour remplacer la porte de prison, un acteur se tenait en scène avec le bras gauche tendu. Je mettais la clef dans sa main comme dans une serrure. Je faisais le bruit du pène, cric, crac, et je tournais le bras comme si j'ouvrais la porte[19].

18. Jarry ou la nouveauté absolue, *Théâtre populaire*, 1er septembre 1956, pp. 88-94.
19. In *l'Excelsior*, 4 novembre 1921.

Une semblable pratique, dont l'origine serait à chercher du côté de certaines formes de représentation qui affichent leur « ludisme » — commedia dell'arte, pantomime, entrées de clowns... —, se répandra dans les mises en scène les plus diverses du point de vue idéologique et esthétique. Claudel ne cessera de la préconiser. A propos de sa mise en scène de *Christophe Colomb*, Jean-Louis Barrault écrit :

> A-t-on besoin d'une auberge ? Qui dit auberge dit intérieur — qui dit intérieur dit porte —, qui dit porte dit deux hommes qui tiennent leurs bras tendus verticalement et leurs mains, raides au sommet, dirigées l'une vers l'autre horizontalement : celui qui doit entrer pourrait passer dessous et entre les deux[20].

Dans la mise en scène de Roger Blin, pour *les Paravents* de Genet (Théâtre de France, 1966), les acteurs eux-mêmes traçaient au « marqueur » sur des écrans de papier blanc les éléments scéniques requis par l'action. Et l'on pourrait encore citer Antoine Vitez qui présente l'*Andromaque* de Racine dans une aire de jeu nue, meublée seulement d'une table de ferme et d'une échelle double, purs instruments à produire de la théâtralité. On n'en finirait pas de multiplier les exemples, de Brecht à Ariane Mnouchkine, de Ronconi à Peter Brook...

Cette période-matrice que constitue, dans l'histoire de la scène moderne, le tournant du XIXe et du XXe siècles, on doit redire ici qu'elle ne coïncide pas avec l'évolution d'un théâtre national. A la réaction symboliste de Paul Fort et Lugné-Poe fait écho, en Russie, celle de Meyerhold. Ici et là, les arguments développés contre la scène naturaliste (celle d'Antoine ou de Stanislavski) sont à peu près les mêmes : il est illusoire et naïf de croire que le théâtre peut se mettre à la remorque du réel, sauf à y perdre toute spécificité. La manie archéologique des naturalistes transforme « la scène en une exposition d'objets de musée », souligne

20. Du théâtre total et de Christophe Colomb, *Cahiers de la Compagnie Madeleine Renaud - Jean-Louis Barrault*, 1953, n° 1, pp. 34-35.

Meyerhold[21], tandis que Tchékhov déclare assez drôlement à Meyerhold : « La scène, c'est de l'art. Prenez un bon portrait, découpez-lui le nez et introduisez dans le trou un vrai nez. Ça fera « réel », mais le tableau sera gâché » *(ibid.)*.

Préoccupation commune aux Français et aux Russes : impliquer le spectateur dans l'acte de la représentation soit en permettant à sa rêverie de se déployer, soit en agissant sur son instinct ludique (les deux orientations n'étant d'ailleurs pas incompatibles). Ainsi apparaît l'une des grandes interrogations du théâtre moderne : qu'en est-il de la relation du spectateur au spectacle ? Meyerhold souhaite arracher le spectateur à cette non-existence de voyeur à laquelle l'avait réduit le naturalisme, pour l'associer au travail de l'auteur, du metteur en scène et du comédien, pour en faire, après eux, « le quatrième créateur » *(ibid.)*. Aussi bien, chez Meyerhold, les conventions seront-elles explicitement assumées comme telles, la théâtralité ne cessera de s'exhiber sur la scène, de telle sorte que le comédien ne puisse jamais s'identifier complètement à son personnage, jamais effacer complètement la présence réelle du spectateur de sa conscience de comédien en scène, de telle sorte que, symétriquement, le spectateur ne cesse de percevoir le théâtre comme tel, les décors comme objets de théâtre, l'acteur comme individu en train de représenter ou de jouer... Est-il besoin de rappeler tout ce qu'une telle conception va apporter à la théorie brechtienne de la représentation ?

De Craig à Vilar, pendant la première moitié du XXe siècle, on s'accordera à condamner la représentation mimétique héritée du naturalisme pour un certain nombre de raisons dont celle-ci : dans ce type de représentation, le spectateur est réduit à une pure passivité intellectuelle. Puisque tout lui est montré, donné, il ne lui reste plus qu'à être un regard qui ingurgite et digère. On affirmera qu'un autre mode de rela-

21. Les techniques et l'histoire, *le Théâtre théâtral*, Paris, Gallimard, 1963, pp. 19-53.

tion est possible entre le spectateur et le spectacle, une implication du spectateur dans le grand jeu de l'imaginaire. Ce qui suppose une autre option esthétique où la suggestion remplace l'assertion, l'allusion la description, l'ellipse la redondance... Ce désir d'impliquer le spectateur dans la représentation, voire de le compromettre par elle, ne va plus cesser de guider les recherches du théâtre moderne : celles d'Artaud, entre les deux guerres, mais aussi celles qui vont dominer la décennie 1960-1970 avec les réalisations du Living Theatre (Julian Beck et Judith Malina), du Théâtre-Laboratoire de Wroclaw (Grotowski), de Luca Ronconi et d'Ariane Mnouchkine, si différentes que soient, par ailleurs, les bases théoriques qui gouvernent chacune de ces entreprises...

L'interrogation essentielle qui émerge du débat entre naturalisme et symbolisme est bien la question fondatrice de toute mise en scène, la question d'où naît, à la lettre, le metteur en scène : qu'est-ce qu'une représentation théâtrale ? Il faut insister sur le fait qu'avant Antoine, la question ne se posait pas, ou du moins pas dans les mêmes termes. Le XVIIe siècle se demandait : qu'est-ce qu'une pièce de théâtre ? Le XVIIIe : comment faire en sorte que la scène donne l'illusion de la réalité ? Les romantiques : comment traduire, par l'écriture dramatique, la diversité du réel ? Et toutes ces interrogations émanaient d'écrivains, d'intellectuels (Corneille et l'abbé d'Aubignac ; Diderot et Beaumarchais ; Stendhal et Hugo...). Il serait, bien sûr, naïf de penser que les professionnels du théâtre ne se posaient pas de questions relatives à leur art. On a même toutes les raisons de croire que, de Molière à Talma, de Rachel à Sarah Bernhardt, l'art de l'acteur ne s'est renouvelé que d'une perpétuelle interrogation sur les « traditions » et les conditions d'interprétation des textes. Il ne nous en reste, malheureusement, que des traces[22].

22. *L'Impromptu de Versailles*, par exemple, ou les *Mémoires* de Clairon... On sait, d'autre part, que c'est un tragédien de la dimension de Talma qui fut à l'origine d'une réforme de la mise en scène tragique, au début du XIXe siècle.

Avec Antoine, la question de la représentation se pose dans les termes que nous utilisons encore aujourd'hui. Il est le premier, par exemple, à se demander comment faire entrer, dans le présent du spectateur, la mise en scène d'un texte classique. Sa réponse vaut qu'on s'y arrête. D'abord parce qu'elle signale que l'esthétique naturaliste est plus complexe et moins naïve qu'on ne le pense généralement. Ensuite parce que cette réponse est la matrice des plus grandes réalisations du XXe siècle, dans ce domaine particulier.

Dans sa *Causerie sur la mise en scène* (1903), Antoine déclare : « Toute recherche de couleur locale ou de vérité historique me paraît vaine pour de tels chefs-d'œuvre [les tragédies classiques]. » Et il précise : « Je crois fermement que c'est altérer la signification de ces merveilleuses tragédies que de les « situer », sinon dans le pays et dans le temps où elles sont nées. » On a bien là les germes de la théorie qui sous-tend la représentation historicisée du texte classique. Conception qui va engendrer quelques-unes des mises en scène les plus révélatrices que le théâtre moderne ait produites : qu'on songe seulement à la sensation (parfois au scandale) suscitée par la vision que Roger Planchon nous a offerte de *George Dandin* ou de *Tartuffe*, de la *Seconde surprise de l'amour* ou de *Bérénice*...

Et, dès 1907, lorsque Antoine présente à l'Odéon son *Tartuffe*, il révèle ce que peut être la fonction d'une mise en scène moderne de l'œuvre classique. L'unité de lieu éclate. Quatre décors montrent quatre aspects de la maison d'Orgon. L'espace scénique classique n'est plus seulement le lieu de rencontres, le carrefour de la tradition. Il traduit le milieu social d'Orgon, l'ambition de Tartuffe... Ce naturalisme-là nous intéresse moins par son rêve illusionniste tant de fois dénoncé que par ce qu'il affirme : la possibilité d'une sémiotique de la scène. Et par ce qu'il annonce : le refus de l'orthodoxie en matière de mise en scène, le droit pour le metteur en scène de tenir un autre discours que celui de la célébration du chef-d'œuvre. La mise en scène n'est plus (seulement) l'art de faire « chatoyer » un texte admirable (qu'il faut admirer), mais celui de le mettre en perspective, de dire quelque chose sur ce texte qu'il ne dit pas, du moins pas explicitement, de l'offrir non plus seulement à l'admiration, mais à la réflexion du spectateur. Le *Tartuffe* d'Antoine annonce celui de Jouvet, ceux de Planchon et de Vitez.

De même son *Andromaque* (Odéon, 1909), jouée en costumes de cour louisquatorziens et dans un décor versaillais, inaugure-t-elle une conception nouvelle de la représentation de la tragédie française, même si aujourd'hui cette conception commence à prendre la lourdeur d'une tradition. Faut-il sourire de la manie archéologique qui est la contrepartie historicisante du naturalisme, et qui pousse Antoine à placer des figurants-spectateurs sur des banquettes latérales et à utiliser un éclairage à la chandelle ? Après tout, l'ambition est au moins respectable de chercher à recréer, dans sa matérialité, la théâtralité d'une époque, à lutter contre cette « malédiction » inhérente à l'art de la représentation, son caractère irrémédiablement éphémère. Essayez, après tout, d'imaginer une toile de Vermeer si vous n'en avez jamais vu...

L'exemple de la mise en scène des œuvres consacrées est révélateur de l'apport, peut-être le plus important, d'Antoine à la modernité. Désormais, le metteur en scène est le générateur de l'unité, de la cohésion interne et de la dynamique de la représentation. Il est celui qui détermine et qui montre les liens qui unissent décors et personnages, objets et discours, éclairages et gestuelles... Aujourd'hui, le spectateur un peu expérimenté a l'habitude d'appréhender la représentation comme une totalité, de chercher en elle un principe de cohérence, d'unité, de dénoncer les mille imperfections qui la brisent, un acteur qui déclame un peu trop par rapport à des partenaires plus réalistes, un costume dont la couleur « détonne » dans le décor, etc. Il faut savoir que rien n'est moins « naturel » et plus « historique » que ce regard-là. Cette façon d'être spectateur n'est pas innée. Elle nous a été inculquée, non par un enseignement qui s'occupe fort peu d'initiation au théâtre, mais par plusieurs générations de metteurs en scène. Antoine est l'un des premiers, en France, qui ait su imposer une telle approche du théâtre. Si, comme on l'a dit, le naturaliste, s'agissant d'Antoine, achève, liquide une période de l'histoire de la représentation, le metteur en scène inaugure, engendre bien une nouvelle époque du théâtre.

Mais comment faire de la représentation cette unité esthétique et organique? Car, à la différence des autres formes d'art, la mise en scène apparaît d'abord comme la juxtaposition, ou l'imbrication, d'éléments autonomes, décor et costumes, éclairage et musique, travail de l'acteur... A cette hétérogénéité acceptée comme inhérente à l'art même du théâtre, on impute la médiocrité et la décadence de la représentation à la fin du XIXe siècle. Le remède? Il faut réaliser l'intégration de ces composantes hétéroclites, les fondre dans une totalité perceptible comme telle. Par voie de conséquence, une volonté souveraine doit s'imposer aux différents techniciens de la représentation. Volonté qui conférera à la mise en scène l'unité organique et esthétique qui lui fait défaut, mais aussi l'originalité qui découle d'une intention créatrice. Par là elle pourra prétendre au statut d'œuvre d'art que lui dénient, non seulement des intellectuels dédaigneux (Maeterlinck), mais des professionnels du Théâtre un tant soit peu exigeants (Antoine, Lugné-Poe, Craig, Copeau, Artaud...).

L'affirmation de cette souveraineté du metteur en scène s'est aujourd'hui tellement imposée à l'usage qu'elle semble inhérente à toute pratique du théâtre et qu'elle a coloré jusqu'à nos façons de parler : à la fin du XIXe siècle, on parlait de la *Bérénice* de Julia Bartet, la tragédienne qui venait de redécouvrir la pièce de Racine ; aujourd'hui de la *Bérénice* de Planchon. On va *voir les Noces de Figaro* de Strehler, ou la *Tétralogie* de Chéreau... Ces faits de langage traduisent une sensible modification dans le comportement des spectateurs. Jadis, ils allaient voir (entendre) une pièce (un texte) et des interprètes. Aujourd'hui, ils vont d'abord voir une mise en scène, c'est-à-dire une totalité dont le texte et les interprètes ne sont que des éléments constitutifs. Cela est vrai, bien entendu, des œuvres dont le texte est familier, mais cela tend à l'être également des pièces nouvelles : en 1979, ce qu'on va voir, c'est moins une adaptation du *Mephisto* de Klaus Mann que la réalisation du Théâtre du Soleil (Ariane Mnouchkine) qui inclut cette adaptation.

Aussi bien, le culte de la vedette, l'assimilation réductrice de la représentation à une exhibition sont-ils des comportements qui tendent heureusement à tomber en désuétude et qu'on ne rencontre plus guère que dans le ghetto poussiéreux du théâtre de boulevard. Il importe de saisir cette évolution comme l'une des transformations historiques les plus importantes dont la pratique du théâtre se soit trouvée affectée au XXe siècle. Les textes de Craig, d'Artaud... en témoignent assez clairement, il n'en allait pas du tout de même au début de ce siècle ; et leur biographie permet d'apercevoir au prix de quelles difficultés, de quelles batailles pas toujours gagnées, une telle transformation du théâtre et des esprits s'est progressivement imposée...

L'exigence de modernité repose sur ce qu'on pourrait appeler un mécanisme de mise à mort que chaque génération reproduit. Inversement, une trop grande révérence à l'égard des prédécesseurs, de la « tradition », n'est guère compatible, semble-t-il, avec la recherche de formes neuves et de pratiques révolutionnaires. Et sans doute ce mécanisme a-t-il toujours existé de façon latente, mais au XXe siècle, il émerge dans toute sa violence et son intransigeance. Ainsi la modernité de la représentation symboliste s'ancre-t-elle dans une réaction nihiliste radicale qui ne prône rien moins que l'abolition de la représentation. Le théâtre, pense-t-on, est arrivé à un tel point de décadence qu'il serait illusoire de chercher à le réformer. Le seul théâtre qui vaille ne peut plus que se jouer sur la scène de l'imaginaire et la véritable mise en scène, c'est le lecteur qui l'assure, dans l'acte même de la lecture... Réaction d'intellectuels, de poètes, dont le rêve est toujours déçu par les routines et les limites de la représentation ordinaire. Dès la fin du XIXe siècle, Dujardin dénonce l'écart qui sépare une représentation des perspectives infinies qu'ouvre la musique de Wagner. En 1890, Maeterlinck n'hésite pas à proclamer non seulement l'inanité de la mise en scène, mais les périls qu'elle ferait courir à des œuvres qui, selon lui, n'auraient pas été conçues pour la représentation :

> La plupart des grands poèmes de l'humanité ne sont pas scéniques. *Lear*, *Hamlet*, *Othello*, *Macbeth*, *Antoine et Cléopâtre* ne peuvent être représentés, il est dangereux de les voir sur la scène. Quelque chose d'Hamlet est mort pour nous le jour où nous l'avons vu mourir sur la scène. Le spectre d'un acteur l'a détérioré et nous ne pouvons plus écarter l'usurpateur de nos rêves[23].

Cette thèse, toute l'histoire du théâtre élizabéthain la contredit, mais elle éclaire crûment un état d'esprit fort répandu dans les milieux intellectuels de la fin du XIXe siècle, qui, de réaction d'humeur, va s'ériger en théorie et signer la condamnation à mort de toute mise en scène : « La représentation d'un chef-d'œuvre à l'aide d'éléments accidentels et humains est antinomique. Tout chef-d'œuvre est un symbole et le symbole ne supporte jamais la présence de l'homme » *(ibid.)*. Mallarmé, dans ses articles sur le théâtre[24], ne dira pas autre chose... Plus surprenant, peut-être, de prime abord, est le cas de Craig : qu'un homme de théâtre, reconnu comme l'un des acteurs les plus doués, comme l'un des metteurs en scène les plus prometteurs de sa génération, reprenne à son compte une exclusive aussi radicale, voilà qui est à peu près unique dans les annales du théâtre, et voilà qui va se reproduire, à quelques années

23. *La Jeune Belgique*, p. 331, cité par Jacques ROBICHEZ, in *le Symbolisme au théâtre*, p. 83.

24. Recueillis sous le titre *Crayonné au théâtre* (*OC*, Gallimard, « Pléiade », pp. 293 sqq.).

de distance, avec Artaud et Brecht. Décadent, prostitué, le théâtre est devenu l'usine à produire le divertissement insignifiant répondant le mieux à la demande du public bourgeois qui monopolise les théâtres. Artaud :

> Si la foule s'est déshabituée d'aller au théâtre ; si nous avons tous fini par considérer le théâtre comme un art inférieur, un moyen de distraction vulgaire, et par l'utiliser comme un exutoire à nos mauvais instincts, c'est qu'on nous a trop dit que c'était du théâtre, c'est-à-dire du mensonge et de l'illusion[25].

Sur ce dégoût, sur cette table rase, au moins trois théories de la représentation vont se construire, celles de Craig, d'Artaud et de Brecht, où chaque fois l'utopie débordera et dynamisera la pratique. Tout se passe, chaque fois, comme si la mise à mort du théâtre permettait à l'art du théâtre de ressusciter...

25. *Le Théâtre et son double*, en finir avec les chefs-d'œuvre, p. 92.

CHAPITRE II

La question du texte

Le problème de la place et de la fonction du texte au sein de la représentation est moins récent qu'on ne l'imagine communément, et, au-delà de considérations esthétiques, il témoigne d'un enjeu idéologique. Il s'agit au fond de savoir en quelles mains tombera le pouvoir artistique, c'est-à-dire à qui incombera de prendre les options fondamentales, et à qui en reviendra ce qu'on appelait autrefois la gloire... Ce n'est pas un hasard si, dès le XVIIe siècle, un parti « intellectuel »[1] tend à imposer une hiérarchisation des genres, à les séparer les uns des autres par une stricte réglementation, et par des décrets qui les valorisent ou les dévalorisent. Ce n'est pas un hasard si la valorisation majeure affecte les formes théâtrales qui reposent sur la domination exclusive du texte (tragédie, grande comédie...) et si, dans l'autre sens, la dévalorisation frappe toutes celles qui font au spectacle une part plus ou moins importante (comédie-ballet, farce, opéra à machines...). Et ce contre le goût même du public, toutes catégories sociales confondues !

On peut donc faire remonter à cette époque une tradition de sacralisation du texte qui va marquer durablement la représentation occidentale, et spécialement française.

1. Le terme est anachronique mais désigne assez bien ceux qu'on appelle alors les « doctes », les « connaisseux », écrivains et beaux esprits qui monopolisent le pouvoir que confère la faculté de s'exprimer (par écrit, dans les salons, à la cour...).

Tradition qui aura une incidence sur la théorie et la pratique de la scénographie, le décorateur se considérant comme un artisan dont la mission (subalterne) consiste seulement à matérialiser l'espace requis par le texte[2], sur le jeu de l'acteur dont l'art et l'apprentissage vont se centrer sur la problématique de l'incarnation d'un personnage et sur celle de la diction, supposée juste, d'un texte.

On voit ainsi se profiler, tout à la fois, la spécialisation et la hiérarchisation des professions du théâtre : chacun son « métier », et tous au service du texte (de l'auteur)! Chacun s'enfermera dans sa spécialité — incarner un personnage, concevoir et construire un décor[3], organiser les entrées et les sorties des comédiens, leurs jeux de scène... La « reconnaissance » sociale de ces diverses activités déterminera le prestige, la position de pouvoir, les émoluments des unes et des autres. Bref, le théâtre n'échappera plus à une hiérarchisation des compétences au sommet de laquelle on trouvera l'auteur et la « vedette » (le metteur en scène atteindra cette position dominante seulement au XXe siècle). Puis, *decrescendo*, ceux dont l'activité est encore tenue pour « artistique », les comédiens qui peuvent accéder au statut de vedette (ou se révéler metteurs en scène), les « artisans », décorateurs et costumiers, enfin, au bas de l'échelle, les « techniciens », éclairagistes, machinistes, maquilleurs...

Un tel cloisonnement, comme ne cesseront de le dire la plupart des grands théoriciens modernes, n'est guère propice à l'épanouissement d'un art homogène, chacun s'enfermant dans sa compétence personnelle. Et, chacun confondant routine et tradition, il ne favorise pas davantage l'invention et le renouvellement de la représentation. Pour s'imposer

2. Et ce d'autant plus que, depuis la fin du XVIIIe siècle, l'auteur multiplie les indications de détail qui ne laissent aucune marge à l'invention du décorateur (cf. Beaumarchais, Hugo...).

3. Au XIXe siècle, la « pulvérisation » professionnelle a atteint un tel degré que les décorateurs se spécialisent dans un type donné de décor (forêts, salles monumentales...) et que leur réputation repose sur une virtuosité ponctuelle : l'art d'intégrer un escalier à une architecture (Carpézat), par exemple...

comme volonté créatrice, la mise en scène moderne aura à lutter contre toutes ces pesanteurs...

Dans ce contexte, il est tout à fait symptomatique que des pratiques qui ne pouvaient, ou ne voulaient, se plier à la domination du texte se soient trouvées tout à la fois marginalisées et admirées. Ainsi, par exemple, de celle des Italiens qui avaient essaimé dans toute l'Europe et révélé l'art de la commedia dell'arte. L'inimitié qu'ils s'attirent, notamment en France, est à la mesure du succès qu'ils rencontrent. Les pouvoirs publics n'hésitent pas à prendre contre eux, tout au long du XVIIe et du XVIIIe siècle, des mesures destinées à limiter leur audience. Or, ces comédiens sont passés virtuoses dans l'utilisation acrobatique du corps, dans le jeu masqué, le chant, la danse... De plus, dans ce théâtre, le statut du texte dépossède l'auteur de tout pouvoir, et, à la limite, de toute raison d'être : le canevas est mis au point par le chef de troupe ou par un comédien doué pour cet exercice. Il est assujetti aux possibilités spécifiques de la compagnie, c'est-à-dire qu'il est conçu (ou remanié) pour mettre en valeur les talents particuliers de la vedette du moment. Enfin, et surtout, il n'est qu'une trame ; il ne devient « texte » que par l'improvisation des acteurs. Un texte, on l'imagine, qui se modifie et s'enrichit au gré de leurs pérégrinations et de leurs répétitions.

Des remarques analogues pourraient être faites à propos de formes théâtrales dont la spécificité entraînait une dévalorisation, voire une élimination du texte. La pantomime au XIXe siècle, en dépit de ses succès, est restée une pratique marginale, et, de nos jours encore, on a tendance à oublier que l'entrée de clowns, le music-hall, le ballet et l'opéra appartiennent aussi à l'art du théâtre. Or il s'agit là d'un phénomène idéologique que ne cautionne aucun refus du public. Ces genres, les pratiques et les techniques qu'ils suscitent, n'ont pas cessé de connaître des succès que nombre d'auteurs dramatiques traditionnels pourraient leur envier. C'est seulement la conséquence de l'intériorisation d'un système de valeurs qui n'a pas été remis en question avant le XXe siècle.

Pour ce qui est de la mise en scène moderne, il serait simpliste d'imaginer une évolution linéaire. Il n'y a pas eu renversement progressif, ou brutal, de cette tradition de valorisation du texte, dont la contrepartie était, au moins au niveau des représentations idéologiques, une dévalorisation du spectacle. Il n'y a pas eu davantage opposition entre un académisme adossé à la suprématie du texte et un avant-gardisme qui aurait cherché à la ruiner. Au contraire, le XXe siècle a vu se multiplier les recherches dans l'un et l'autre sens. A la même époque — les trente premières années du siècle, *grosso modo* —, Craig et Artaud ont pu dénier au texte la place cardinale qu'il prétendait occuper dans la représentation, tandis que Copeau et Dullin lui renouvelaient, avec éclat, leur allégeance. Jouvet est l'exact contemporain de Baty ; le premier se met au service du texte, le second proclame (l'expression, il est vrai, est ambiguë) qu'il est temps de « détrôner Sire le Mot ».

Ce « textocentrisme » va lui-même évoluer, s'adapter aux goûts, aux techniques, à la conception qu'on peut se faire de la notion de « sens », comme de la relation qu'un texte entretient avec un public contemporain de son apparition, ou avec d'autres générations...

Jusqu'à une date récente, disons le tournant des années 50, la notion de « polysémie » n'était à peu près pas admise. Un texte de théâtre, supposait-on, véhiculait un seul sens dont le dramaturge détenait la clé. De ce fait, il incombait au metteur en scène, et à ses interprètes, de médiatiser ce sens, de le faire appréhender (comprendre, sentir...), du mieux qu'il était possible, au spectateur. D'où des critères d'appréciation qui visaient, par exemple, à définir le bon acteur par rapport à sa capacité d' « être » tel ou tel personnage. Jouvet :

> Sarah [Bernhardt] jouait sans un geste ; c'était stupéfiant. « Que ces vains ornements, que ces voiles me pèsent ! » Elle effleurait à peine sa tempe de la main, c'était tout. C'était simplement l'articulation des vers qu'on entendait, c'était bouleversant, et surtout on sentait que c'était un personnage qui portait en soi, comme

disent les commentateurs, « la fatalité antique ». C'était un personnage angoissant à voir, et on se disait : voilà l'héroïne de la pièce[4].

D'où, également, la notion d'orthodoxie de l'interprétation qui a légitimé l'existence et les pratiques d'un théâtre tel que la Comédie-Française, d'une école telle que le Conservatoire national d'art dramatique. Ces institutions se proclamaient les détentrices autorisées d'une tradition d'interprétation et de représentation du grand répertoire. Cette tradition était supposée garantir l'authenticité du spectacle, c'est-à-dire sa conformité aux intentions de l'auteur, puisqu'en tant que producteur du texte il était tenu pour l'instance de responsabilité à la fois primordiale et ultime. Or, si l'on se penche sur une telle affirmation, on est obligé de constater qu'il s'agit d'une tradition soumise à la transmission orale, c'est-à-dire à toutes sortes de fluctuations, chaque génération d'interprètes ayant à cœur de se distinguer de la génération précédente, et à toutes sortes d'imprégnations (les comédiens français ne vivent quand même pas en vase clos !) Aussi bien est-on en droit de penser que l'essentiel de la fameuse tradition ne remonte certainement pas au-delà du XIXe siècle...

Dans ces conditions, il est tout à fait frappant d'observer que les premières tentatives, qui marquent l'avènement de la mise en scène moderne, ne mettent nullement en cause la suprématie du texte et sa vocation à être à la fois la source et la fin de la représentation. Quelques exceptions, cependant : Craig, Meyerhold, Artaud et, dans une moindre mesure, Baty. Mais, au moins pour les trois premiers, on ne saurait dire que le théâtre de leur temps ait été largement influencé par leurs prises de position.

Le « textocentrisme » est l'un des piliers théoriques de la mise en scène symboliste. Ce qui se comprend, puisque, dès l'origine, il s'agit d'un mouvement de poètes (Paul Fort,

4. *Tragédie classique et théâtre du XIXe siècle*, Gallimard, p. 82.

Maeterlinck...) ou soutenu par des poètes (Mallarmé...) dont l'ambition était de restaurer les droits de l'imaginaire que l'esthétique naturaliste, selon eux, étouffait. Dans ces conditions, le véhicule du rêve, c'était d'abord et essentiellement l'écriture.

Toutefois, la polémique entre naturalisme et symbolisme ne doit pas masquer le fait que, pour Antoine aussi, la représentation s'organisait à partir et autour d'un texte. Zola en témoigne, qui formule la théorie naturaliste du théâtre. A ses yeux, il est manifeste que le nouveau théâtre doit rester un théâtre d'auteurs et de textes :

> Si le drame naturaliste doit être, un homme de génie seul peut l'enfanter. Corneille et Racine ont fait la tragédie. Victor Hugo a fait le drame romantique. Où donc est l'auteur encore inconnu qui doit faire le drame naturaliste[5] ?

Et Henry Becque, dans ses *Souvenirs d'un auteur dramatique*, rend à Antoine un hommage significatif, soulignant qu'il a su révéler de nouveaux et authentiques dramaturges et qu'il « nous a débarrassés des charlatans ». Ces auteurs, tous n'ont pas été retenus par la postérité, tant s'en faut, mais enfin ce n'est pas un si mince résultat que d'avoir fait connaître Tolstoï (*la Puissance des ténèbres*, 1888), Tourgueniev (*le Pain d'autrui*, 1890), Courteline (*Lidoire*, 1891 ; *Boubouroche*, 1893), Strindberg (*Mademoiselle Julie*, 1893), Jules Renard (*Poil de carotte*, 1900), Ibsen (*le Canard sauvage*, 1906)... La même analyse vaudrait pour Otto Brahm qui, à Berlin, dans le sillage d'Antoine, fait découvrir, en trois ans, Ibsen, Hauptmann, Becque, Zola, et, bien sûr aussi, pour Stanislavski dont le Théâtre d'Art de Moscou a littéralement révélé, à eux-mêmes et au public, Tchékhov et Gorki.

A cet égard, un paradoxe doit être relevé : alors que l'esthétique naturaliste tendait à n'être qu'une phénoménologie des comportements, alors que les symbolistes prétendaient recentrer la représentation sur le texte, c'est la première qui suscite les pièces les plus intéressantes, voire quelques

5. *Le Naturalisme au théâtre*, *OC*, éd. F. Bernouard, t. 42, p. 21.

chefs-d'œuvre de la scène. Il n'est pas sûr qu'on puisse en dire autant du symbolisme. La trilogie ubuesque de Jarry apparaît aujourd'hui comme l'un des textes canoniques du théâtre moderne, mais les pièces de Maeterlinck sont devenues illisibles, ou du moins injouables[6]. Sans doute est-ce que les poètes symbolistes se souciaient plus d'écriture poétique que de dramaturgie. Le théâtre pardonne rarement qu'on l'oublie...

En somme, à l'aube du XXe siècle, l'art de la mise en scène requiert le support d'un bon texte. Il reste l'art de représenter. Il utilise, perfectionne, invente des techniques qui sont autant de moyens de visualiser, de matérialiser, d'incarner une action, des situations, des personnages, préalablement imaginés par un écrivain.

Pourtant, l'histoire des rapports entre Stanislavski et Tchékhov révèle peut-être une nouvelle fragilité dans la position dominante de l'écrivain (du texte), une ambiguïté, en tout cas, imputable à l'importance que prend alors l'art du metteur en scène. Tchékhov, en effet, se plaint, après un certain nombre d'expériences heureuses, que Stanislavski dénature son œuvre par le biais de la mise en scène. En quoi il se fonde sur le présupposé que l'auteur reste l'instance suprême. « Tout ce que je puis dire, c'est que Stanislavski a massacré ma pièce [*la Cerisaie*] ! », proteste-t-il dans une lettre du 29 mars 1904. Mais Stanislavski n'excipe pas des droits du metteur en scène à proposer une vision originale. Il se défend en protestant de sa fidélité aux indications scéniques de Tchékhov ! Bref, tout cela est révélateur d'une transformation, latente encore, des statuts respectifs de l'auteur et du metteur en scène dans le théâtre nouveau. Ce dernier, sans doute, se place — il le proclame en tout cas — au service d'un texte. Cela ne l'empêche pas de proposer, et parfois d'imposer, une vision personnelle de l'œuvre. Autrement dit, le metteur en scène n'est plus un artisan, un

6. C'est à la musique de Debussy, sans nul doute, que *Pelléas et Mélisande* doit d'avoir échappé à l'oubli...

illustrateur. Même s'il ne l'affirme pas encore clairement, il devient un créateur. Là se trouve la source du conflit.

L'une des conséquences les plus importantes de la théorie stanislavskienne de l'acteur et, bien sûr, de la pratique qui en découle, c'est que la relation du comédien au personnage, donc au texte, s'en trouve complètement transformée. Par souci de la justesse absolue, de la sincérité et de l'authenticité de l'interprétation, Stanislavski met à contribution le moi profond de l'acteur, son expérience la plus intime. Le metteur en scène prend en charge et intègre à la représentation une composante qui, bien évidemment, était à l'œuvre auparavant, mais sans qu'on en eût vraiment conscience, ou sans qu'on cherchât à en tirer parti systématiquement — la personnalité singulière du comédien. Dès lors il ne peut plus y avoir de direction d'acteur dogmatique. Les injonctions extérieures, les formules techniques deviennent inopérantes. Dès lors, il ne peut plus y avoir que des interprétations d'un même rôle qui différeront l'une de l'autre autant que la personnalité et l'expérience des comédiens seront, elles-mêmes, différentes les unes des autres.

Stanislavski, en effet, n'a cessé d'affirmer, contre Diderot, que le véritable paradoxe du comédien n'était pas dans la simulation d'émotions qu'il ne ressent pas, mais dans le fait qu'il ne peut devenir un autre qu'avec ses propres émotions, et qu'il reste lui-même en faisant, de la vie d'un personnage, sa propre vie... Même si la question n'est pas posée explicitement, elle est inhérente à l'évolution que Stanislavski impose à l'art de l'interprétation : qu'en est-il du statut du texte, là où l'intervention de l'acteur devient affaire d'imagination, de « revivre », là où le jeu dramatique devient une création ?

Critique littéraire, fondateur, puis directeur de la *Nouvelle Revue française* jusqu'en 1913, Jacques Copeau, dans son entreprise du Vieux-Colombier, vise à ressusciter un théâtre décapé des vieilles conventions. Il veut « élever un théâtre nouveau sur des fondations intactes et débarrasser la scène de ce qui l'opprime et la souille ». Mais, loin de remettre en question la prééminence du texte au sein de la représentation, le purisme de Copeau se donne pour but de restaurer le répertoire dans sa fraîcheur originelle, de le « dégraisser » de toute une gangue d'ajouts érigés en traditions plus ou moins douteuses par quelque trois siècles de représentations, ou de révéler des textes neufs choisis et montés sans complaisance. La théorie de Copeau repose donc, non pas sur le constat — qu'Artaud formulera une vingtaine d'années plus tard — d'un parasitage, d'un étouffement de la représentation par la littérature, mais, tout au contraire, sur le sentiment que ce qui émane de la littérature dramatique, la diction juste, le geste expressif..., constitue la quintessence du théâtre. Pour la préserver, Copeau rejettera et dénoncera le spectacle spectaculaire.

Les choix esthétiques que révèle l'architecture scénique du Vieux-Colombier, la nudité du plateau, le parti pris d'un dispositif fixe, que l'éclairage et quelques accessoires adapteront aux exigences de chaque pièce, confirment bien que le texte, ici, règne souverainement, que la mise en scène sera strictement une mise en valeur de l'objet littéraire dénommé pièce de théâtre.

Et Copeau réagit vivement contre le culte effréné de la vedette, si caractéristique des premières années du siècle. C'est que le rapport de fascination qui lie le « monstre sacré » à son public obscurcit une exacte appréhension du texte en imposant à la représentation d'autres critères que ceux que Copeau juge légitimes : l'unité, l'homogénéité de la mise en scène, sa rigueur, sa fidélité au texte... La vedette détourne le rôle à son usage personnel. Le metteur en scène doit donc, selon Copeau, exercer sur l'interprète un strict contrôle, et lui imposer de se plier complètement aux exigences du texte. Interdiction lui est faite de « recréer la pièce à sa guise »! Il doit au contraire viser à « se confondre avec celui qui l'avait créée ». Cette religion du texte explique la volonté de dépouillement si caractéristique de l'art de Copeau. Tout ce qui distrait l'attention de l'essentiel, tout ce qui est ornement spectaculaire n'est pas seulement inutile, mais nuisible. Rien ne témoigne mieux de la suprématie absolue conférée, par Copeau, au texte, que sa définition de l'art du metteur en scène : « La mise en scène n'est pas le décor : c'est la parole, le geste, le mouvement, le silence ; c'est autant la qualité de l'attitude et de l'intonation que l'utilisation de l'espace »[7].

Ce que l'on a appelé le « jansénisme » de Copeau doit se comprendre comme une réaction de lucidité contre cette espèce d'empâtement de la représentation qui découlait du décorativisme complaisant du XIXe siècle et qu'on pouvait également reprocher à l'archéologisme encombrant des naturalistes. La mise en scène, selon Copeau, devait être l'art, plus léger et plus subtil, de faire miroiter toutes les facettes d'un beau texte, d'en explorer les ressources tant intellectuelles (le sens...) qu'émotionnelles (la musique, la poésie...). Mis en valeur par le dispositif scénique abstrait du Vieux-Colombier, l'acteur, aidé de quelques objets suggestifs ou symboliques, avait pour mission de « projeter » le texte, de le faire vibrer et vivre... « Jamais, observait Paul Léautaud, on n'a mieux montré qu'une œuvre dramatique peut se suffire à elle-même, tirer toute sa valeur d'elle seule, sans rien de toutes les recherches de la mise en scène et des décors qui, le plus souvent, ne font que lui nuire en détournant l'attention du public. »

En l'occurrence, Léautaud reprend à son compte la vieille méfiance du poète, de l'intellectuel à l'égard des arts de la scène, méfiance qui ne remonte pas au-delà du XIXe siècle (de Musset à Maeterlinck et à Claudel), c'est-à-dire à une époque de déclin artistique de la représentation théâtrale. La relation du texte et du spectacle est vécue comme un rapport conflictuel. Cette tension traduit la rivalité latente que l'évolution du théâtre suscite entre l'auteur et le metteur en scène. Aux yeux du premier, toute inter-

7. COPEAU affirmait également : « Je pense que pour une œuvre bien conçue pour la scène il existe une mise en scène nécessaire, et une seule, celle qui est inscrite dans le texte de l'auteur » (Une renaissance dramatique est-elle possible ?, in *Revue générale*, Bruxelles, 15 avril 1926, p. 421).

vention du second est une vague menace. L'immatérialité de la vision poétique ne peut qu'être desservie, trahie, par la matérialisation intempestive de la représentation. On demande donc à l'agent de celle-ci, le metteur en scène, de réitérer son allégeance au texte, c'est-à-dire aux « intentions » de l'auteur, et de veiller à ce que le texte demeure bien le pivot de la représentation.

A la vérité, cette situation révèle davantage les impasses dans lesquelles s'est fourvoyée une certaine mise en scène que l'avènement d'un nouveau potentat. Les symbolistes, Claudel... sont à la recherche d'un mode de représentation plus satisfaisant pour l'esprit que les facilités qui font les beaux soirs des scènes officielles. On sait d'ailleurs que Craig et Artaud partageront leur répulsion. Simplement, les premiers revendiquent une rénovation de l'art de la scène fondée sur un retour au texte, alors que les seconds renversent les données du problème, et imputent au texte le déclin de la représentation occidentale.

Un Pitoëff se place dans le droit fil de l'entreprise de Copeau. Aussi intransigeant que lui quant à l'assujettissement de la mise en scène au texte, il considère qu'il ne saurait y avoir d'autonomie de celle-là par rapport à celui-ci. Le texte est la matrice de la représentation. La mise en scène doit en émaner de la façon la plus intime possible, étant entendu que le texte est porteur d'un sens partiellement voilé, qu'il procède d'une « inspiration première », d'un « dessein », d'intentions plus ou moins implicites. Le metteur en scène n'est, au fond, qu'un professionnel de la lecture qui disposerait d'instruments originaux lui permettant de « déplier » le texte (d'en ouvrir et d'en exhiber les replis). La simplicité des moyens, le dépouillement, le recours à l'éclairage, à l'accessoire suggestif ou symbolique, et surtout le recentrage de la représentation sur l'acteur, tout cela doit permettre au spectateur d'accéder à une sorte de secret, de face cachée de l'œuvre. La scène devient le lieu d'une expansion du texte (comme on parle de l'expansion d'un parfum...).

L'intransigeance de ce retour au texte qui caractérise l'évolution de l'art théâtral du début du XXe siècle (et ce mouvement restera vivace jusque dans les années 50) ramènera au théâtre des écrivains qui s'en méfiaient et permettra de révéler au public des pièces méconnues, ou des auteurs inconnus. Pour Copeau, Gide écrira *Saül* ; et *la Nuit des rois*, cette comédie presque oubliée de Shakespeare, triomphera au Vieux-Colombier. Quant à Georges Pitoëff, il fera découvrir au public parisien la plupart des grands dramaturges étrangers de l'époque moderne, Tchékhov, Gorki, Tourgueniev, Pirandello, Synge, O'Neill...

Evoquer les autres membres du Cartel, c'est se condamner à la répétition. Quelle que soit, par ailleurs, l'originalité de leurs options de metteur en scène, ils se retrouvent à l'exception, toutefois, de Gaston Baty, dans une commune soumission de la représentation au texte. Jouvet : « C'est par les prestiges du langage seul, par l'écriture d'une œuvre, que le théâtre atteint sa plus haute efficacité... Le grand théâtre, c'est d'abord un beau langage... Les ouvrages dramatiques ne se qualifient pas par l'invention, ils se qualifient par le style. »

Cette méfiance à l'égard des exubérances du spectacle pur a été, on le voit, intériorisée par la génération de l'entre-deux-guerres, celle qui, d'une façon ou d'une autre, reprenait l'héritage de Copeau. Aux yeux de ces metteurs en scène, l'authenticité de la représentation n'est garantie que par le concours d'un individu étranger au théâtre, mais tout-puissant sur lui : l'auteur du texte. La répartition des tâches, comme celle des responsabilités, est strictement délimitée, et le metteur en scène ne s'aventure pas plus sur le terrain du dramaturge que ce dernier ne se risque à la mise en scène (ce qui n'empêche pas que Molière demeure le « patron »!), Giraudoux laisse à Jouvet le soin de monter ses pièces, et lorsque Copeau s'était essayé à faire œuvre de dramaturge, le résultat (*la Maison natale*, 1923) n'avait pas convaincu grand monde. Jusqu'au tournant des années 50, la spécialisation, la répartition des fonctions, le morcellement des tâches paraissent inhérents à toute pratique du théâtre. Craig et Meyerhold n'ont qu'une audience confidentielle ; Artaud est une voix qui clame dans le désert, et Brecht n'est pas encore traduit en français[8].

Au lendemain de la guerre, deux élèves de Dullin, Jean-Louis Barrault et Jean Vilar, reprennent le flambeau. Et, dans le style des mises en scène de ce dernier, on retrouve quelque chose du « jansénisme » de Copeau. A la question de savoir à quelle composante de la représentation (texte, scénographie, interprétation...) il donne le rôle moteur, Vilar répond : « A quels éléments autres que le texte et les interprètes pourrait-on attribuer une supériorité ? » (*De la tradition théâtrale*, p. 58.) Il rejette catégoriquement l'idée que la mise en scène puisse être un art de *création*. L'homme de théâtre (metteur en scène, comédien...) est seulement un interprète :

> Le créateur au théâtre, c'est l'auteur. Dans la mesure où il nous apporte l'essentiel. Quand les vertus dramatiques et philosophiques de son œuvre sont telles qu'elles ne nous permettent aucune possibilité de création personnelle, lorsque nous nous sentons encore, après chaque représentation, *son débiteur*[9].

La mise en scène émane directement du texte, des répliques et des didascalies. Et tout ce qui n'a pas sa source et sa justification dans le texte, « tout ce qui est *créé* hors de ces indications est « mise en scène » et doit être de ce fait méprisé et rejeté » (*op. cit.*, p. 66). Il ne saurait en effet y avoir deux *créateurs* concurrents. Proclamer la vocation créatrice du metteur en scène, c'est du même coup évincer l'auteur, exclure le texte. De façon significative, Vilar n'aperçoit, pour le metteur en scène, que deux espaces où puisse s'épanouir une créativité : celui qui est laissé libre par la défaillance de l'auteur, « lorsque la pièce est nulle » (c'est-à-

8. En 1930, BATY avait présenté *l'Opéra de quat'sous* au public parisien. Celui-ci n'y avait vu, comme le rapporte Simone de BEAUVOIR, dans ses *Mémoires*, qu'une aimable comédie musicale parfumée d'anarchisme...
9. *Op. cit.*, p. 65.

dire, au fond, lorsque, de lui-même, le texte s'anéantit), et celui d'un théâtre sans texte. Parmi les pratiques du comédien, il existe cependant un art authentique de création. Celui du mime. « Un canevas, et mon corps parle » (*op. cit.*, p. 67).

Pourtant, si de telles affirmations perpétuent la leçon de Copeau et du Cartel, Vilar a, de lui-même et de sa position, une conscience historique. Il a le sentiment que sa théorie du théâtre n'est pas immuable, qu'un renversement de la hiérarchie, inhérente, croit-on, à l'essence de la représentation, pourrait bien être l'aboutissement de l'évolution du théâtre contemporain. Après avoir affirmé que le metteur en scène ne saurait être un créateur, Vilar observe tout à trac que « les vrais créateurs dramatiques de ces trente dernières années (il s'exprime en 1946) ne sont pas les auteurs mais les metteurs en scène » (*op. cit.*, p. 77). Contradiction ? Non. Vilar jette sur le théâtre récent un regard historique : « Nous avons donc vécu *une période strictement originale du théâtre*, sans point de comparaison dans le passé » (p. 79). Ce constat, Vilar le fait « sans s'en réjouir » — l'expression revient sous sa plume à plusieurs reprises. Mais c'est le constat lucide d'un paradoxe : les metteurs en scène, qui font du texte une religion, n'ont pas pu (ou pas voulu ?) trouver les auteurs qui eussent légitimé l'effacement révérentiel de l'homme de théâtre. Alors ? Duplicité de ces artistes de la scène qui se dédouanent de leurs audaces par un discours auquel ils ne croient qu'à moitié et qui, consciemment ou non, choisissent des textes dont la fragilité leur laisse les mains libres ? Période de vaches maigres pour ce qui est de la littérature dramatique ? Cet avènement des metteurs en scène malgré eux, Vilar l'impute aux « plaisanteries un peu lourdes, radicales-socialistes, de M. Jules Romains »[10], à « la pâture trop ou mal cuisinée des auteurs *contemporains* que Pitoëff jouait »[11]. Cependant Vilar sait

10. Jouvet avait fait triompher *Knock* en 1923, *Donogoo* en 1930.

11. Le répertoire des Pitoëff (Georges, et sa femme Ludmilla) était, à la vérité, assez hétéroclite : d'Annunzio et Lenormand y voisinaient avec Tchékhov, Ibsen, Claudel et Pirandello...

bien que la même période a été celle de la découverte de Pirandello, de Synge, de Claudel... Mais tout se passe comme si l'histoire du théâtre était, maintenant, devenue double. Comme si, à l'histoire traditionnelle des textes et des auteurs s'ajoutait, pour le théâtre contemporain, une histoire des formes, des recherches, des innovations de la scène, dont Vilar pressent qu'elle pourrait bien prendre le pas sur la première :

> L'histoire oubliera peut-être les noms de Shaw et de Pirandello, par exemple, elle ne peut ne pas se souvenir désormais de l'œuvre pourtant non écrite des metteurs en scène, *pas plus qu'elle n'a oublié le rôle de la commedia dell'arte, aux XVI*e *et XVII*e *siècles et au début du XVIII*e *siècle*[12].

La réflexion de Vilar au début de sa carrière est, en l'occurrence, hautement révélatrice de la situation d'un metteur en scène français des années 50. Vilar a conscience d'assister, de participer à une mutation, de vivre un tournant de la pratique occidentale du théâtre.

Et il est symptomatique que l'élève de Dullin désigne comme une « hérésie », mais une hérésie fascinante, cette idée, pourtant déjà « dans l'air » depuis longtemps, que le metteur en scène pourrait devenir le véritable créateur du théâtre. Cet avenir, il l'impute moins à une évolution historique de l'art de la scène qu'à la défaillance conjoncturelle des écrivains, incapables « de rendre au théâtre ses vertus magiques ». Vilar explicitement se réclame à cette époque d'Artaud, d'un théâtre de l'*incantation*[13]. A ses yeux, le metteur en scène ne prend pas le pouvoir, il comble un vide. Car, de ce vide, le théâtre pourrait mourir. Et cet amoureux des grands textes l'envisage, cette prise de pouvoir, avec résignation plutôt qu'avec enthousiasme. On est loin, en tout cas, de la revendication impérialiste de Craig ou d'Artaud.

12. *Op. cit.*, p. 79.

13. Remarquons que Vilar ne suit pas précisément la mode ! En 1946, la scène française est dominée par un théâtre de réflexion (philosophique ou politique) excessivement méfiant à l'égard des fastes du spectacle aussi bien que du langage : *les Mouches* (SARTRE) datent de 1943 ; *Huis clos* de 1944, ainsi que *le Malentendu* (CAMUS) ; et *Caligula* est de 1945...

Puisqu'il n'y a pas de poètes et qu'il y a tant d'auteurs dramatiques ; puisque la fonction du dramaturge n'est pas, de notre temps, effectivement assumée ; puisque, d'autre part, les initiés, les techniciens, je veux dire les metteurs en scène, ont, avec bonheur parfois, dépassé les limites qu'une *morale conformiste* du théâtre leur avait fixées, c'est à ces derniers que nous devons offrir le rôle de dramaturge, charge écrasante, et, ceci admis, ne plus les importuner ou tenter d'affaiblir en eux le goût de l'absolu[14].

Cette évolution n'est pas seulement un état de fait. Elle a été, sinon provoquée, du moins précipitée, par tout un courant de la pensée théâtrale qui se développe dès le début du siècle, illustré notamment par les écrits et les œuvres de Craig et Meyerhold à l'étranger, d'Artaud et (dans une moindre mesure) de Baty en France[15]. Même s'ils débouchent sur des esthétiques fort différentes les unes des autres, leurs prémisses sont analogues.

La valorisation du texte a conduit à une véritable sacralisation. D'un côté, les complaisances de la mise en scène l'ont rendue indigne de ses prétentions, inapte à cette célébration du texte-idole. De l'autre, le « textocentrisme » a entraîné la représentation occidentale dans l'ornière du mimétisme et de l'illusionnisme. Autant dire que les possibilités spécifiques de la scène, du théâtre n'ont été ni exploitées, ni même explorées, sauf par intermittences. Au lieu que le metteur en scène ait eu les moyens et la liberté d'inventer des formes neuves, originales, émanant directement de sa pratique, il a dû se plier à une exigence de reproduction, plus ou moins stylisée, de modèles extérieurs au théâtre. Bref, la scène occidentale n'abrite plus qu'un théâtre sans théâtralité !

Ce qu'on a pu appeler l'utopie de Craig se caractérise par l'éviction, non pas tant du texte dramatique que de l'auteur, de la prépondérance et de l'autonomie dont il

14. *Op. cit.*, p. 85.
15. A certains égards, la théorie brechtienne de la représentation prône une désacralisation du texte. Non une dévalorisation. Comme en témoigne la pratique du Berliner Ensemble, elle préconise un autre usage du texte. On y reviendra.

exige de privilégier, ce qui ne devrait être qu'une composante de la représentation. Car si le texte n'est pas un chef-d'œuvre, cette prétention est outrecuidante. Et si c'en est un, il offre l'inconvénient de se suffire à lui-même. En face de lui, les moyens de la représentation deviennent de dérisoires simulacres. Et, porté à la scène, il reste une sorte de corps étranger que le théâtre ne parvient pas à intégrer.

La mise en scène ne deviendra un art que lorsqu'elle sera capable de produire des œuvres. Utilisant, pourquoi pas ? la parole parmi d'autres instruments, elle devra être totalement conçue et réalisée par le « régisseur » (le metteur en scène, dans la terminologie de Craig) ; elle ne pourra avoir de véritable existence que dans l'espace et le temps de la représentation :

> L'AMATEUR DE THÉÂTRE. — Est-ce à dire qu'on ne devrait jamais jouer *Hamlet* ?
>
> LE RÉGISSEUR. — A quoi bon l'affirmer ! On continuera de le jouer d'ici quelque temps encore, et le devoir de ses interprètes sera de faire de leur mieux. Mais viendra le jour où le théâtre n'aura plus de pièces à représenter et créera des œuvres propres à son art.
>
> L'AMATEUR DE THÉÂTRE. — Et ces œuvres paraîtront incomplètes à la lecture ou à la récitation ?
>
> LE RÉGISSEUR. — Certes, elles seront incomplètes partout ailleurs qu'à la scène, insuffisantes partout où leur manqueraient l'action, la couleur, la ligne, l'harmonie du mouvement et du décor[16].

Ce texte de 1905 témoigne de l'audace de la pensée de Craig quant à la spécificité de l'art théâtral. A la même époque, Meyerhold, à Moscou, se sépare de son maître Stanislavski pour fonder la Société du Drame nouveau (1902) et travailler en complète opposition avec l'esthétique naturaliste dont on a vu qu'elle se déployait en matérialisant les potentialités d'un texte. Meyerhold, lui, veut explorer les ressources spécifiques du théâtre et maîtriser toutes les possibilités d'une théâtralité à l'état pur. Sans doute met-il en scène des « textes » (Maeterlinck, Calderon, Wedekind, Ibsen...), mais il refuse toute subordination de la représentation au mimétisme psy-

16. *De l'art du théâtre*, premier dialogue, Lientier, p. 118.

chologique ou au réalisme sociologique chers à Stanislavski.

La relation à l'espace du corps de l'acteur, de ses gestes, le jeu contrasté du mouvement et de l'immobilité, des individus et des groupes, l'usage sonore de la voix humaine (cris rythmés, murmures...), tout cela devient le matériau privilégié du théâtre meyerholdien, ainsi qu'en témoigne la mise en scène conçue pour *Sœur Béatrice* de Maeterlinck. Recherches d'ordre pictural et musical se substituent au contenu « humain » du texte. Ce formalisme lui a été vivement reproché (par Stanislavski notamment). Et sans doute ce « théâtre exclusivement théâtral » tend-il à dériver vers un type de spectacle proche des formes non dramatiques du théâtre. Se référant aux arts plastiques, à la peinture, à la musique, à la danse, il cherche à dégager les lois fondamentales de la théâtralité. Il porte un vif intérêt à des traditions étrangères au « textocentrisme » occidental, telles que celles du ballet, du cirque, de la commedia dell'arte, du nô ou de l'opéra chinois...

Dans les années qui suivront la révolution de 1917, Meyerhold maintiendra cette orientation, conférant à la musique, à la lumière, au corps humain une fonction essentielle dans l'élaboration de formes théâtrales spécifiques. Et, sous son impulsion, le plateau deviendra une aire de jeu construite et machinée de telle sorte que puissent s'y déployer toutes les ressources d'une théâtralité pure.

Pour ce qui est du texte, il n'hésite pas à le transposer, à la fois pour le plier à ses recherches de formes, et pour en éclairer la signification historique ou politique. Il faut dire, à cet égard, que l'accusation de formalisme trop souvent articulée contre le théâtre de Meyerhold est finalement peu fondée. Simplement, il estime que le sens d'un texte peut changer d'une époque à l'autre, d'un public à l'autre, et que les « intentions » de l'auteur ne sauraient exclure d'autres références dans l'interprétation d'une pièce et dans sa représentation. En 1918, il monte, en collaboration avec l'auteur, *le Mystère bouffe* de Maïakovski. Cette association avec le poète futuriste en vue de réaliser une « représentation héroïque, épique et satirique de notre époque » témoigne clairement que Meyerhold ne visait pas l'exclusion du texte, mais une autre articulation du texte et du spectacle. La suite de sa carrière le confirme : la parole ne domine plus l'espace de la représentation ; le décor illusionniste est remplacé par une organisation fonctionnelle mise au service de la virtuosité corporelle de l'acteur ; à la place de l'interprétation psychologique inhérente au naturalisme de Stanislavski, la pratique du jeu masqué qui impose une typologie sans individualisation, sinon sans subtilité, et le recours au « pré-jeu » destiné à casser l'identification du spectateur et de l'acteur au personnage[17].

Tout cela n'empêche nullement Meyerhold de « produire du sens » en s'appuyant, sans respect excessif, sur des œuvres canoniques du répertoire russe (Soukhovo-Kobyline, Ostrovski, Gogol, Griboïedov...). Les pièces modernes montées par Meyerhold parlent également des problèmes qui intéressent directement le spectateur soviétique contemporain : relation de l'URSS avec l'Occident capitaliste, combat révolutionnaire de la Chine, expansion de la bureaucratie et du conformisme petit-bourgeois dans la nouvelle société...[18]. Et ce n'est pas un hasard si des hommes de théâtre tels que Piscator et Brecht, soucieux de promouvoir des formes neuves adaptées à un contenu nouveau, d'inventer une représentation critique et politique, ont attaché la plus grande importance à la recherche de Meyerhold. Toute son œuvre prouvait en effet qu'en opposant sens et forme, théâtre de texte et théâtre sans texte, on faussait et on simplifiait la question cruciale des rapports du texte et de la représentation.

17. On peut définir cette technique comme l'une des modalités possibles de ce que Brecht appellera la « distanciation ». Il s'agit de procédés (pantomime), inspirés des théâtres extrême-orientaux, qui permettent à l'acteur de sortir de son personnage et de commenter son interprétation...

18. D'abord soutenu par le pouvoir soviétique, l'art de Meyerhold fut critiqué, à partir des années 30, comme incompatible avec le « réalisme socialiste ». Son théâtre fut fermé en 1938. L'année suivante, il fut arrêté. Il est mort, selon toute apparence, en 1940, dans un camp de concentration. Il a été « réhabilité » en 1956.

Gaston Baty, en France, a, lui aussi, réagi contre l'asservissement de la mise en scène au texte, et il reprend, ou retrouve, les idées de Craig sur la suprématie du metteur en scène : la fin du théâtre, c'est la représentation. Celle-ci n'acquiert la perfection et l'homogénéité qui signent l'œuvre d'art que lorsque le metteur en scène en est, de plein droit, l'auteur, l'inventeur. L'écrivain, dans ce cadre, n'est qu'un technicien parmi d'autres. Ses intentions, ses désirs ne sauraient prévaloir sur ceux du metteur en scène. « L'homme de lettres, écrit-il à Lugné-Poe en 1917, le peintre, le compositeur, l'acteur collaboreront sous la direction du metteur en scène, qui sera pour eux ce qu'est le chef d'orchestre pour les musiciens. » La métaphore suggère à la fois le pouvoir absolu de l'un, la discipline sans faille des autres, mais aussi la fusion dans un projet interprétatif qu'il s'agit de porter à un degré de perfection qui le rendra irrécusable. Car il y a le texte, ce qu'il exprime, ce qu'il suggère ; mais il y a aussi un au-delà du texte. La vocation du metteur en scène, selon Baty, c'est d'explorer et de faire surgir ce visage secret. Cette idée éclaire sa pratique de la scène et permet, en même temps, de faire justice d'une contradiction apparente, qui lui a parfois été reprochée ; de bons esprits ont cru remarquer en effet que Baty réclamait le détrônement de « Sire le Mot », tout en perpétuant, par ses propres réalisations, le théâtre le plus littéraire qui soit — chefs-d'œuvre du répertoire (Racine, Musset...), adaptations théâtrales de romans (Flaubert, Dostoïevski...), etc.

> Un texte ne peut tout dire. Il va jusqu'à un certain point, où va toute parole. Au-delà commence une autre zone, une zone de mystère, de silence, ce qu'on appelle l'atmosphère, l'ambiance, le climat, comme vous voudrez. Cela, c'est le travail du metteur en scène de l'exprimer. Nous jouons tout le texte, tout ce que peut exprimer le texte, mais nous voulons aussi le prolonger dans cette marge que les mots seuls ne peuvent pas rendre.

Baty, de fait, cherche moins à se libérer du texte qu'à s'affranchir des contraintes qu'une certaine tradition faisait peser, au nom des droits prétendus de ce texte, sur l'invention du metteur en scène. Cela explique les choix de Baty : des auteurs et des œuvres modernes de second ordre (*Intimité* de Pellerin, en 1921 ; *Maya* de Gantillon, en 1924 ; *Prosper* de Lucienne Favre, en 1934...) qui lui laissent le champ libre pour déployer son extraordinaire sens de la magie théâtrale ; des adaptations de romans célèbres (*Manon Lescaut*, *Madame Bovary*, *Crime et châtiment*...) qui favorisent, chez lui, un picturalisme éblouissant — tel le soir des comices agricoles à Yonville, avec les reflets du feu d'artifice éclairant les visages d'Emma Bovary, de Charles et de Rodolphe ; des œuvres consacrées, enfin, renvoyant à une tradition interprétative que Baty fait voler en éclat avec une sorte de jubilation. Ses mises en scène de *Lorenzaccio* (1945), présenté dans une vitrine, de *Bérénice* (1946), qu'il fait jouer devant les décombres futurs de Rome, sont, dans la liberté de leur conception, d'un modernisme qui annonce, par exemple, les « lectures » décapantes d'un Planchon ou d'un Chéreau.

A peu près contemporaine, la théorie artaudienne se révèle, à l'usage, autrement radicale au point qu'on a pu y voir plus une utopie poétique qu'un instrument conceptuel permettant de « penser » une « autre » représentation. Dès les années 20, Artaud, comme Baty, s'insurge contre la tyrannie du verbe. Ce n'est pas qu'il récuse, d'entrée de jeu, tout recours au texte. Il réclame seulement que le metteur en scène ait, par rapport à lui, entière liberté de manœuvre. S'opposant à la conception traditionnellement « monosémique », il affirme que le texte de théâtre possède une richesse polysémique amplifiée par la relation qu'il entretient avec un metteur en scène : « L'asservissement à l'auteur, écrit-il en 1924, la soumission au texte, quel funèbre bateau ! Mais chaque texte a des possibilités infinies. L'esprit et non la lettre du texte » (*OC*, t. 1, p. 213). Et, dès l'époque du Théâtre Alfred-Jarry qu'il fonde avec Roger Vitrac, en 1927, sa conception s'écarte de celle de Baty qu'il suivait jusque-là d'assez près. Le texte, pour Artaud, devient d'abord un instrument, le véhicule, le tremplin d'une matérialité sonore, d'une énergie physique. Autrement dit, il rejette — et *le Théâtre et son double* réaffirmera fortement ce refus — tout ce qui définit les qualités littéraires, poétiques qu'on a coutume de valoriser dans une œuvre dramatique :

> Une seule chose nous semble invulnérable, une seule chose nous paraît vraie : le texte. Mais le texte en tant que réalité distincte, existant par elle-même, se suffisant à elle-même, non quant à son esprit que nous sommes aussi peu que possible disposés à respecter, mais simplement quant au déplacement d'air que son énonciation provoque. Un point, c'est tout[19].

C'est que la scène artaudienne veut opérer un renversement radical des valeurs et des hiérarchies. Le théâtre doit affirmer qu'il est un art spécifique, autonome. Il ne doit compter que sur ses formes propres, ses moyens, ses techniques. Il doit être irréductible à autre chose qu'à lui-même. Et d'abord se décoloniser de la tutelle du signifié. La vocation du théâtre, selon Artaud, n'est pas d'être le véhicule d'un sens intellectuel, mais le lieu et le moyen d'un ébranlement cathartique du spectateur. Cette intellectualisation du théâtre occidental l'a dévitalisé, anémié comme un cancer :

> Comment se fait-il qu'au théâtre, au théâtre du moins tel que nous le connaissons en Europe, ou mieux en Occident, tout ce qui est spécifiquement théâtral, c'est-à-dire tout ce qui n'obéit pas à l'expression par la parole, par les mots, ou si l'on veut tout ce qui n'est pas contenu dans le dialogue (et le dialogue lui-même considéré en fonction de ses possibilités de sonorisation sur la scène, et des *exigences* de cette sonorisation) soit laissé à l'arrière-plan[20] ?

Le texte littéraire procure, dans le meilleur des cas, une émotion de bonne compagnie. La représentation artaudienne, idéalement, devrait laisser le spectateur pantelant et, pour ce faire, inventer un langage incantatoire dont la violence serait capable de traverser cette carapace durcie et

19. Théâtre Alfred-Jarry, première année, saison 1926-1927, *OC*, t. 2, p. 18.
20. *Le Théâtre et son double*, La mise en scène et la métaphysique, p. 44.

morte sous laquelle les mots emprisonnent les hommes. Les hommes qui, selon Artaud, devraient être « comme des suppliciés que l'on brûle et qui font des signes sur leurs bûchers » (*op. cit.*, p. 18).

On le voit, si la dramaturgie artaudienne expulse les structures intellectualisées du texte, ce n'est pas simplement pour restituer au metteur en scène une liberté créatrice aliénée, c'est essentiellement parce que l'entreprise théâtrale se donne une autre mission dans laquelle la notion même d'œuvre d'art devient complètement dérisoire. Le théâtre artaudien prétend se substituer à un monde où règne la mort, devenir le lieu de la vraie vie, le bouleversement dût-il faire crier le spectateur... « Le plus urgent me paraît être de déterminer en quoi consiste ce langage physique, ce langage matériel et solide par lequel le théâtre peut se différencier de la parole ? » (*op. cit.*, p. 46).

Artaud conserve les mots, s'il élimine le texte. Car les mots peuvent fonder une pratique oubliée du théâtre contemporain, mais fort ancienne. Pratique à l'œuvre dans les rituels, les cérémonies magiques, en bref, pratique de l'*incantation* dont le langage poétique tente parfois de retrouver le pouvoir : « Les mots seront pris dans un sens incantatoire, vraiment magique — pour leur forme, leurs émanations sensibles, et non plus seulement pour leur sens »[21].

Il ne s'agit donc pas d'évincer le texte pour retrouver les formes répertoriées de la théâtralité. Ce qui est annulé ici, c'est tout ce qui produit « du sens », « du message », l'auteur, sans doute, mais aussi d'une certaine façon le metteur en scène. Car, désormais, le seul sens émergera de l'événement théâtral. C'est-à-dire qu'il échappera aussi bien à la domination de l'auteur qu'à celle du metteur en scène. Il surgira de ce que plus tard Grotowski appellera une « rencontre ». De la confrontation du spectateur et du spectacle. D'un ébranlement, d'un bouleversement, d'une transformation du premier par le second.

21. *Op. cit.*, Le Théâtre de la Cruauté, Second manifeste, p. 149.

Que le théâtre artaudien n'ait jamais trouvé à se réaliser[22], que les projets d'Artaud, aboutis ou non, dénotent, sinon une contradiction, du moins une distorsion, entre le théoricien et le praticien, cela n'ôte rien, finalement, à l'importance de cette œuvre au regard du théâtre contemporain. L'extrémisme de son utopie a sans doute permis à ce dernier de « penser » le renversement complet du système de valeurs et de formes sur lequel se fondait, jusqu'alors, l'art de la mise en scène.

Qu'en est-il de l'usage du texte dans la pratique contemporaine ?

L'une des entreprises les plus fameuses de l'après-guerre est certainement celle de Brecht, et on peut mesurer son importance au retentissement qu'elle a eu sur le théâtre international de ces vingt dernières années.

La théorie brechtienne du théâtre pose le problème du texte en des termes nouveaux. Il ne s'agit plus en effet de savoir quelle importance lui attribuer par rapport aux autres composantes de la représentation, ni de définir une relation de subordination plus ou moins affirmée de celles-ci à celui-là. Brecht s'interroge sur la fonction du texte au sein de la représentation, sur les possibilités qu'il recèle de faire jouer des significations diverses, soit par opposition avec ce que la scène donne à voir, soit par son adaptation (ou son inadaptation) à un public particulier.

L'une des originalités de la pratique brechtienne est qu'elle fait intervenir conjointement différents modes de théâtralisation du texte : les dialogues, bien sûr, mais aussi les *songs*, mais aussi un matériel graphique (panneaux, projections, inscriptions, diagrammes, slogans, etc.). Les *songs* interviennent, on le sait, comme instruments de la

22. Artaud en était le premier conscient : il n'a jamais réussi à matérialiser son « théâtre de la Cruauté ». Et, par la suite, les tentatives les plus convaincantes du théâtre contemporain, celles du Living Theatre ou de Grotowski, perçues comme des approximations ou des étapes, ont surtout permis au rêve artaudien d'être rêvé par un public de plus en plus large.

distanciation (voir à ce sujet le chapitre IV, p. 173), en ce sens qu'ils introduisent un système de ruptures destiné à briser la continuité de l'action, le « naturel » d'une interprétation, l'identification au personnage. Rupture d'abord entre le personnage et l'acteur : le *song* est chanté, par l'acteur, « au public » et le personnage qu'il incarne est provisoirement relégué à l'arrière-plan. Non pas annulé, puisque le comédien ressemble encore à son personnage, mais enfin comme « suspendu »... Ce qui a pour effet de rappeler que le personnage n'est pas une imitation du réel, mais une « simulation », un objet fictif. Cette première rupture se renforce de deux autres disjonctions : celle qu'impose le passage du « parlé » au « chanté », et celle qui oppose l'un à l'autre deux signifiés, puisque le « discours » du *song* commente, de façon volontiers ironique ou critique, celui du personnage, son comportement... Il faudrait ajouter à tout cela l'intervention de la partition musicale qui peut introduire des connotations opposées à celles que véhiculent les paroles du *song*. Enfin, l'effet de distanciation est encore accentué par l'isolement du numéro chanté (changement de l'éclairage, en principe fixe, contrepoint du texte écrit qui affiche, sur un écran, une pancarte..., le titre du *song*) à l'intérieur de la représentation. On le voit, la nouveauté de la pratique brechtienne tient à l'invention d'un texte « pluriel », dont l'hétérogénéité renforce les possibilités signifiantes par l'espèce de dialectique sémiologique qu'elle introduit.

Quant aux composantes graphiques de la représentation, elles réalisent le plus étonnant des paradoxes : intégrer le comble de la textualité — l'écrit — à une pratique artistique qui semblerait, *a priori*, l'exclure. La référence aux fameuses « pancartes » élizabéthaines est sans doute inévitable. Encore faut-il souligner une différence essentielle : pour le théâtre élizabéthain, la « pancarte » est un instrument purement fonctionnel, un moyen élégant de résoudre l'épineux problème de la localisation de l'action.

Peut-être faudrait-il aussi évoquer le cinéma muet. Mais l'avènement du « parlant » atteste que, là encore, l'insertion du texte écrit dans la continuité du spectacle n'était qu'un pis-aller instrumental qui disparaît aussitôt que la technique permet d'intégrer au film le dialogue parlé véritable. Chez Brecht, le texte à *lire* réintroduit le monde réel comme donnée extérieure, sinon étrangère, à la représentation. Celle-ci n'est plus un univers clos sur lui-même. L'affichage isole les « tableaux », casse l'action. Le spectacle ne peut donc plus être perçu comme une reproduction mimétique (illusionniste, mystificatrice) d'une réalité dont il prétendrait offrir la totalité. Mais, à l'inverse, il ne peut pas davantage être réduit à une fiction qui ne représenterait rien d'autre que sa propre fabulation[23].

Pour ce qui est du dialogue proprement dit, il subit un traitement qui n'est pas toujours, ou pas continuellement, celui du théâtre réaliste. Là encore l'hétérogénéité est un trait essentiel de l'écriture brechtienne. Par exemple, *Arturo Ui* mêle subtilement — et le mélange donne aux répliques une coloration passablement artificielle — les références culturelles (la traduction allemande de Shakespeare par Schlegel, d'une noblesse tout académique) et la trivialité qu'on attend de minables gangsters italo-américains, la prose et les vers... Cette hétérogénéité de l'écriture met l'acteur en porte à faux et lui interdit aussi bien le jeu héroïque (« le grand style ») que le mimétisme naturaliste. De la sorte, le texte, comme n'importe quel outil de la représentation, est exhibé en tant que texte de théâtre, montré comme un artefact, comme une combinatoire de références qui articule des éléments incompatibles au regard de la vraisemblance.

Si l'on ajoute à cela que les techniques de la mise en scène « épique » démultiplient les ressources signifiantes de l'espace (scénographie, objets...), du jeu de l'acteur, de la

23. A titre d'exemple, on se reportera à *la Résistible ascension d'Arturo Ui*. Dans cette « parabole », chaque tableau se clôt par l'apparition d'un texte écrit permettant d'articuler la « clownerie » qui vient de se jouer et la réalité historique (la prise de pouvoir des nazis) dont elle offre une parodie à la fois bouffonne et grinçante.

musique, etc., on conviendra que la dramaturgie brechtienne démontre avec éclat le caractère fallacieux du débat qui prétend opposer texte et représentation, théâtre du signifié et théâtre du signifiant. Brecht montre en effet que le spectaculaire n'est pas forcément insignifiant[24] et qu'entre l'idée et l'image scénique il n'y a pas d'incompatibilité insurmontable. Bien plus, aux yeux de Brecht, une idée ne trouve sa véritable légitimité théâtrale qu'à partir du moment où elle réussit à se visualiser. L'un des exemples les plus souvent cités pour illustrer une telle conception est, sans doute, le tableau dit de la « vestition » du pape, dans *la Vie de Galilée* (tableau 12) : élu pape, sous le nom d'Urbain VIII, le cardinal Barberini est un mathématicien humaniste ouvert aux exigences de liberté indispensable à la recherche savante. Il est donc enclin à prendre la défense de Galilée. « A mesure que le tableau se déroule, précise Brecht, il disparaît de plus en plus sous de grandioses vêtements. » Ainsi s'opère « à vue » la transformation de l'individu dont la fonction sociale se transforme. Le cardinal s'efface, laissant place à Urbain VIII, au chef de l'Eglise catholique qui assume la continuité de sa politique. Complètement revêtu des ornements pontificaux, le nouveau pape cède aux instances du cardinal inquisiteur : le savant sera livré à l'Inquisition.

A certains égards, la pratique brechtienne de la mise en scène confirme le bien-fondé des exigences d'un Craig ou d'un Artaud. La représentation théâtrale, pour accéder à la plénitude de son efficacité, doit avoir un seul maître d'œuvre. Ce n'est pas un hasard si Brecht est à la fois théoricien, auteur dramatique et metteur en scène, et s'il s'approprie, au besoin en les détournant complètement de leur signification originelle, les œuvres de Sophocle ou de Shakespeare.

24. S'il est vrai que le théâtre épique « raconte » au lieu de « montrer », ce serait une erreur de penser qu'il promeut le discours au détriment du spectacle. Rien n'est plus cursif et plus visuel qu'une représentation brechtienne...

En même temps, Brecht témoigne que, certaines conditions étant respectées, la toute-puissance du texte (de l'auteur) n'entraîne pas l'asservissement du pouvoir créateur du metteur en scène ni l'affadissement de la représentation. Le comportement personnel de Brecht, soumettant son texte à l'épreuve des répétitions, le remaniant constamment au cours de son travail avec les acteurs, montre bien qu'à un nouvel usage du texte peut et doit correspondre une attitude nouvelle de l'écrivain vis-à-vis des instances productrices de la représentation. Mais, après tout, est-ce une telle nouveauté ? La séparation des tâches et le refus, arrogant ou résigné, que l'écrivain oppose à l'idée de se mêler du travail de la scène sont un phénomène historique : avant la période romantique (Musset...), l'auteur dramatique est volontiers comédien et « metteur en scène » (Sophocle, Shakespeare, Molière...) ou, en tout cas, il s'intéresse de très près à la traduction scénique de son œuvre : Racine dirige minutieusement le jeu de la Champmeslé, et Marivaux celui de Silvia[25].

En dépit, de la diversité des conceptions, des pratiques, qui se sont affirmées au cours du XXe siècle, il y avait au moins une réponse commune à la question de savoir qui produisait le texte : c'était l'*auteur*. Même lorsqu'il s'agissait de proclamer la prépondérance de l'acteur ou du metteur en scène. Artaud, lui-même, se proposait de recourir à l'auteur abhorré lorsqu'il parlait de mettre en scène des œuvres « sans tenir compte du texte » (*le Théâtre et son double*, p. 118). Pièce élizabéthaine, mélodrame romantique, conte du marquis de Sade, histoire de Barbe-Bleue, et même « le *Woyzeck* de Büchner, par esprit de réaction contre nos principes, et à titre d'exemple de ce que l'on peut tirer scéniquement d'un texte précis » (*op. cit.*, p. 119). Et, lorsqu'il choisit d'adapter *les Cenci*, loin d'abolir l'auteur, il en démultiplie les ins-

25. En retour, on peut penser que les pratiques de la scène dont ils sont les témoins ont une influence — mais comment l'évaluer de façon précise ? — sur leur dramaturgie et sur l'écriture même de leurs textes.

tances, puisqu'il opte curieusement pour un « sujet » plusieurs fois devenu « texte » (Stendhal, Shelley...). Bref, Artaud ne procède pas très différemment de Baty adaptant Flaubert. En même temps, la relation irrévérencieuse qu'il entretient (ou prétend entretenir) avec les textes est caractéristique d'un usage nouveau qu'on retrouve aussi bien chez Brecht s'appropriant Marlowe, Shakespeare ou Lenz, que chez Jerzy Grotowski.

Ce dernier est certainement l'une des révélations les plus frappantes du théâtre de ces dernières années, et son entreprise a été souvent rapprochée de celle d'Artaud. Avec son équipe (quelques personnes) du Théâtre-Laboratoire de Wrocław, Grotowski a recentré de façon radicale la problématique de la représentation sur l'acteur. Celui-ci devient son propre personnage. Il accomplit devant un spectateur (mais non pas à son intention) ce que Grotowski appelle un « acte de dévoilement ». Dans ces conditions, le personnage traditionnel n'a plus de raison d'être. Il servira, pourtant, de moule ; il permettra une formalisation déchiffrable de l'entreprise de l'acteur. Ce qui pose, on le voit, la question de la place et de la nature même du texte dans le théâtre grotowskien.

On attendrait que ce type de théâtre produise ses propres textes, indépendamment de toute considération « littéraire » ou « artistique », que l'acteur concerné soit totalement maître du discours à travers lequel il cherche à se « dévoiler ». Il suffit cependant de parcourir les programmes du Théâtre-Laboratoire pour constater qu'il n'en est apparemment rien. Y figurent les plus grands noms du répertoire international : Byron (*Caïn*, 1960), Marlowe (*Faust*, 1963), Calderon (*le Prince constant*, 1965)... Et ceux de la littérature polonaise : Mickiewicz, Slowacki, Wyspianski. Le dernier « spectacle » qu'il ait donné en public, *Apocalypsis cum figuris*, se présente comme un montage de textes divers empruntés à la Bible, à Dostoïevski, à T. S. Eliot, etc. En outre, le « traitement » du texte est une opération essentielle à la pratique grotowskienne du théâtre. Dans son livre

Vers un théâtre pauvre, Grotowski ne consacre pas moins de trois chapitres à cette question. On se doute, en effet, que les grands textes ne sont pas ici l'objet d'une présentation muséographique, et que la « fidélité aux intentions de l'auteur » n'est pas le souci majeur de ce théâtre.

Le recours au texte, dans l'expérience grotowskienne, s'éclaire si l'on précise que l'autodévoilement de l'acteur ne doit pas être un processus narcissique. Il a pour but et pour fonction de faire résonner quelque chose au plus profond du spectateur, de l'atteindre à un niveau où le théâtre traditionnel n'a pas accès. Or cette « rencontre » — pour utiliser une fois encore la terminologie grotowskienne — ne peut se fonder exclusivement sur l'expérience vitale individuelle de l'acteur. Par nature, une telle expérience est incommunicable. Il faut donc parvenir à définir un champ commun au spectateur et à l'acteur, un lieu où deux réalités existentielles puissent se « rencontrer ». Ce lieu, en fin de compte, est délimité, selon Grotowski, par un réseau de valeurs et de tabous auquel, depuis des générations, toute une collectivité a adhéré, et grâce auquel elle a pu, précisément, se définir comme collectivité spécifique. Il s'agit donc d'un héritage, d'une expérience commune, qui se cristallise et se formalise au travers des grands mythes fondateurs, ou constitutifs, d'une culture. On comprend mieux, dans cette perspective, pourquoi la « matrice » d'un spectacle grotowskien devra être un « texte » chargé d'une dimension mythologique, et traversé de personnages-archétypes. Cela explique également la mise en garde de Grotowski : une telle expérience est peut-être transposable, elle n'est pas transportable, en ce sens qu'elle est indissociable du substrat culturel spécifiquement polonais où s'entrecroisent christianisme et tradition gréco-latine[26].

Cette expérience collective a donc d'abord une dimension

26. On doit remarquer que les grandes figures de la tradition chrétienne traversent fréquemment les représentations grotowskiennes : Caïn, le Christ *(l'Idiot, le Prince constant)*, Dieu et le Diable *(Faust)*, diverses figures évangéliques *(Akropolis, Apocalypsis cum figuris)*...

diachronique : elle procède d'une mémoire culturelle. Mais elle doit en même temps assumer une dimension synchronique, sous peine d'en revenir au traditionnel théâtre de célébration culturelle. Elle doit, cette expérience, appartenir à la mémoire personnelle de l'acteur et du spectateur. D'où le double mouvement qui anime la quête de l'acteur grotowskien et qui institue une véritable dialectique de l'*adoration* et de la *profanation* (les termes sont de Grotowski) : les mythes fondateurs de la mémoire collective sont repris, « réactivés » — c'est l'*adoration*. En même temps, ils sont confrontés à une réalité existentielle contemporaine qui peut les mettre en cause, les pulvériser — c'est la *profanation*. Grotowski :

> Ces œuvres me fascinent parce qu'elles nous donnent la possibilité d'une confrontation sincère — une confrontation brutale et soudaine entre, d'un côté, les croyances et les expériences de vie des générations précédentes et, de l'autre, nos propres expériences et nos propres préjugés[27].

Ce processus de « confrontration » justifie le *traitement* du texte. Il se trouve concassé, remodelé au gré des exigences de l'introspection et de l'autodévoilement que l'acteur entreprend, c'est-à-dire à partir de la mise en relation du mythe (l'expérience collective) et du « vécu » personnel.

Un exemple concret permettra sans doute de mieux saisir la démarche grotowskienne : à l'origine d'*Akropolis*, un drame politique de Wyspianski qui s'apparente au théâtre symboliste. Dans la cathédrale de Cracovie, la nuit de la Résurrection, les figures des tapisseries, tableaux, sculptures... se mettent à vivre. Sous les yeux du public, vont se (re)jouer les grandes scènes de la mythologie grecque et de l'Ancien Testament. En somme, un cérémonial qui célèbre cette tradition culturelle multiple où s'est enraciné ce qu'on pourrait appeler l'être polonais. Mais cette tradition fondatrice d'une harmonie, d'une unité, d'une spécificité, va être, chez Grotowski, confrontée à une autre expérience, celle-là

27. *Vers un théâtre pauvre*, Lausanne, L'Age d'homme, p. 57.

contemporaine et radicalement antinomique de la précédente. L'affirmation des valeurs humaines (humanistes) va être télescopée par leur négation. La mémoire culturelle d'un peuple, ses mythes et ce qu'ils proclament vont être regardés d'un autre lieu de la mémoire, celui de l'expérience concentrationnaire.

L'*Akropolis* de Grotowski n'est donc plus situé dans la cathédrale de Cracovie, mais dans un camp d'extermination. Dès lors se heurtent les deux accomplissements antagonistes de la pensée, de la « civilisation » occidentale. Les déportés (re)jouent, dans un univers de cauchemar, les grands mythes chantés par Wyspianski. De la sorte, les valeurs humanistes et chrétiennes que ces mythes fondaient (l'amour, la charité l'abnégation...) sont simultanément affirmées et mises en question, adorées et profanées, par le processus de déshumanisation concentrationnaire :

> L'ultime vision d'espoir est éclaboussée d'un sarcasme blasphématoire. Telle qu'elle est représentée, la pièce peut être interprétée comme un appel à la mémoire éthique du spectateur, à son subconscient moral. Qu'adviendrait-il de lui s'il était soumis à l'épreuve suprême ? Deviendrait-il une coquille humaine vide ? Serait-il victime de ces mythes collectifs créés pour l'auto-consolation ? (*Op. cit.*, p. 61.)

Il ne s'agit pourtant pas, ou pas seulement, d'un théâtre polémique. Il n'affirme pas l'écroulement d'un système de valeurs devenues mystificatrices au sein d'une réalité qui les fait voler en éclats. Théâtre de l'interrogation, il propose au spectateur une expérience des limites. Au fond de lui-même, le spectateur découvrira la fonction de cette remémoration collective : processus d'expulsion, de désaliénation, ou bien dernier recours contre un univers qui le nie, acte ultime de résistance à l'animalité qui le submerge...

On le voit, avec l'expérience de Grotowski, la réponse à la question de savoir qui produit le texte change. C'est l'auteur, sans doute, mais ce n'est plus seulement lui. L'acteur, la collectivité à laquelle il s'intègre participent à la production du texte. A partir de là, il n'est pas difficile d'imaginer une autre pratique qui exclurait le recours à un texte-prétexte, à un texte antérieurement constitué. Dès lors, c'est l'ensemble de ceux qui jouent le texte qui en constituent l'auteur collectif.

L'écriture collective, c'est bien ce qui caractérise les recherches les plus novatrices des années 70. Et c'est dans cette voie que le Théâtre du Soleil et son animatrice, Ariane Mnouchkine, décident de s'engager à partir de 1969. Jusqu'alors, cette troupe avait présenté, dans une perspective plus traditionnelle, des textes, *la Cuisine* d'Arnold Wesker et *le Songe d'une nuit d'été*, notamment.

L'écriture collective suppose l'invention d'une méthode. Il est bien évident que chaque comédien ne va pas, dans son coin, « écrire » son rôle, une scène... Le Théâtre du Soleil développe donc un ample travail d'*improvisation* en s'appuyant sur des thèmes, des canevas ou sur des références techniques et stylistiques utilisées comme repères : les clowns les personnages traditionnels de la commedia dell'arte... Ce n'est pas un hasard si sont mises à contribution des formes fixes, des pratiques répertoriées de représentation sans auteur, de production du texte par le jeu même des comédiens. Le premier spectacle ainsi conçu, *les Clowns* (1969), fut une sorte de baptême du feu qui fit apparaître la nécessité de dépasser la structure trop lâche des numéros juxtaposés et de les intégrer à un ensemble organique. Ainsi fut élaboré *1789*. Ariane Mnouchkine suggéra l'hypothèse génératrice du spectacle :

> *Le Théâtre du Soleil* joue un spectacle donné par les bateleurs de 1789, qui, à tout moment, doivent être susceptibles de porter un jugement critique sur le personnage qu'ils incarnent[28].

Dès lors, ce sont les grands événements, recueillis et mythifiés par la mémoire collective, qui orientent le travail d'improvisation : la prise de la Bastille, la convocation des états généraux... ou bien un certain savoir historique sur les trois « états », la disette, la récupération de la Révolution

28. *1789*, Stock, p. 86.

par la bourgeoisie qui en fut la véritable instigatrice...

En 1972, *1793* prolonge le premier spectacle. Il s'agit toujours d'un travail d'écriture collective qui vise à montrer l'Histoire vue par le peuple. La donnée génératrice de la représentation n'est plus tout à fait la même : les acteurs jouent, cette fois, « le rôle de sectionnaires, de sans-culottes qui se racontent la Révolution » (*1793*, p. 138). Dans ce cadre, le texte naît, en même temps que le spectacle, du corps même et de la voix de l'acteur qui cherche, souvent en tâtonnant, « son » personnage. L'improvisation, il faut le signaler, ne s'appuie pas exclusivement sur la mémoire et la spontanéité individuelles. Elle utilise aussi le tremplin de la réflexion collective, de la lecture de textes (documentaires, historiques, etc.) et tout ce qui peut étoffer la recherche de l'improvisateur. On lira, par exemple, le récit de la journée du 14 juillet par un horloger contemporain des faits... Les acteurs travaillent en groupes interchangeables. Le metteur en scène (Ariane Mnouchkine, en l'occurrence) intervient pour proposer des idées, pour éviter que les improvisations ne dérivent loin des formes fondamentales qui doivent assurer l'unité et la cohérence du spectacle... Il est plus un « guide » qu'un « régisseur » (au sens craiguien du terme), en ce sens qu'il se garde d'imposer dogmatiquement une vision personnelle que les comédiens devraient matérialiser[29].

Avec *l'Age d'or (première ébauche)*, en 1975, le Théâtre du Soleil poursuit et approfondit sa recherche. Il s'agit, dans ce dernier cas, d'inventer une forme de représentation, fondée, elle aussi, sur l'écriture collective, qui, tout en évitant les pièges de l'imitation réaliste, soit une évocation de la réalité contemporaine. Les comédiens choisissent de recourir aux techniques des clowns qu'ils ont appris à maîtriser précédemment, et ils décident de faire revivre celles de la commedia dell'arte en réincarnant les types

29. Cette relation nouvelle qui s'établit entre le metteur en scène et ses comédiens est comparable à celle qui unit Grotowski et ses acteurs du Théâtre-Laboratoire de Wrocław.

que ce théâtre a créés et rendus fameux (Arlequin, Pantalon, Brighella...), mais aussi en essayant d'en inventer de nouveaux, suggérés par la vie moderne. Les premiers conserveront les grands traits structuraux qui les constituent : Arlequin sera naïf et gourmand, et Pantalon, comme toujours, cupide et libidineux... Toutefois, leur position sociale sera transposée et adaptée à la réalité du monde contemporain. Arlequin deviendra Abdallah, le travailleur immigré ; Pantalon sera promoteur immobilier...

Le texte s'invente donc à partir d'un ensemble de règles délibérément assumées : celles de la tradition — retrouver, par exemple, l'expressivité du jeu masqué ; mais aussi les contraintes imposées par la singularité de situations propres à l'époque actuelle : l'avortement, la drogue, le travail sur un chantier de construction... qui obligent à innover. Le travail de la troupe s'appuie, comme pour les spectacles précédents, sur la réflexion, l'analyse et la critique collectives, mais aussi sur le contact avec des publics socialement homogènes (immigrés, mineurs des Cévennes, travailleurs de l'usine Kodak...) auxquels il est demandé de suggérer des thèmes d'improvisations, de critiquer celles-ci, de donner des précisions techniques et psychologiques sur leur vie professionnelle, leur insertion sociale...

Le succès de *l'Age d'or* attesterait, s'il en était besoin, que la recherche d'avant-garde n'est pas, par nature, incompatible avec le goût d'un large public. Le Théâtre du Soleil, en tout cas, a fait la preuve qu'était possible et viable un autre mode de production du texte. Cette pratique nouvelle implique toute une collectivité. Elle abolit, ou du moins estompe, cette coupure, mille fois déplorée, dans le théâtre traditionnel, entre des spécialistes actifs et des spectateurs passifs. Elle décloisonne les compétences.

Qu'en est-il, à l'arrivée, du statut du texte ? Sans doute perd-il — mais est-ce un mal ? — cette espèce de « sacralité » qui émanait, traditionnellement, de ses vertus littéraires. La représentation n'apparaît plus, par rapport à lui, comme une sorte de prolongement, séduisant, certes, mais, somme toute, inessentiel. Car le texte d'auteur se présente toujours comme un objet de lecture indépendant de toute réalisation théâtrale et se suffisant à lui-même. Au contraire, les productions textuelles collectives ne se donnent que pour les instruments d'une représentation. C'est qu'à elles seules elles ne constituent plus exactement ces totalités autonomes, closes sur elles-mêmes, qu'on appelait « œuvres dramatiques ».

Il est significatif, à cet égard, que le Théâtre du Soleil se soit refusé à publier le texte de *l'Age d'or*, contrairement à ce qui avait été fait pour *1789* et *1793*. Il donne deux raisons de cette décision. D'abord, dans *l'Age d'or*, la dimension verbale est indissociable de la dimension gestuelle, la seconde étant souvent la matrice de la première. N'éditer que le dialogue, fût-il accompagné de didascalies détaillées, c'était au fond altérer, mutiler, le texte véritable. D'autre part, c'était le figer dans un « état prétendument définitif » alors que, dans l'esprit de la troupe, il s'agissait d'une « première ébauche ».

Cela montre qu'on a ici affaire à une conception nouvelle du texte dramatique. Non plus une « œuvre », mais ce que les Anglo-Saxons appellent *work in progress*, un matériau ouvert, transformable... Nouveauté qui est peut-être seulement la restauration d'une tradition oubliée : pensons à ces canevas de la commedia dell'arte que les troupes utilisaient, dans leurs pérégrinations, avec la plus grande liberté. En les adaptant aux possibilités et aux ressources des comédiens. En les adaptant au contexte politique et social du moment et du lieu de la représentation. Texte multiple, donc, indéfiniment modifiable, inséparable de sa représentation. Et par là même impubliable.

Il est incontestable qu'aujourd'hui le metteur en scène est parvenu à s'affranchir de la tutelle de l'auteur. A l'exception de quelques esprits chagrins, le public a accepté de juger une mise en scène sur sa rigueur, sa richesse, son originalité, etc., bref, sur des qualités intrinsèques, et non plus sur une prétendue fidélité qui ne représentait, le plus souvent, que l'idée plus ou moins personnelle, plus ou moins acquise, que chaque spectateur se faisait du texte concerné.

Et pourtant, contrairement à ce que redoutaient les uns, contrairement à ce que souhaitaient les autres, les recherches contemporaines les plus audacieuses n'ont pas inventé un théâtre sans texte. Les plus grands événements de ces trente dernières années, s'agissant de la mise en scène, ressortissent d'évidence à un théâtre où le texte demeure une clé de voûte, qu'il s'agisse d'œuvres du répertoire montées de façon totalement novatrice — les « Molière » de Planchon ou de Vitez, par exemple, le *Lorenzaccio* du Théâtre Za Branou de Prague, dans la mise en scène d'Otmar Krejca (1969), les « Shakespeare » de Peter Brook, *le Roi Lear* et *le Songe d'une nuit d'été*, notamment, les « Goldoni » de Strehler, etc. —, qu'il s'agisse aussi de textes neufs que font miroiter les mises en scène les plus diverses — *les Bonnes* de Genet, créées par Jouvet en 1947 et reprises dans des optiques complètement nouvelles par Victor Garcia, Jean-Marie Patte... ou *la Résistible ascension d'Arturo Ui* présentée, en quelques années, au Berliner Ensemble (Manfred Wekwerth et Peter Palitszch), au TNP (Vilar), à Turin (De Bosio), à Varsovie (Axer)...

En même temps, d'autres modes de traitement et de production du texte ont fait leur apparition et leurs preuves. Notamment l'art de l'adaptation, du montage, le recours à l'improvisation et à la réflexion collective, etc. Il n'empêche qu'à l'arrivée le spectateur se trouve confronté à un texte, souvent dense et fort, en tout cas toujours de première importance quant à la volonté de signifier. Les éclatantes réussites du Théâtre du Soleil, celles du Théâtre de l'Aquarium, d'autres encore qu'on regrette de ne pouvoir citer en témoignent.

Tout cela prouve que les réactions de rejet apparues dans la première moitié du siècle n'ont pas eu l'effet destructeur qu'on pouvait espérer ou redouter. Aucun metteur en scène n'a réussi, ni même sans doute cherché, à annuler le texte. En revanche, ce mouvement a suscité un autre type de texte, complètement intégré à la représentation au point qu'il en devient indissociable même lorsqu'il y a à la source un grand classique de la littérature : c'est le cas, par exemple, de l'*Orlando Furioso* adapté de l'Arioste par Edoardo Sanguinetti et qu'on n'imagine pourtant pas de dissocier de l'extraordinaire spectacle que Luca Ronconi a su en tirer (1969).

La grande nouveauté est peut-être en fin de compte dans la coexistence de deux types de textes passablement différents : ceux qu'on peut apprécier, comme la tradition nous y avait habitués, dans un pur acte de lecture, indépendamment de leur existence scénique. Faut-il dire qu'on peut trouver plaisir et intérêt à lire le théâtre de Brecht, celui de Genet ou de Beckett ? Et puis d'autres textes qui n'ont guère d'existence, et qui ne cherchent d'ailleurs pas à en avoir, hors du théâtre. Car, il faut le reconnaître, la lecture de *1789*, de l'*Orlando Furioso*, de *Frankenstein* ou de *Paradise now* (Living Theatre), celle du *Prince constant* (Grotowski) ou de *Einstein on the beach* (Bob Wilson), pour ne mentionner que quelques grands événements du théâtre récent, cette lecture n'offre guère qu'un intérêt documentaire. Or, à l'expérience, tous ces textes se sont révélés de merveilleux instruments de théâtre. Textes admirablement « fonctionnels », certes, et idéalement adaptés au propos de la représentation qui les a suscités. Textes aussi d'une grande richesse de signification et d'une grande efficacité poétique, ou plutôt — et la nuance explique sans doute l'essentiel — tremplins, supports de spectacles d'où jaillissent le sens et la poésie. On a donc affaire, dans ce dernier cas, à des textes dont l'une des caractéristiques fondamentales est bien d'être indissociables de la représentation pour laquelle et par laquelle ils ont été conçus. Au point d'ailleurs qu'on ne saurait guère imaginer qu'ils se prêtent à des expériences multiples de mise en scène[30]. Il serait vain de

30. Il est significatif qu'aucun metteur en scène n'ait eu l'idée de reprendre — comme on reprend *Tartuffe* — l'*Orlando Furioso*, *1789*, *Paradise now*, *Akropolis* ou *le Regard du sourd*... Sans doute est-ce que le véritable auteur est maintenant le metteur en scène. Et il ne viendrait à personne l'idée de réécrire *Tartuffe !*

prétendre établir une hiérarchie entre ces deux catégories de textes. Il n'est pas contestable qu'il s'agit *aussi* de grands textes de théâtre, mais pour des raisons différentes de celles qui fondent l'admiration qu'on porte aux textes d'auteur.

L'auteur, d'ailleurs, n'est pas laissé pour compte dans cette évolution de la pratique théâtrale. L'usage le plus traditionnel est loin d'avoir disparu, et l'on voit encore d'excellents auteurs confier leurs textes à d'excellents metteurs en scène chargés d'en assurer la représentation théâtrale dans un complet accord esthétique et idéologique. Plus caractéristique, peut-être, de l'époque contemporaine, le refus des cloisonnements étanches : les meilleurs auteurs n'hésitent plus à se faire metteurs en scène de leurs pièces (Samuel Beckett, Marguerite Duras...) et les metteurs en scène à écrire leurs propres pièces (Roger Planchon...). Façon comme une autre de donner raison aux hommes de théâtre qui, depuis Craig et Artaud, réclament l'unification des instances créatrices au théâtre.

De surcroît, l'écrivain professionnel n'est nullement exclu des nouvelles formes d'écriture qui se sont imposées. Il peut s'intégrer au travail collectif, faire fonction de « dramaturge », de conseiller en dramaturgie, comme au Berliner Ensemble et dans les troupes d'inspiration brechtienne. Il proposera alors moins des textes que des « solutions textuelles » aux problèmes qui surgissent ; il mettra en forme ce qui s'ébauche dans le travail d'improvisation ou de répétition ; ou bien il adaptera, transformera tel texte pris comme base de départ, non plus au gré de son inspiration mais des besoins précis du metteur en scène et de ses comédiens.

Il est donc tout à fait erroné de parler, comme le faisait Vilar au lendemain de la guerre et comme on le fait encore quelquefois aujourd'hui, d'une défaillance des auteurs dramatiques, d'une crise des vocations... Ce à quoi l'on assiste ressemble plutôt à une mutation. La place et la fonction de l'auteur de théâtre se trouvent fondamentalement redéfinies. Mais doit-on, pour autant, assimiler cette mutation à un appauvrissement ou à une décadence ?

CHAPITRE III

L'éclatement de l'espace

Si l'on devait rassembler sous une formule cursive la question de l'espace de la représentation au XXe siècle, cela donnerait une alternative un peu raide du genre : « théâtre à l'italienne ou pas ? » Ce siècle est en effet le premier, semble-t-il, à avoir eu conscience du caractère *historique* de la représentation dite « à l'italienne ». Sans doute, jusqu'alors, savait-on que ce mode de représentation avait pris son essor dans les principautés italiennes du XVIe siècle ; sans doute savait-on que d'autres pratiques avaient existé auparavant (théâtre antique que les premiers « humanistes » rêvaient de restaurer ; représentations médiévales des *Mystères* et des *Miracles*...). Mais enfin, à partir du XVIIe siècle, tout se passe comme si le théâtre à l'italienne était tenu pour une sorte d'accomplissement, une formule, certes susceptible d'améliorations techniques, mais parfaite en son principe, et comme inhérente à la nature même du théâtre. Rappeler cette évidence que le théâtre à l'italienne est un phénomène historique, c'est dire implicitement qu'il est relatif et révocable.

D'autres pratiques, certes, n'ont cessé de coexister avec la représentation à l'italienne : la commedia dell'arte et ses tréteaux, le cirque... Pourtant, le théâtre à l'italienne occupe une position dominante dans la vie théâtrale du XIXe siècle et, à part quelques exceptions, dans la première moitié du XXe. Avec ses perfectionnements techniques — sans même parler du confort et des raffinements divers qu'il offre aux spectateurs —, il apparaît comme le *nec plus ultra* de l'architecture théâtrale. Celle qui offre à la fois les meilleures conditions de visibilité et d'acoustique. Celle qui permet toutes les transformations scéniques que l'action peut exiger. Qui procure les effets d'illusion (de l'imitation naturaliste à la féerie) les plus parfaits. Confrontées au théâtre à l'italienne, les autres formules apparaissent soit comme des tâtonnements, des approximations conduisant peu à peu à la réussite unique qu'il représente, soit comme des pis-aller imputables à la précarité des ressources économiques dont dépendent les activités du spectacle.

Il est certain, au demeurant, que l'espace à l'italienne est celui qui se prête le mieux à la mise en œuvre de conceptions qui prévalent à la fin du XIXe, et au début du XXe siècle. Et il n'est pas moins vrai que ces conceptions n'ont pu se formuler et se développer que parce que ce mode de représentation existait. Antoine n'aurait évidemment jamais pu élaborer sa théorie du « quatrième mur »[1] dans un autre cadre que celui de la scène à l'italienne. Et la fixité du spectateur, dans son face à face avec le spectacle, reproduit approximativement la relation de celui qui contemple un tableau. Ce qui n'a pu manquer de favoriser le renouvellement de la scénographie par les peintres de chevalet[2]. Bref, il existe d'évidence une relation entre les conceptions esthétiques qui s'affrontent ou se côtoient, et l'architecture qui les fonde. En outre, les enrichissements que ces conceptions nouvelles apportent à la représentation ont pour effet de conforter, dans son monopole, l'architecture à l'italienne[3].

1. Voir *supra*, chap. I, p. 25.

2. Voir *supra*, chap. I, p. 29 sq. Il n'est pas inutile de rappeler ici, sans entrer dans le détail, que le développement des techniques scénographiques est étroitement lié à l'évolution de la peinture (voir, à ce sujet, l'étude documentée d'Hélène LECLERC : La scène d'illusion et l'hégémonie du théâtre à l'italienne, in *Histoire des spectacles*, Gallimard, « Encyclopédie de la Pléiade », pp. 581-624.

3. Par exemple, les modulations de l'ouverture du cadre de scène introduites par la mise en scène naturaliste, ou les recherches consacrées à l'éclairage et au renouvellement qu'il apporte à l'art de la scénographie (Appia, Craig...).

Cette situation est également imputable aux conditions socio-économiques qui gouvernent les destinées du théâtre. On ne revendique pas d'architecture théâtrale dont la conception serait révolutionnaire, parce qu'on sait qu'une telle exigence, vu les moyens qu'elle requiert, appartient au royaume d'Utopie. La plupart des salles de théâtres ont été construites au XVIIIe et au XIXe siècle. Elles obéissent toutes aux normes de la représentation à l'italienne. Ce qui donne satisfaction à l'ensemble du public intéressé (l'aristocratie et la bourgeoisie) et, selon toute apparence, à 99 % des professionnels du théâtre. Supposé que l'Etat, ou l'entreprise privée, prennent en charge la construction d'un nouveau théâtre, on peut être assuré que ce sera dans le respect d'une tradition si unanimement révérée, fût-ce en l'aménageant et en la modernisant grâce aux techniques de pointe! Témoin les deux théâtres des Champs-Elysées (le *Théâtre*, proprement dit, et la *Comédie*) construits par les frères Perret en 1911-1913.

Quoi qu'il en soit, l'évolution, dans ce domaine particulier, se caractérise par sa lenteur. Ce n'est pas pourtant que l'architecture à l'italienne échappe à toute mise en question. En mai 1890, dans le *Théâtre libre*, Antoine dénonce l'irrationalité de la représentation à l'italienne. Car la circularité de la salle compromet la visibilité du spectacle, et, ajoute-t-il, « un tiers de la salle n'entend pas ». Il s'en prend également à l'inconfort des places. Il réclame une rationalisation de la structure de la salle inspirée du théâtre que Louis II de Bavière avait fait construire pour Wagner à Bayreuth, en 1876, selon les conceptions de ce dernier. Que suggère-t-il ?

Placer tous les spectateurs de face, étagés normalement, de façon que le dernier se trouvât encore dans une position raisonnable pour que son rayon visuel embrassât complètement l'ensemble de la scène[4].

4. *Op. cit.*

Mais ce sont surtout les tentatives de démocratisation du théâtre qui conduisent à une mise en cause de la structure à l'italienne. Il n'échappe à personne, en effet, que la salle à l'italienne est le miroir d'une hiérarchie sociale. Que l'inégale qualité des places, s'agissant de la visibilité, de l'acoustique ou du confort, ne tient pas à une impuissance technologique : elle reproduit un ordre dans lequel il ne convient pas que le boutiquier bénéficie des mêmes agréments que le prince. Dans lequel il convient que le plus riche soit favorisé par rapport au moins riche... Selon qu'on vous voit dans une première loge de face ou dans une troisième loge de côté, on ne vous situe pas exactement au même rang de la société !

Démocratiser le théâtre, c'est donc d'abord démocratiser la relation des spectateurs entre eux, non moins que leur rapport à la scène. Dès 1903, Romain Rolland suggère une voie qui sera prise effectivement un peu plus tard : faire sortir le théâtre de la salle à l'italienne dont les possibilités d'aménagement et d'adaptation sont limitées, et l'installer en d'autres lieux plus adéquats. A une nouvelle pratique doit correspondre une architecture nouvelle :

> Je n'ai besoin pour le théâtre du peuple que d'une vaste salle, ou de manège comme la salle Huyghens, ou de réunions publiques, comme la salle Wagram — de préférence d'une salle disposée en pente, de façon que tous puissent bien voir : et dans le fond — (ou au milieu si c'est un cirque) — une haute et large estrade nue.
>
> En somme, une seule condition nécessaire à mon sens, pour le théâtre nouveau : c'est que la scène, comme la salle, puissent s'ouvrir à des foules, contenir un peuple et les actions d'un peuple[5].

Observons toutefois — et la remarque pourra souvent être reprise — que ces suggestions, si elles peuvent contribuer à modifier un certain nombre de traditions suscitées par la structure à l'italienne (celle du décor construit, par exemple, ou du jeu psychologique), ne transforment pas réellement le rapport du spectateur au spectacle. Il s'agit toujours d'une relation fixe. D'un face à face...

5. *Le théâtre du peuple*, Albin Michel, p. 121.

Apollinaire ne se souciait pas vraiment de réalisation scénique. Ce qui lui laissait une totale liberté de l'imaginer. Et le théâtre dont il rêve est d'une audace étrangement prémonitoire des recherches les plus récentes, dans le domaine de l'espace théâtral. Plus d'architecture à l'italienne, plus de face à face statique. On lit, dans le Prologue des *Mamelles de Tirésias* :

> La pièce a été faite pour une scène ancienne
> Car on ne nous aurait pas construit de théâtre nouveau
> Un théâtre rond à deux scènes
> Une au centre l'autre formant comme un anneau
> Autour des spectateurs et qui permettra
> Le grand déploiement de notre art moderne[6].

Artaud n'ira guère plus loin lorsqu'il demandera, une vingtaine d'années plus tard, dans *Le théâtre et son double*, que l'architecture théâtrale permette à l'action dramatique d'envelopper le spectateur assis au centre de l'espace, sur des sièges pivotants. Elle éclaterait, cette action, à des niveaux différents et aux quatre points cardinaux, grâce à un réseau complexe de passerelles, d'échelles, de plans de jeu[7]. D'ailleurs, dès 1924, Artaud aspirait à échapper aux contraintes de la structure à l'italienne, et rêvait d'abolir la fixité du rapport entre le spectateur et le spectacle, de le rendre à la fois multiple et fluide : « Il faudrait, écrit-il, changer la conformation de la salle et que la scène fût déplaçable selon les besoins de l'action »[8].

Ce qui frappe avec Artaud — on l'a souvent remarqué — c'est le constant décalage entre l'intransigeance de ses pétitions de principe et la souplesse avec laquelle il se plie aux contraintes que lui impose la réalité théâtrale de son temps. A telle enseigne que le petit nombre des réalisations d'Artaud se sont toujours faites dans un cadre à

6. *OC*, Gallimard, « Pléiade », t. 1, p. 881.

7. « Une communication directe sera rétablie entre le spectateur et le spectacle, du fait que le spectateur placé au milieu de l'action est enveloppé et sillonné par elle. Cet enveloppement provient de la configuration même de la salle. » *OC*, Gallimard, t. 4, p. 115.

8. *OC*, Gallimard, t. 2, p. 216.

l'italienne, y compris *les Cenci* qui, en 1935, constituèrent son ultime tentative pour traduire ses idées à la scène. Selon ses propres termes, « une étape vers le théâtre de la Cruauté ».

Faut-il imputer cette inconséquence à la personnalité tourmentée d'Artaud butant sans cesse sur les contraintes socio-économiques du théâtre ? A-t-il craint qu'en émigrant dans quelque hangar périphérique, comme il l'envisageait sur le papier, le public ne le suive pas ? Dans une lettre adressée à Jean Paulhan, le 24 septembre 1932, il reconnaît « la grosse difficulté [...] de trouver le hangar, l'usine ou la chapelle désaffectée, *dans Paris* (c'est Artaud qui souligne), et dans un quartier abordable pour le public » (*OC*, t. 5, p. 173).

Il faut donc avouer que, durant la première moitié du XXe siècle, en France tout au moins[9], si l'architecture à l'italienne est mise en question et partiellement, ou totalement, condamnée, ce rejet ne franchit jamais l'espace du discours théorique pour se « réaliser » dans l'invention d'un « autre » lieu et d'une « autre » représentation. D'où peut-être le retentissement de la tentative de Vilar à Avignon, en 1947 — on y reviendra[10]. D'où celui des expériences, plus récentes et plus radicales, menées durant les années 1960-1970, celles notamment du Living Theatre, de Jerzy Grotowski, de Luca Ronconi et d'Ariane Mnouchkine...

Mais revenons au début du siècle... En 1913, Jacques Copeau s'installe dans la salle qui allait devenir le théâtre du Vieux-Colombier. Il conserve la relation frontale statique à laquelle le spectateur est, pour lors, exclusivement accou-

9. Le prestige conservé, en Grande-Bretagne, par le théâtre élizabéthain, a donné plus d'élan à la mise en question de la scène fermée propre au théâtre à l'italienne. Dès les années 20, plusieurs tentatives ont été faites pour transformer certaines architectures existantes, supprimer, par exemple, le cadre de scène, modifier la disposition du public, etc. Ce mouvement favorable à la restauration de la scène « ouverte » se poursuivra après 1945. Voir à ce sujet l'étude de Richard SOUTHERN, Scène ouverte et scène fermée, dans *Le lieu théâtral dans la société moderne*, CNRS, 1969, p. 91 sq.

10. Voir *infra*, p. 99.

tumé. Mais la scène n'est plus séparée de la salle (elles sont reliées par un escalier) et, à l'instar de Craig dont il est un profond admirateur, Copeau utilise un éclairage modulable dont la source se situe derrière le public, évitant ainsi l'effet de séparation que l'usage de la rampe provoque ordinairement entre le spectateur et la boîte scénique.

Fidèle à son esthétique dépouillée, Copeau élimine du plateau le décor construit. Au Vieux-Colombier, l'architecture de la scène est constituée d'une structure fixe en plans étagés. Comme le fera plus tard Vilar, il utilise, pour singulariser et animer cet espace, l'éclairage et l'objet suggestif. Mais il remet d'autant moins en question le face à face traditionnel que les pièces qu'il choisit de présenter sont, avant tout, de « beaux » textes. Des œuvres littéraires destinées au plaisir auditif, visuel, intellectuel, d'un spectateur recueilli.

De semblables remarques vaudraient pour les membres du Cartel[11] qui ne réussissent pas à se fixer très longtemps dans un même théâtre et errent de salle en salle au gré de la conjoncture. Leur esthétique, à dire vrai, s'accorde fort bien à ces architectures traditionnelles, spécialement celle de Baty dont le picturalisme et la « magie » requéraient impérativement la scène fermée de l'espace à l'italienne.

Il peut être utile, avant d'aller plus avant, de récapituler les griefs articulés contre l'architecture à l'italienne. Les promoteurs d'une démocratisation des théâtres s'opposent à l'inégalitarisme perpétué par l'organisation de la salle. Ceux qui rêvent d'une nouvelle esthétique de la scène mettent en cause le statut qu'elle impose au spectateur : une relation au spectacle qui repose sur le *statisme* — il reste assis à la même place d'un bout à l'autre de la représentation ; il l'appréhende donc sous un angle constant et à une distance invariable — et sur la *passivité* — à aucun moment le spectateur ne peut intervenir dans le déroulement du spectacle.

11. Baty, Dullin, Jouvet et Pitoëff.

Enfin la scène fermée est devenue une boîte à illusions. Le spectateur a été conditionné par plus de trois siècles de tradition illusionniste qui l'ont accoutumé à tenir ce mode de représentation pour l'incarnation d'une essence du théâtre.

Précisons que ces différentes critiques ne sont pas apparues simultanément dans le discours théorique sur le théâtre. Si, par exemple, Antoine critique l' « irrationalité » de la structure à l'italienne, son esthétique tend plutôt à renforcer le statisme et la passivité du spectateur et la théorie du quatrième mur a pour effet, sinon pour fonction, d'abolir, chez lui, jusqu'à la conscience de sa position de spectateur. En outre, le mimétisme naturaliste a un besoin impératif de la scène illusionniste puisque toutes ses innovations visent à renforcer ou à multiplier les « effets de réel ».

Quant aux symbolistes, il est remarquable qu'ils n'aient jamais envisagé d'autre implication du spectateur que celle qu'autorisait une libération de la rêverie et de l'imaginaire et que favorisait le face à face hallucinatoire de la représentation à l'italienne. Artaud est sans doute l'un des premiers à avoir compris, dans les années 20, que l'invention d'un autre théâtre impliquait la transformation du rapport de la salle et de la représentation, c'est-à-dire, à terme, l'éclatement de la scène.

Cela dit, il serait simpliste de diviser le monde du théâtre en un camp traditionaliste, tenant du dispositif à l'italienne, et des bataillons modernistes partisans de son abolition. Les choses sont assurément plus complexes, et, s'il est vrai que la majorité des gens de théâtre, au début du siècle, ne songent pas à contester la structure à l'italienne parce qu'elle n'est pas capable de « penser » une autre architecture, ceux qui prônent des changements, voire des bouleversements dans la pratique de la mise en scène, n'appellent pas nécessairement à l'exil artaudien du côté des hangars, des usines ou des chapelles désaffectées. Mais alors, il est frappant de noter que le maintien du théâtre à l'italienne est mûrement réfléchi et argumenté. On ne le considère plus comme une structure « naturelle », inhérente à l'essence même de l'art de la représentation et, par là même, indépassable ou incontournable, mais comme l'aboutissement historique d'une évolution en cours, comme un système ouvert susceptible de transformations et de perfectionnements. Et c'est bien comme tel qu'il est intégré à des théories, voire à des expériences, qui ne visent rien moins qu'un bouleversement radical de la pratique du théâtre. Deux exemples, à cet égard, seront particulièrement révélateurs : celui de Craig et celui de Brecht.

Si Craig s'accommode de la scène à l'italienne, c'est que son esthétique exige le face à face traditionnel, l'immobilité du spectateur. Car la mise en scène est œuvre d'art. C'est-à-dire qu'elle s'apparente à une liturgie de la beauté au sein de laquelle la place du spectateur est celle du fidèle, de l'adorateur. Il n'a d'autre fonction que de contempler et d'admirer une création dont les moyens, la « magie », doivent lui rester mystérieux.

Craig a souvent eu à déplorer les mille et une interventions du hasard ou de la versatilité humaine qui rendent la perfection d'un spectacle infiniment précaire. Et si l'acteur est sa cible principale — au point qu'il rêvera d'un théâtre sans comédien ! — comment imaginer qu'il eût pu seulement envisager la participation du spectateur à une représentation qui se définit comme un univers clos sur sa propre perfection formelle ? Les reproches d'indiscipline, de frivolité, de routine... qu'il adresse aux interprètes les plus chevronnés, on se doute que les spectateurs les susciteraient. Et d'autant plus véhéments, ces reproches, que l'intervention du spectateur dans un spectacle ne peut guère être que de l'ordre de la spontanéité et de l'improvisation, toutes choses que Craig prétendait extirper radicalement.

A quoi s'ajoute le picturalisme d'une conception de l'image scénique[12] qui n'appelle et n'autorise d'autre mode

12. Précisons que Craig a été durablement influencé par les recherches graphiques et picturales des peintres de son temps, notamment par les membres du New English Art Club.

de réception de l'œuvre théâtrale que la relation frontale.

Si donc la réflexion de Craig, l'intransigeance de sa conception esthétique, les déceptions de la pratique le conduisent à une mise en question des salles à l'italienne, il ne s'en prend pas à la structure architecturale ni au statut du spectateur qu'elle induit, mais à un appareillage technique qui ne permet pas de satisfaire à toutes les exigences de la représentation idéale. Autrement dit, il ne s'agit pas de supprimer l'indispensable face à face du spectateur et du spectacle, mais d'obtenir qu'une révolution technique interne fasse, de la scène à l'italienne, l'instrument approprié à la révolution esthétique prônée par Craig.

Aussi bien faut-il reconnaître qu'il y avait une particulière adéquation entre la représentation craiguienne et la structure à l'italienne. Par son monumentalisme dépouillé, par sa volonté de n'être qu'un jeu de formes et de volumes animé par l'ombre et la lumière, cette esthétique requiert la position frontale du public. Et, plus encore peut-être, par cette volonté de creuser la profondeur de l'image scénique, de conférer à l'espace de la représentation une puissance de suggestion qu'il n'avait jamais connue jusqu'alors, Craig ne pouvait se passer de la scène illusionniste et de la perspective traditionnelle qu'elle met en œuvre[13].

Les recherches de Craig visaient à une animation toujours plus complexe, plus riche de possibilités expressives, de l'espace scénique. D'où le travail sur la lumière qui a tellement frappé les contemporains. D'où aussi l'invention fameuse des *screens*, ces « paravents » qui doivent pouvoir être manœuvrés à volonté et permettre une fluidité des

13. Les contemporains ont été immédiatement sensibles à cet approfondissement poétique de l'espace scénique. Témoin cette évocation, par Isadora Duncan, du décor de *Rosmersholm* d'Ibsen conçu par Craig pour la mise en scène qu'il en réalisa, avec Appia, à Florence, en 1906 :

« A travers de vastes espaces bleus, des harmonies célestes, des lignes ascendantes, des masses colossales, l'âme est transportée vers la clarté de cette baie au-delà de laquelle s'étendait non pas une petite allée, mais l'infini de l'univers » (*My Life*, New York, Boni & Liveright, 1927, p. 216).

formes et des volumes, fluidité que la lumière, cassant les lignes droites, adoucissant les volumes, arrondissant les angles ou, au contraire, les mettant en évidence, rendrait absolue. Cette innovation technique qui permettrait de passer d'une scène *statique* à une scène *cinétique* est jugée, par Craig, si fondamentale qu'il estime, avec elle, inaugurer un nouvel espace de la représentation, la *cinquième scène* (les quatre précédentes étant l'amphithéâtre grec, l'espace médiéval, les tréteaux de la commedia dell'arte et, enfin, la scène à l'italienne). On le voit, si Craig s'accommode de la structure à l'italienne, il n'hésite pas à la vider de tout ce qui ne s'accorde pas à son esthétique, et à la remodeler à sa convenance. Seuls, en fin de compte, sont préservés ou améliorés l'appareillage technique (machinerie, éclairage...), la relation frontale de la salle et de la scène et l'invisibilité des sources de production du spectacle.

Quant à Brecht, s'il récuse fortement l'inégalitarisme social que reflète et perpétue la salle à l'italienne, s'il condamne l'illusionnisme et le rapport hallucinatoire que la représentation traditionnelle instaure grâce aux possibilités techniques de la scène fermée, il n'en conserve pas moins, dans sa pratique, et les ressources techniques et le rapport frontal statique qui caractérisent la structure à l'italienne.

Quelques nuances doivent toutefois être introduites : d'abord Brecht procède comme Craig. Au moins sur le plan théorique. Il n'hésite pas à s'emparer du théâtre à l'italienne pour le vider de ce qui lui paraît inutile ou dangereux. Pour le remplir de ce qui lui semble nécessaire ou profitable. Il a, au fond, si peu d'attachement pour l'architecture traditionnelle qu'il est prêt à faire littéralement éclater la scène à l'italienne :

> Suivant les cas, l'architecte de scène remplacera le plancher par des tapis roulants, l'arrière-plan par un écran de cinéma, les coulisses latérales par un orchestre. Il transformera les cintres en portants de treuils et envisagera même de transporter l'aire de jeu au centre de la salle. Sa tâche, c'est de montrer le monde[14].

14. L'architecture scénique, I, in *Ecrits*, L'Arche, t. I, p. 424.

D'autre part, Brecht s'en prend au *picturalisme* qui caractérise les plus récents avatars du spectacle à l'italienne, qu'il s'agisse de la mise en scène naturaliste ou des recherches symbolistes et expressionnistes. Il demande que la scène devienne une « aire de jeu », un ring, un espace architecturé en fonction des besoins du jeu de l'acteur :

> Indépendamment du fait qu'il n'existe dans la salle que quelques places d'où le tableau produit son plein effet, tandis qu'à toutes les autres il apparaît plus ou moins déformé, l'aire de jeu composée à la manière d'un tableau ne possède ni les qualités d'une œuvre plastique, ni celles d'un terrain, en dépit du fait qu'elle a l'ambition d'être l'une et l'autre. C'est seulement le jeu des personnages qui s'y meuvent qui doit achever la bonne aire de jeu[15].

On pourrait dire qu'à la limite, Brecht conserve la structure à l'italienne pour la dénaturer de l'intérieur, en retournant contre elle ses propres ressources techniques. S'agissant du spectateur, il n'est pas difficile de voir pourquoi Brecht préserve son rapport traditionnel à la représentation : distance, statisme, relation frontale... L'étude de trois siècles de théâtre aristotélicien (l'expression désigne, dans la terminologie de Brecht, l'ensemble des traditions qui président à la pratique occidentale du théâtre) fait ressortir, à l'envi, que la représentation à l'italienne s'est constituée d'une lutte permanente pour parfaire une illusion qui n'était pas donnée d'emblée, et qui était toujours techniquement précaire, et symboliquement périssable. Le moindre impondérable (un grincement de poulie dans la manœuvre de la trappe qui fait surgir le spectre de Banquo...) peut empêcher « l'hallucination » du spectateur, ruiner la « magie » du spectacle, en restituant au premier la conscience de sa position et de son activité. De même, l'évolution de la perception, du goût : la déclamation chantée de Sarah Bernhardt qui bouleversait ses contemporains, qui rendait « présente » l'héroïne qu'elle incarnait, paraîtrait sans doute insupportable ou risible aujourd'hui... Autrement dit, contrairement

15. *Op. cit.*, p. 426.

à ce que suggère l'histoire de la représentation à l'italienne, il faut nuancer l'idée répandue que la scène fermée est une machine à produire de l'illusion qui se perfectionne sans cesse : il apparaît en effet que la théâtralité, à l'intérieur même d'une telle structure, a constamment tendance à resurgir, que rien n'est plus difficile à obtenir, surtout à l'époque du cinéma, que l'abolition du sentiment d'assister à une représentation, sentiment que la tradition aristotélicienne jugeait ruineux pour l'illusion théâtrale.

Aussi bien, pour Brecht, n'est-il pas nécessaire, au fond, de rejeter l'architecture à l'italienne. Il suffit de la faire travailler, pour ainsi dire, à « l'envers ». D'aider la théâtralité à s'afficher, au lieu de la refouler. De montrer les moyens de production du spectacle, appareillage électrique, instruments de musique, etc., au lieu de se donner tant de mal pour les rendre invisibles! Bref, la relation frontale, la distance et l'immobilité du spectateur face à la scène, qui, dans la perspective d'un art de participation et d'illusion, apparaissaient comme autant d'obstacles à contourner (d'où le souci dominant de faire perdre au spectateur la conscience de sa situation), tout cela devient la base même du théâtre « épique » : le spectateur brechtien doit voir *à distance*. Il doit garder la tête froide en face d'un spectacle qui ne cherche plus à se substituer au réel. Il doit être en position d'exercer sa faculté d'étonnement, son jugement critique... Pour atteindre ce but, que peut-on rêver de plus approprié que la position assise, l'immobilité, le regard frontal qui balaie librement la totalité d'un espace dont tout rappelle qu'il est le terrain d'une représentation théâtrale?

Cela dit, les transformations que Brecht préconise d'apporter à l'utilisation même de la scène à l'italienne légitimeraient qu'il parle, comme Craig, de l'inauguration d'une « cinquième scène »! Il demande en effet que l'architecture de scène soit complètement repensée en fonction de chaque nouveau spectacle. Et le terme d'*architecte de scène* qu'il emploie, de préférence à celui de décorateur ou de scénographe, signale que ce n'est pas seulement le plateau, mais la totalité du théâtre qui devrait pouvoir être transformée : « Rien ne doit être immuable aux yeux de l'architecte, écrit-il, ni l'emplacement, ni l'emploi qu'on fait habituellement du plateau. A cette condition, il est un véritable architecte de scène »[16].

Idéalement, la structure que Brecht appelle de ses vœux serait au fond une architecture polyvalente, infiniment modulable et modifiable, au sein de laquelle la pratique à l'italienne ne serait plus qu'une solution parmi d'autres. On peut voir là l'influence exercée sur Brecht par les recherches de Piscator avec lequel il avait collaboré un moment. Les réflexions de Brecht sur l'architecture de scène ont été formulées au cours des années 1935. Or, peu auparavant, en 1927, Piscator avait cru en la possibilité de faire construire un théâtre nouveau. La conception théorique était de Piscator, les plans du célèbre architecte Gropius, et la construction devait être assurée par le Bauhaus. Malheureusement, le projet ne put être réalisé. Or l'originalité de ce « théâtre synthétique » était de permettre une infinité de solutions différentes au problème de l'architecture de scène : la structure à l'italienne, bien entendu, mais aussi la scène circulaire, la simultanéité des aires de jeu, la « verticalisation » de la représentation grâce à un système d'escaliers mobiles et d'échafaudages, etc.

Sans doute la théorie théâtrale de Piscator s'oppose-t-elle à celle de Brecht en ce qu'elle s'appuie sur la notion de *participation*. Il n'en reste pas moins que, par des voies peut-être opposées, les deux metteurs en scène en arrivent à des conceptions de l'architecture scénique analogues, qui se caractérisent par la recherche d'une souplesse absolue de l'instrument théâtral.

Observons seulement que si, dans les deux cas, le principe du théâtre à l'italienne est dépassé, inclus dans un système « synthétique », il s'agit, pour Brecht, de se doter des

16. *Op. cit.*, p. 430.

moyens d'éviter l'illusionnisme inhérent à la tradition aristotélicienne, alors que l'objectif de Piscator et Gropius est de multiplier, autant que faire se peut, la puissance d'illusion du théâtre. Gropius, par exemple, reprochait à la scène à l'italienne de présenter « le grave inconvénient de ne pas faire participer le spectateur à une action séparée de lui »[17].

Enfin Brecht qui, en 1917, suivait activement le séminaire d'Arthur Kutscher, spécialiste réputé du théâtre, et ami de Wedekind, n'a évidemment pas ignoré les recherches expressionnistes menées entre 1918 et 1922 dans le domaine qui nous intéresse, et qui débouchent sur l'abandon de la scène fermée, sur la transformation du plateau en aire de jeu, sur la suppression des barrières qui séparaient, dans la structure à l'italienne, le public du spectacle. « La révolution du théâtre doit commencer par la transformation de la scène!... Nous ne voulons pas un public, mais une communauté dans un espace unifié... Pas de scène, une tribune! », pouvait-on lire dans un manifeste expressionniste.

De même eut-il connaissance de la tentative de Max Reinhardt, en 1919 : le célèbre metteur en scène avait fait transformer le cirque de Berlin en un immense théâtre qui pouvait accueillir plus de 3 000 spectateurs. Ceux-ci occupaient les trois quarts du cercle cependant que le dernier quart et l'arène étaient réservés à l'espace de la représentation. Ni rampe, ni rideau. La fusion de la salle et de la scène était potentiellement réalisable. Dans ce lieu, qui n'est pas sans évoquer celui dont rêvait Romain Rolland (cf. *supra*, p. 87), Reinhardt réalise des spectacles monumentaux, grandes fresques tirées du répertoire classique *(l'Orestie, Jules César, les Brigands...)* ou d'œuvres modernes telles que *Floria Geyer* de Hauptmann qui évoque la révolte des paysans allemands au XVIe siècle. Avec le *Danton* de Romain Rolland, l'espace scénique était transformé en tribunal,

17. De l'architecture théâtrale moderne, à propos de la construction à Berlin d'un nouveau théâtre Piscator, cit. par PISCATOR in *Le théâtre politique*, L'Arche, p. 130.

cependant que la foule révolutionnaire était mêlée au public...

On le voit, les recherches théoriques, et parfois les expériences concrètes, dans ce début du XXe siècle, ont abouti, au-delà de leur diversité, à une mise en cause partielle, ou totale, de la représentation à l'italienne, soit qu'on ait tenté de modifier l'espace intérieur des théâtres construits sur ce modèle, soit qu'on ait cherché à dénaturer la pratique traditionnelle de façon à exploiter telle ou telle composante du spectacle à l'italienne sans se trouver assujetti à son système de contraintes.

Il est vrai que les expériences les plus novatrices ont constitué des événements exceptionnels et sans lendemain dans la vie courante du théâtre occidental. Celle-ci, on l'a déjà souligné, demeurait en retrait, non seulement pour des raisons économiques, mais parce que la collectivité des professionnels et des amateurs de théâtre n'éprouvait pas véritablement le besoin de s'arracher au confort du spectacle à l'italienne. Artaud, à cet égard, constitue, dans la France des années 30, une remarquable exception, et il faudra attendre 1947 pour que Vilar réussisse le pari de sortir du théâtre à l'italienne *stricto sensu*, et pour que cette rupture ait un véritable retentissement dans le public.

Lorsqu'en 1947, Jean Vilar inaugure le premier festival d'art dramatique d'Avignon, il tente de résoudre plusieurs problèmes qui, globalement parlant, découlent des contraintes inhérentes à la structure à l'italienne.

L'inégalitarisme social, d'abord, depuis longtemps dénoncé : non seulement la salle à l'italienne fondait une pratique sociale d'identification (je me reconnais dans mes voisins d'orchestre ou de balcon) et d'exclusion (seule la bourgeoisie a les moyens matériels et culturels d'entrer au théâtre), mais trois siècles de centralisme avaient contribué à rassembler l'essentiel de la vie théâtrale française à l'intérieur de quelques quartiers parisiens, de sorte qu'au clivage social habituel s'ajoutait une inégalité géographique. Ce théâtre était celui de la bourgeoisie, et de la bourgeoisie parisienne!

Choisir Avignon, c'était donc, pour Vilar, le moyen d'échapper à ce monopole parisien. Un lieu loin de Paris, un lieu de plein air, cela devait susciter à la fois un autre public, et une autre pratique du théâtre...

En outre, et Vilar le savait fort bien, au lendemain de la guerre, dans une France accaparée par toute sorte d'urgences économiques, il ne pouvait guère espérer qu'on lui construisît un théâtre nouveau qui aurait pu échapper aux normes habituelles. A cet égard, la cour du Palais des Papes, à Avignon, permettait la rupture souhaitée. Espace ouvert, monumental, il offrait mille possibilités de briser le carcan de la tradition. Ou plutôt, il les imposait ! Devant l'admirable Mur, il fallait inventer des solutions neuves. Par exemple, il devenait quasiment impossible de perpétuer l'esthétique illusionniste et le décor construit. D'une part, on ne disposait pas de l'appareillage technique requis (cintres, portants...) ; de l'autre, il y aurait eu une insupportable disproportion entre le Mur et un décor conçu par référence à la taille de l'acteur. A moins d'escamoter le Mur, de le plonger dans le noir. Mais alors, à quoi bon venir à Avignon, si c'était pour ressusciter la scène à l'italienne ?

Vilar fait donc le pari inverse. Il conserve le Mur. Il assume sa monumentalité. La spécificité de ce lieu nouveau détermine de nouvelles exigences, de nouvelles contraintes... S'il est vrai qu'un certain théâtre intimiste se trouvait exclu d'un espace qui risquait de l'écraser, la contrepartie positive fut que les pièces qui le méritaient purent retrouver, dans ce cadre exceptionnel, le souffle, l'ampleur, la grandeur, que les proportions plus restreintes des salles habituelles avaient fait oublier. Ainsi put-on véritablement « découvrir » *le Cid*, *le Prince de Hombourg*, *Lorenzaccio*, *la Mort de Danton*, *Richard II*, mais aussi des œuvres moins « attendues » à Avignon, telles que *Mère Courage* (Brecht), *Dom Juan*, *le Triomphe de l'amour* (Marivaux), *Ce fou de Platonov* (Tchékhov)...

On reviendra, au chapitre suivant, sur l'utilisation de cet espace nouveau par Vilar metteur en scène. On se bornera, ici, à caractériser Avignon par rapport à la structure à l'italienne.

Vilar a toujours choisi d'adosser ses mises en scène au Mur. La relation au spectacle, par voie de conséquence, demeurait le rapport frontal traditionnel. Mais les proportions, la grandiose verticalité du Mur, la largeur et la profondeur du plateau, la distance entre les spectateurs (ceux des derniers rangs, notamment) et l'avant-scène, tout cela transformait radicalement le face à face en question. Et s'il fallait absolument une référence prise dans l'histoire de la représentation, ce serait sans doute à des formes chères à Vilar qu'il faudrait songer : l'amphithéâtre antique ou l'immense scénographie médiévale... Car le changement d'échelle n'est pas seul en cause. Il entraîne une transformation de la pratique même du théâtre du point de vue du public. Le cadre, le climat méditerranéen, le moment choisi (juillet) créent un contexte favorable à une modification des comportements, à un rassemblement festif très éloigné du rituel parisien. Vilar rêvait d'un théâtre qui unifie le public, qui abolisse provisoirement les clivages sociaux. D'où l'abandon de toute obligation vestimentaire[18], d'où l'unification du statut des places, qui ne se différenciaient plus guère que par leur éloignement ou leur proximité du plateau.

Le succès viendra progressivement et ne se démentira plus, surtout à partir de 1951, lorsque Vilar aura pris la direction du TNP. Historiquement, il est clair, aujourd'hui, que l'expérience d'Avignon eut une importance décisive dans la transformation de la pratique et des usages du théâtre français. C'est sans doute la première fois que l'abandon de la structure à l'italienne connaît un succès de public aussi retentissant et aussi durable. Succès qui déclenche — effet de

18. L'obligation de la tenue « habillée » au théâtre est aujourd'hui tombée en désuétude. Mais, dans les années 50, elle était explicitement ou implicitement contraignante, et elle exerçait une réelle fonction d'exclusion et d'homogénéisation du public, en ce sens que nul ne pouvait, ou n'osait, entrer au théâtre s'il n'arborait la tenue (costume-cravate ou robe habillée) emblématique de la bourgeoisie.

mode, mais aussi de libération — quantité d'imitations à travers toute la France. Durant la décennie 1950-1960 se multiplient les festivals d'été, partout où un site permet la rencontre, en plein air, d'un public et d'un spectacle... Il faut bien reconnaître qu'aucune de ces tentatives n'aura l'impact de celle d'Avignon. Trop souvent, elles apparaissent comme de pâles succédanés, ou se bornent à transférer, avec tous les inconvénients que cela comporte, une mise en scène conçue pour le théâtre à l'italienne, dans un espace de plein air.

Avignon sera également déterminant dans l'évolution ultérieure de Vilar : c'est le retentissement de l'expérience avignonnaise qui a été à l'origine de sa nomination en 1951, à la tête du TNP (Théâtre national populaire).

Le théâtre de Chaillot, qui lui est confié, n'est pas un espace traditionnel, ne serait-ce que par la double immensité de la salle et du plateau. Ces proportions inusitées imposent une transformation de la pratique théâtrale, que Vilar n'aurait peut-être pas pu concevoir et imposer sans l'expérience d'Avignon. Certes, le dépouillement de l'espace, la scénographie reposant sur les quatre piliers de l'éclairage, du cyclorama, des rideaux noirs latéraux et de la couleur suggestive des éléments scéniques, Vilar en était, pour partie, redevable aux recherches d'Appia, de Craig et surtout aux expériences de Copeau... Encore faut-il se souvenir que, dans les années 50, ces tentatives ne demeuraient connues que d'un public confidentiel (professionnels du théâtre, amateurs hautement spécialisés). La conception dominante restait celle du décor construit — un zeste de stylisation prouvant le modernisme de son auteur — dont l'illustration la plus appréciée est alors celle qu'en proposent Louis Jouvet et son décorateur Christian Bérard. Si ce qu'on a appelé plus tard, et quelquefois avec ironie, le style TNP, a pris quelques rides à force d'avoir été démarqué par des épigones peu inspirés, au point d'apparaître comme le nouvel académisme théâtral des années 60, on ne doit pas pour autant sous-estimer l'effet de choc, de rupture, qu'il a provoqué à ses débuts.

Il est vrai que Chaillot, par son architecture, par ses proportions démesurées au regard des normes habituelles, par les conditions nouvelles qu'il imposait à la représentation, tenait plus du théâtre antique que de l'espace à l'italienne. D'autant plus que Vilar s'emploie à éliminer tout ce qui contribuait encore à transformer la scène en boîte magique. Il supprime le rideau de scène, de sorte qu'avant le début de la représentation, le spectateur peut voir le plateau vide éclairé de la même lumière que la salle. Le lieu magique reprend alors une allure familière et concrète. Il s'affiche comme piste, comme aire de jeu, cadre fonctionnel d'un travail d'où le spectacle va naître. Dans le même esprit les modifications de l'espace scénique se feront volontiers « à vue ». Des « serviteurs de scène », machinistes revêtus d'un costume qui les intègre à l'univers de la pièce, interviennent sous le regard du public (pour enlever, apporter un élément scénique, un praticable...), rappelant ainsi discrètement que le travail du théâtre s'effectue simultanément dans les coulisses et sur le plateau. Vilar supprime aussi la rampe qui établissait une sorte de frontière lumineuse entre la scène et la salle en effaçant la matérialité du plateau à l'endroit même où celle-ci a le plus de chances d'être perceptible, au point de jonction du réel et de l'irréel. Désormais, cette matérialité sera affichée, dans sa nudité et sa proximité, d'autant plus que la fosse d'orchestre traditionnelle qui instituait un espace-tampon entre le public et le plateau, et renforçait l'isolement de la boîte scénique, est, à son tour abolie. Vilar en profite pour rapprocher la scène des spectateurs en la prolongeant en direction de ceux-ci, par un *proscenium* qui recouvre la fosse d'orchestre et réduit, autant que faire se peut, la distance, excessive à Chaillot, entre l'acteur et le spectateur.

Pour être complète, une étude de la structure spécifique de Chaillot ne devrait pas se limiter à l'espace englobant la scène et la salle, mais prendre aussi en compte les dégagements du théâtre. On sait que l'une des caractéristiques de l'architecture à l'italienne était de permettre, voire de susciter, certaines formes de pratiques sociales (exhibitions, rencontres, négoces de toute nature...) qui n'avaient que peu de rapport avec l'art du spectacle. D'où l'importance prise, depuis le XIXe siècle, par les « foyers », les escaliers, les miroirs... aux abords de la salle. D'où aussi l'étagement en hémicycle des loges et des baignoires (certaines disposant d'un petit salon), etc. Une simple visite au Palais Garnier serait, à cet égard, plus suggestive que n'importe quelle description! La plupart des théâtres, fussent-ils de construction récente, n'ont pas remis en cause ce dispositif périphérique parce que l'idéologie qui le fonde n'était pas davantage remise en question.

Vilar n'a pas, évidemment, la responsabilité de l'organisation architecturale de Chaillot. Il en a tiré parti pour instituer une socialité différente : les cafeterias plus utilitaires que somptuaires ; des lieux de rencontres entre spectateurs et responsables du spectacle (metteur en scène, comédiens, scénographes...) ; des lieux d'exposition prolongeant la représentation, etc.

Quant à Avignon, la cour du Palais des Papes n'étant pas un théâtre et se trouvant au cœur de la ville, dans la proximité immédiate des lieux de rencontre habituels, places publiques, cafés..., la relation entre le théâtre, le public et la cité s'est d'emblée trouvée placée sur un plan de familiarité et d'intimité complètement différent des usages parisiens et, pour autant qu'on puisse l'imaginer, assez proche de la « convivialité » propre à la cité antique ou à la ville médiévale au moment des manifestations théâtrales.

On voit à quel point, par une succession d'aménagements ponctuels, en tirant parti de structures qui n'avaient pas été destinées à la représentation[19], Vilar a réussi à inventer un espace différent qui renouvelait considérablement notre rapport avec l'art du spectacle.

Un lien subsistait, toutefois, avec la tradition de la

19. Même Chaillot avait été, à l'origine, conçu comme une salle de congrès. L'ONU, d'ailleurs, l'occupait encore lorsque Vilar prit la direction du TNP.

représentation à l'italienne — mais il n'est nullement avéré que Vilar ait envisagé de le rompre : le face à face du spectateur et du spectacle, la relation frontale statique déjà évoquée. Outre les contraintes techniques — celles de Chaillot notamment —, les conceptions mêmes de Vilar suffisent à l'expliquer : le théâtre, selon Vilar, doit faire appel à la réflexion et à la compréhension du spectateur. Théâtre de participation, d'émotion, certes, mais en même temps lieu de méditation et d'interrogation. En outre, héritier de Copeau, disciple du Dullin, Vilar a toujours considéré que le *texte* devait être le cœur organique de la représentation, ce à quoi tout le reste doit être assujetti[20]. Aussi bien le face à face traditionnel représentait-il, à ses yeux, la relation la plus appropriée pour rassembler, sans halluciner.

Quoi qu'il en soit, replacée dans son contexte historique, la double expérience de Vilar, à Avignon et à Chaillot, a constitué, en ce qui concerne le renouveau de la structure spatiale du théâtre, la tentative la plus novatrice et la plus aboutie que la France des années 50 ait connue.

On a souligné précédemment (voir *supra*, p. 88) le caractère radical de la rupture préconisée par Artaud vis-à-vis de l'espace traditionnel. Pour être demeurées longtemps théoriques, ses propositions n'ont eu d'incidence réelle sur l'évolution de la représentation qu'une trentaine d'années plus tard[21].

Un peu partout dans le monde, le désir de changement, la lassitude devant les pratiques existantes, peut-être aussi la mise en question d'un « brechtisme » qui commençait à sombrer dans l'académisme, tout cela créait un climat propice à la (re) découverte du Théâtre de la Cruauté. L'époque, en tout cas, voit une floraison d'expériences inspirées des thèses artaudiennes, ou en exacte convergence avec elles. Les

20. Voir *supra*, chap. II, p. 57 sq.
21. Rappelons qu'Artaud est mort en 1948.

tentatives du Living Theatre aux Etats-Unis, puis en Europe, les recherches de Peter Brook en Angleterre, celles de Jerzy Grotowski, en Pologne, constituent sans doute les entreprises les plus rigoureuses et les plus abouties à cet égard.

Julian Beck et Judith Malina, les animateurs du Living Theatre, découvrent *le Théâtre et son double* en 1958. Depuis une dizaine d'années, déjà, ils faisaient porter leurs efforts sur une révolution dans le jeu de l'acteur et sur le problème de la participation du spectateur. Cependant, il faudra attendre des spectacles relativement tardifs, tels que *Frankenstein*, créé à Venise en 1965, et *Paradise now* (Avignon, 1968), pour que des bouleversements importants soient apportés à l'espace traditionnel[22].

Le dispositif de *Frankenstein*, une structure tubulaire de 6 m de haut et 10 de large, est divisé en quinze compartiments répartis verticalement sur trois niveaux reliés entre eux par des échelles. Il intègre en outre le plateau et, le cas échéant, la salle. On a donc affaire à une architecture qui, quoique s'adaptant sans difficulté à un espace traditionnel, permet d'obtenir un certain nombre des transformations préconisées par Artaud. Notamment l'étagement et la simultanéité de l'action, ainsi que l'investissement du public par le spectacle[23].

Quant à *Paradise now*, rituel où les acteurs incarnaient leurs propres personnages, la relation du spectateur au spectacle dérivait loin du statisme et de la passivité accoutumés, soit qu'un comédien vienne l'interpeller, s'entretenir avec lui, soit qu'il le transporte, comme à la fin, hors de

22. Déjà, cependant, *The Brig* (1963), qui enfermait les acteurs dans un enclos de barbelés, accentuait la séparation habituelle entre les acteurs et les spectateurs, visait à modifier la confortable neutralité de ces derniers en leur imposant le malaise découlant d'un sentiment de transgression : je suis en train de voir ce que je n'ai pas le droit de voir...

23. Luca Ronconi adoptera, pour *XX*, un dispositif compartimenté qui n'est pas sans analogie avec celui de *Frankenstein*. Une différence essentielle, pourtant : les spectateurs sont répartis dans les divers compartiments (voir *infra*, p. 115).

l'espace de la représentation... Celui-ci adopte le principe de l'aire de jeu centrale entourée par le public assis sur des gradins ou des chaises. Mais la conception même du spectacle aboutissait à contester cette disposition : des spectateurs pouvaient, en effet, envahir le plateau pour improviser à l'invitation des acteurs, et le spectacle lui-même pouvait déborder de la plate-forme centrale et se déployer dans la salle[24].

Lorsqu'à la fin des années 50, Jerzy Grotowski entreprend les recherches sur le jeu de l'acteur qui vont bientôt assurer sa notoriété, il ne connaissait pas les théories artaudiennes. C'est pourtant vers un théâtre-événement qu'il s'oriente, vers un théâtre capable, comme le voulait Artaud, de « faire crier le spectateur ». Une telle ambition ne pouvait se réaliser dans l'espace traditionnel. Aussi bien, les expériences du Théâtre-Laboratoire de Wroclaw ont-elles abouti à un bouleversement de la tradition scénographique occidentale assez différent, il faut l'avouer, de celui que préconisait Artaud.

D'abord, dans la perspective grotowskienne, l'acte théâtral requiert une notable réduction des distances, puisque l'acteur doit agir directement sur quelques individus. Il exige, comme le dit Grotowski, « la proximité d'organismes vivants ». Car le rapport de l'acteur et du spectateur devient ici une relation physique, ou plutôt physiologique, dans laquelle le heurt des regards, l'haleine, la sueur, etc., seront parties prenantes. L'isolement du spectacle dans la boîte à l'italienne, sa mise à distance du spectateur constituent donc autant d'obstacles à la réussite de l'entreprise grotowskienne et doivent, pour cette raison, être supprimés. C'est pourquoi

24. Troupe itinérante, le Living Theatre est contraint de s'adapter aux lieux qu'on met à sa disposition. C'est, semble-t-il, le Palais des Sports de Genève qui, aux yeux de la troupe, a permis les résultats les plus satisfaisants. Sur toutes ces questions, on lira avec fruit l'étude approfondie consacrée par Jean JACQUOT au Living Theatre dans *les Voies de la création théâtrale*, CNRS vol. I, 1970, p. 173 sq.

Grotowski, d'entrée de jeu, a rejeté les architectures et dispositifs mis habituellement au service du théâtre. Il renonce à la division entre deux espaces réservés et séparés par une infranchissable frontière, la salle et la scène.

C'est que Grotowski se situe hors du système traditionnel qui fait de l'affluence du public la pierre de touche du succès et la hantise des gens de théâtre[25]. La présentation d'un « spectacle » — le terme, à la limite, devient inadéquat — est d'abord, pour lui, destinée à vérifier des hypothèses, ou à prolonger un travail de recherches sur l'acteur[26]. Ce qui, dans le théâtre occidental, authentifie la réussite, l'afflux du public, la multiplication du nombre des représentations, est récusé par Grotowski, non point par élitisme, mais parce que ce sont autant d'obstacles au travail spécifique de l'acteur tel qu'il l'a orienté. L'acteur grotowskien doit notamment éliminer, avec une rigueur absolue, toute trace de l'exhibitionnisme et de la routine qu'engendrent ordinairement le contact répété avec un public et la reproduction des mêmes gestes, du même texte...

Tout cela explique le choix d'un espace dont la première caractéristique est que ses dimensions sont considérablement réduites par rapport aux normes du théâtre traditionnel. Il ne s'agit pas davantage d'un espace fixe. La recherche grotowskienne, centrée sur l'approfondissement de la relation de l'acteur et du spectateur, se définit comme un « théâtre pauvre », et refuse le secours de toute machinerie. En revanche, le dispositif pourra être complètement modifié, d'un spectacle à l'autre, en fonction du mode de relation que l'on choisit de mettre à l'épreuve entre l'acteur et le spectateur. A l'espace rigide de la tradition, Grotowski substitue une pure virtualité dont l'acteur aura la complète maîtrise.

En fait, Grotowski n'en est pas venu d'emblée à une

25. Artaud lui-même semble avoir pensé qu'un théâtre de foule serait propice à l'avènement de la fameuse Cruauté...

26. En l'occurrence, le nom de *Théâtre-laboratoire* doit être pris au sens propre du terme.

rupture aussi radicale avec les usages occidentaux. Ainsi, pour ses premiers spectacles, en 1960, *Caïn* et *Sakuntala*, l'aire de jeu, même si elle pénètre profondément parmi les spectateurs, demeure cet espace séparé, réservé, en face duquel se tient le public. L'intégration devient complète en 1961, avec *les Aïeux*. Les spectateurs sont éparpillés sur l'aire de jeu. Le clivage, la dualité de l'espace, que même les tentatives les plus novatrices avaient, jusqu'alors, maintenus, Grotowski les annule, et réalise l'unification du théâtre. L'année suivante, il présente *Kordian*. Le cadre en est un asile d'aliénés. L'espace est compartimenté par des carcasses de lits métalliques. Sur ces carcasses, où évoluent les comédiens, sont assis les spectateurs. Ces derniers, éclairés par des spots, se voient les uns les autres comme figures constitutives de l'univers asilaire. De même, avec le *Faust*, inspiré de Marlowe, qu'il donne en 1963 : l'aire de jeu est faite de trois tables disposées en U. Comme des convives, invités au dernier banquet de Faust, les spectateurs siègent sur des bancs, de part et d'autre des tables sur lesquelles évoluent les acteurs. Dans les deux cas, l'intimité spatiale et physique de la relation qui s'établit entre le spectateur et l'acteur se renforce de l'intégration du premier, non seulement à l'espace, mais à l'univers du spectacle. Jamais, sans doute, dans les annales du théâtre, celle-ci n'avait été aussi complète...

Cette recherche de l'intégration peut s'inverser en principe d'*exclusion*. Ce fut le cas, notamment, avec *le Prince constant* (1965-1968) et *Akropolis* (1962-1964-1967). Mais il ne s'agit nullement d'un retour à la tradition, à cette confortable non-existence conventionnelle du spectateur, à cette fiction de sa présence-absence sur laquelle s'est bâti l'illusionnisme occidental. Grotowski cherche à modifier la (bonne) conscience que le spectateur a de lui-même, à susciter en lui le trouble consécutif à une transgression. Il le contraint à percevoir l'acte de regarder comme un comportement illicite. Ainsi, pour *le Prince constant*, le place-t-il en surplomb de l'aire de jeu. Celle-ci est constituée d'une sorte d'arène rectangulaire fermée, isolée par une palissade. Le spectateur est assis sur un banc à l'extérieur de la palissade, et la distance du premier à la seconde, la hauteur de celle-ci sont calculées de telle manière qu'il doit se pencher inconfortablement par-dessus le sommet de la palissade pour apercevoir un spectacle dont tout suggère qu'il est « interdit »...

Certes, parler des recherches de Grotowski en s'en tenant aux techniques mises en œuvre, et isoler de son contexte théorique et idéologique le bouleversement de l'espace théâtral qu'il opère, tout cela risque de donner une vision réductrice de l'une des tentatives les plus originales et les plus abouties que le théâtre contemporain ait connues. Il n'en reste pas moins, s'agissant de ce problème, qu'avec Grotowski, la représentation se trouve complètement libérée des contraintes que l'architecture à l'italienne (et les usages qui s'y rapportaient) faisait peser sur elle. Renonçant à toute machinerie, à toute technologie dont l'acteur ne serait pas le maître et l'utilisateur, Grotowski n'a plus besoin que d'un espace nu, librement aménageable — grange, hangar, préau, etc. Cette libération, au fond, Artaud et Brecht l'appelaient de leurs vœux sans avoir pu la réaliser véritablement. Elle s'accomplit avec Grotowski. Au détriment, a-t-on dit parfois, de la popularisation du spectacle. Mais, il faut le répéter, l'*efficacité*, donc la raison d'être, de la « représentation » grotowskienne est à ce prix[27].

Deux autres événements, à peu près contemporains, vont concilier et concrétiser cette double aspiration : une architecture théâtrale complètement affranchie de la tradition du spectacle à l'italienne et susceptible d'accueillir un public aussi large que possible. Un spectacle italien, l'*Orlando Furioso* présenté par Luca Ronconi, en 1969. Un spectacle

27. La meilleure introduction aux recherches de GROTOWSKI, celles du moins des années 60, est certainement le recueil d'articles et d'études qu'il a publié sous le titre *Vers un théâtre pauvre*, Lausanne, L'Age d'homme, 1971 (en traduction française).

français, *1789*, réalisé par le Théâtre du Soleil (Ariane Mnouchkine), en 1971.

Créé à Spolète, pour le Festival des Deux Mondes, l'*Orlando* fut reçu triomphalement, les deux années suivantes, en Europe et aux Etats-Unis. Il faut signaler que, dès avant cette réalisation, avec des spectacles demeurés malheureusement confidentiels — un *Richard III* notamment, la *Phèdre* de Sénèque, le *Candelaio* de Giordano Bruno —, Ronconi s'était livré à un travail systématique de remise en question des conventions architecturales, techniques et idéologiques, qui régissent le théâtre occidental, spécialement en Italie, berceau de la fameuse tradition. A vrai dire, cette remise en cause portait, jusqu'alors, non pas sur la relation frontale du spectateur au spectacle, mais sur l'utilisation de l'espace scénique. Ronconi y mettait à l'épreuve des scénographies (éléments scéniques et costumes) non figuratives, non suggestives, véritables « machines à jouer », appareils destinés à placer les comédiens dans une situation de contrainte spécifique : par exemple, l'emprisonnement dans le dispositif scénique *(Phèdre)* ou dans le carcan d'importables costumes *(Richard III)*. Spectacles « avant-gardistes », certes, mais qui pouvaient s'accommoder de salles traditionnelles et qui, en tout cas, ne modifiaient pas le statisme de la relation « à l'italienne »[28].

Avec l'*Orlando* — peut-être est-ce dû au climat général de contestation qui agite alors l'Europe occidentale, et qui se répercute sur la pratique théâtrale de l'époque — Ronconi décide de quitter les lieux institutionnels et de travailler sur la relation public-spectacle. Il voudrait l'arracher à la routine et à la banalité dans lesquelles, tout le monde maintenant en est conscient, le théâtre se fossilise doucement.

Le projet initial de Ronconi est de rendre, ou plutôt de donner, une part d'initiative au spectateur. Pour ce faire le

28. Sur les expériences de Luca Ronconi, on lira l'intéressante étude de Franco QUADRI, *Ronconi*, Paris, UGE, 1974, coll. « 10/18 ». Elle ne prend malheureusement pas en compte les mises en scène d'opéras qui, dans la recherche de Ronconi, occupent une place de plus en plus importante.

spectacle — et l'on retrouve ici l'une des idées d'Artaud — se déroulerait *simultanément* sur plusieurs plateaux. Les spectateurs, disposant de sièges roulants, pourraient ainsi choisir, fût-ce au hasard, d'organiser, à peu près librement (Ronconi se réservait de pouvoir prédéterminer, orienter ce « libre » choix), la composition de *leur* spectacle. Dès lors, on aurait eu affaire à un nouveau type de représentation relevant de ce qu'on pourrait appeler le *théâtre aléatoire*[29], en ce sens que le spectacle ne serait jamais le même. Ni d'un spectateur à l'autre, ni, pour le même spectateur, d'un soir à l'autre!

L'argument de l'*Orlando* s'y prêtait particulièrement : il s'agissait en effet d'une adaptation, par Edoardo Sanguinetti, du poème de l'Arioste, qui fait intervenir la quête chevaleresque, l'amour courtois, les monstres, les enchanteresses, Charlemagne et ses preux... Texte qui constitue, de surcroît, l'une des bases de la culture humaniste du public italien. A ce titre, tout à la fois familier et méconnu. S'appuyant sur la technique narrative de l'Arioste qui entrecroise des intrigues d'une extrême complication, Ronconi choisit de se désintéresser de la compréhension linéaire de l'œuvre pour en proposer une vision éclatée, fragmentaire. La reconstruction logique, événementielle, de l'ensemble sera laissée à l'initiative de chacun. Ronconi, cependant, « oriente » cette initiative en répartissant les différentes scènes en « blocs » analogiques. Ainsi, quel que soit son choix, le spectateur assistera, n'importe où, à une scène du même type que celle qu'il aurait trouvée ailleurs. Et la succession temporelle de ces « blocs » impose à chacun un parcours chronologique comparable, au travers duquel une « histoire » restera lisible.

Puis Ronconi modifie son projet : au lieu d'être assis, les spectateurs seront debout. Ils pourront se déplacer librement comme dans le théâtre médiéval. Et, au lieu d'être fixes, les scènes simultanées se joueront sur des chariots

29. Observons qu'à cette époque des chorégraphes et des compositeurs travaillent dans la même direction (Merce Cunningham, John Cage, Karlheinz Stockhaüsen, notamment...).

mobiles qui traverseront sans cesse la foule[30]. Double mobilité qui fonde une « combinatoire » d'une richesse infinie. Car, si le spectateur pourra évoluer librement à l'intérieur du spectacle, choisir les fragments qui l'attirent, le spectacle ne cessera de prendre le spectateur par surprise, chacun des chariots venant se placer au milieu d'un groupe qui ne l'attend pas.

Ronconi en avait conscience, le dispositif qu'il avait conçu permettait au spectateur de choisir entre deux attitudes : ou bien vivre le spectacle, y participer comme à une sorte de grand jeu et en tirer un plaisir ludique, ou bien le regarder de l'extérieur sur le mode traditionnel. C'est-à-dire, dans ce dernier cas, prendre le risque de s'ennuyer comme peut le faire quelqu'un qui assiste à un jeu dont il ne connaît pas les règles...

Dans sa version définitive, l'espace sera utilisé dans toutes ses dimensions. A l'utilisation horizontale qu'on a évoquée, Ronconi ajoute un déploiement vertical qui constitue une sorte de salut (d'adieu ?) attendri au théâtre à « machines » de la tradition italienne : des chevaux de tôle, un squelette d'animal préhistorique (l'orque), un hippogriffe, toutes ailes déployées, ne cesseront de surplomber, ou de survoler, le public, reconstituant ponctuellement des « nœuds » d'action regardés collectivement, et restituant au spectateur une sorte d'esprit d'enfance, un merveilleux loyal qui ne cherche pas l'illusion mais la symbolisation.

Ajoutons que l'intervention des chariots, manœuvrés à mains d'homme, sillonnant la foule à grande vitesse, place les spectateurs dans une situation d'insécurité — il y a un risque (contrôlé) de collision, d'accident — qui les oblige à la vigilance, leur impose des réactions imprévues, recul, bond en avant, etc. Bref, le spectateur doit faire face à une situation entièrement nouvelle. Situation qui lui interdit cette passivité à laquelle le théâtre à l'italienne l'avait habitué.

30. Ronconi maintiendra deux plateaux fixes qui rappelleront ironiquement la scène à l'italienne avec ses décors illusionnistes et ses rideaux rouges...

Et si, dans la représentation traditionnelle, les événements les plus sanglants n'étaient qu'une simulation qui ne pouvait entamer son confort et son impavidité, inversement, ici, la simulation de l'action la plus anodine peut, à tout moment, intervenir, avec la force d'un événement, dans son existence...

Enfin, le public est intégré au spectacle dans la mesure où il est appelé à être partie prenante : par exemple, il sera la forêt que les paladins traversent sur leurs montures de tôle ; il sera la mer dont les flots battent l'île sur laquelle Olympie est abandonnée et qu'Orlando atteindra à la nage... Par la suite, complètement investi, sillonné, bousculé par les Sarrasins et les Français qui s'affrontent au cours du siège de Paris, le public se trouvera plongé au cœur de la bataille, participant malgré lui à un combat dans lequel — comme Fabrice à Waterloo ! — il se voit engagé, compromis, et d'autant plus que les combattants débordent de leurs chariots, s'affrontent à même le sol, à son niveau, à ses pieds ! A la fin de la bataille, blessés et morts gisent à terre. Râlant, gémissant... On a vu certains spectateurs, pris de pitié, se précipiter à leurs secours ! En vérité, cette épopée fut le triomphe de l'illusion théâtrale !

S'agissant du spectateur, on peut caractériser ainsi la nouveauté de la relation que Ronconi détermine avec son spectacle : d'abord la *désorientation.* L'espace ronconien n'offre plus de zone spécialisée. Le spectateur, en entrant, ne trouve pas sa place réservée. Et les deux scènes qui s'exhibent comme telles, en vis-à-vis, rideaux fermés, l'empêchent de se choisir un lieu « d'où bien voir » selon le réflexe accoutumé. Ensuite, la *surprise.* Le spectacle n'est jamais là où on l'attend. Il surgit toujours aux endroits les plus incongrus, au loin, en surplomb, à même niveau, à ras du sol, dans le « ciel », partout à la fois... Egalement, l'*inconfort* sous toutes ses formes. Le spectateur est constamment bousculé par le spectacle. Par les chariots qui le frôlent. Par les agressions sonores d'une déclamation paroxystique. Par les interventions physiques des comédiens qui imposent ou orientent ses déplacements. Inconfort intellectuel aussi, puisqu'il lui faut choisir entre deux actions simultanées qui se jouent en deux points opposés, sans qu'aucun facteur logique lui permette de se déterminer : il ira vers l'action qui lui semble la plus animée, vers celle dont il est le plus proche... La relation que Ronconi propose à son public tient, au fond, de la *foire* où l'on erre d'imprévu en imprévu, à la recherche du jeu, de l'émerveillement d'un instant. Et c'est ce « ludisme », généralisé et organisé, qui suscite la participation du spectateur. Il lui devient impossible de résister, de rester extérieur, étranger à une fête dans laquelle chacun a, non pas une fonction et une place, mais, vituellement, toutes les fonctions et toutes les places. Fête baroque placée sous le signe de la fluidité, du *perpetuum mobile*! L'aspect rudimentaire des « machines », cette « loyauté » qui les fait s'afficher à la fois comme de naïves mécaniques et comme des outils symboliques, tout cela ramène aussi au jeu d'enfant où, par simple convention, n'importe quoi peut figurer n'importe quoi[31]. D'où, assurément, l'adhésion que ce spectacle a rencontrée, non seulement en Italie, parmi un public réellement populaire, mais aussi à l'étranger, nonobstant le double barrage que pouvait constituer, *a priori*, dans la conscience du spectateur, l'ignorance de la langue et du poème de l'Arioste. C'est que l'extraordinaire agencement mis au point par Ronconi et son équipe permettait non seulement de voir et d'entendre, mais aussi de vivre un spectacle, de le faire.

Avec *XX*, créé à Paris, dans le cadre du Théâtre des Nations, en avril 1971, Ronconi a voulu échapper au succès de l'*Orlando*, tout en continuant à approfondir ses recherches sur un espace théâtral complètement affranchi des contraintes de la représentation à l'italienne. A l'*Orlando*, toutefois, il reprend le principe du spectacle sériel. La différence, ici, est que chaque série de scènes ne sera pas soumise au choix du

31. On pense ici à la *Lettre à Jean-Jacques Pauvert* écrite par Jean Genet en 1954. Il y exprime son désir d'inventer, ou de voir inventer, un théâtre qui aurait la même liberté, dans l'ordre du symbolique, que le jeu d'enfant. Ce texte a été publié par la revue *Obliques*, 1972, nº 2, p. 4.

spectateur. Affecté d'autorité à un groupe, chacun ne verra qu'une seule scène de chaque série. Le final sera néanmoins commun à l'ensemble du public. De la sorte, si tout le monde suit la même progression dramatique, et passe, à peu près, par les mêmes chocs émotionnels, les mêmes trajets intellectuels, personne pourtant n'aura vu exactement le même spectacle!

Une telle conception a suscité un dispositif architectural spécifique. Il se constitue de vingt-quatre[32] petites pièces contiguës et séparées les unes des autres par de légères cloisons. Dans chacune d'entre elles, un comédien fait face à vingt-quatre spectateurs. Progressivement, les cloisons tombent. Ce qui permet des actions à plusieurs personnages jouées devant un nombre toujours plus grand de spectateurs. L'aboutissement logique de cet agencement : toutes les cloisons tombent. Tous les comédiens jouent face à tous les spectateurs, qui peuvent enfin — et seulement maintenant — donner sens à la suite d'actions fragmentaires auxquelles ils ont assisté[33].

Comment les choses furent-elles matérialisées ? Une « maison » de deux étages est construite à l'intérieur de l'Odéon (ou dans un hangar à Zurich). Deux escaliers permettent d'accéder à l'étage supérieur. Les pièces communicantes sont réparties sur les deux étages. Les spectateurs, rassemblés en groupes de vingt-quatre, sont conduits, par un comédien, à travers la maison, puis abandonnés dans une salle d'attente. Un second comédien vient les chercher pour les conduire dans la pièce qui leur est affectée. On voit qu'à la liberté ludique, laissée au spectateur de l'*Orlando Furioso*, fait place un système de contraintes, un « asservissement » du spectateur plus « tyrannique », peut-être, que celui qui régit le spectacle à l'italienne... Tout cela se déroule sur un fond sonore inquiétant (bruits de pas, cris, grince-

32. Pour des raisons techniques, ce nombre sera finalement ramené à vingt. D'où le titre *XX*. Qui peut aussi renvoyer à XXe siècle, ou à $2x$ (la double inconnue du comportement des spectateurs et de la réaction des acteurs au système contraignant qui est imposé aux uns et aux autres...).

33. L'argument choisi évoque la pénétration d'une idéologie de type fasciste à travers des comportements individuels. Le canevas de l'action est la préparation d'un coup d'Etat.

ments de portes...)[34] qui provient des pièces voisines où d'autres spectateurs sont installés.

Puis, le spectacle proprement dit commence. Chaque groupe de spectateurs demeure dans la cellule qui lui a été attribuée. Les acteurs circulent de l'une à l'autre, établissant, ou tentant d'établir, une relation fondée sur la proximité et l'inquiétude. Au bout d'un moment, les cloisons de séparation sont escamotées, de telle sorte que deux pièces n'en forment plus qu'une. De même, le groupe des spectateurs se confond avec le groupe voisin. Enfin, aux monologues de la première phase succèdent des actions à deux, centrées sur la violence physique et le rapport bourreau-victime. Ronconi maintient le principe de circulation des acteurs (par couple) et de répétition des scènes d'une pièce à l'autre. On peut ainsi extrapoler le principe de fonctionnement du dispositif et du spectacle jusqu'au finale où, toutes cloisons levées, et tous les spectateurs réunis, est annoncé le coup d'Etat fasciste.

Le malaise du spectateur est accru du fait que l'action, à laquelle il assiste, est perturbée par les rumeurs, cris, éclats de voix qui proviennent des pièces voisines. Il se heurte donc à une sorte de démultiplication de l'incompréhensible : il ne saisit pas clairement ce qui se déroule devant lui, et il saisit encore moins le sens d'événements qui se passent hors de sa vue, et dont ne lui parviennent que des bribes sonores.

Ainsi conçue, la relation du spectateur au spectacle est ambivalente. Elle repose, d'un côté, sur la proximité, voire sur la participation (certains spectateurs peuvent être invités à prendre part à une action ; les comédiens s'adressent directement au public...). De l'autre, ce rapport est réduit à une pure illusion : les acteurs ne tiennent pas compte des réactions qu'ils provoquent, ne donnent pas d'explications pour éclairer le sens de l'événement, ne jouent pas « naturel » mais, tout au contraire, « théâtral ». Aussi bien, le

34. Cette utilisation des bruits *off* n'est pas sans rappeler celle qu'Artaud avait conçue pour *les Cenci*.

fait de se trouver au même niveau que l'acteur, et comme dans son intimité, loin d'intégrer le spectateur à l'univers de la représentation, déclenche un mécanisme d'exclusion. La proximité redouble le sentiment d'étrangeté qui l'envahit. Il ne parvient plus tout à fait à ressaisir son identité de spectateur de théâtre, mais il ne réussit pas davantage à se sentir inclus dans un « grand jeu ». Il a le sentiment d'être de trop. D'assister en voyeur à quelque psychodrame que sa seule présence risque de perturber.

On voudrait enfin dire un mot d'un projet que toutes sortes de contretemps ont empêché Ronconi de réaliser. Il témoigne en effet de la richesse d'invention du metteur en scène italien, mais, plus encore, de l'étonnante liberté que le spectacle théâtral peut conquérir, dès lors qu'il choisit de rompre définitivement avec la structure à l'italienne.

Il s'agissait de monter *Catherine de Heilbronn* (Kleist) sur le lac de Zurich. Sur, et non pas au bord! Les acteurs devaient jouer sur une plate-forme mobile construite sur pilotis et animée de mouvements d'oscillation. Les spectateurs auraient évolué sur des radeaux tout au long de la représentation. On imagine ce qu'eût pu apporter cette entreprise qui conférait au lieu théâtral une absolue fluidité. Tout, sans doute, aurait contribué à l'instauration d'un climat d'onirisme, avec cette aire de jeu mobile, ces embarcations collectives ou individuelles, ces machines même que Ronconi rêvait d'utiliser, puisque l'espace aérien du spectacle devait être investi par des hélicoptères, des parachutes et par tout ce que la technologie moderne peut offrir comme support du merveilleux!

Malheureusement, tout se ligua pour empêcher Ronconi de réaliser ce rêve un peu fou, ou un peu prématuré eu égard à l'évolution des pratiques et des usages du théâtre : la médiocrité du temps, les restrictions imposées par une municipalité préoccupée par la sécurité des spectateurs, divers obstacles techniques... Il reste à souhaiter, pour l'histoire du théâtre contemporain, que Ronconi n'ait pas définitivement renoncé à cet extraordinaire projet.

A cette époque, en France, Ariane Mnouchkine et sa troupe du Théâtre du Soleil travaillent dans le même sens. Pour elles aussi, il s'agit d'en finir avec les rigidités de la tradition à l'italienne.

Créé au Palais des Sports de Milan, en 1971, *1789* offre avec l'*Orlando Furioso* un certain nombre de points de convergence. Dans l'un et l'autre cas, on a affaire à un théâtre de la fête, du jeu, où la participation du spectateur est fortement intégrée à la représentation ; à des œuvres qui, dans leur contexte respectif, font appel à la mémoire collective du public, à cette sorte de savoir diffus qui constitue quelque chose comme un ciment idéologique, un facteur d'identification et de reconnaissance d'une collectivité par elle-même.

1789 : l'année inaugurale de la Révolution, ce moment où un peuple entier a cru à l'avènement possible du bonheur... Des événements historico-symboliques devenus des mythes de la conscience collective à force d'avoir été relatés, ressassés, par l'école et les media : la prise de la Bastille, la nuit du 4 août, la fuite du roi et son arrestation à Varenne, etc.

La représentation jouera le jeu de la théâtralité. Elle ne montrera pas directement les événements historiques. Par un effet de théâtre dans le théâtre, ce sont des bateleurs qui offriront au peuple de Paris une représentation de ces événements[35].

Comme avec l'*Orlando Furioso*, le public est debout. Aucune place fixe ne lui est assignée. Chaque spectateur peut, et doit évoluer librement dans l'espace de la représentation[36]. La distribution spatiale, visuelle, sonore, du spectacle oriente, évidemment, ces mouvements.

35. De même, le principe directeur pour les interprètes de l'*Orlando* était qu'ils ne jouaient pas directement les personnages, paladins ou enchanteresses, mais des bateleurs jouant ces personnages. Ce qui permettait une grande variété de jeu incluant l'ironie, la caricature, l'irréalisme.

36. Des gradins, à l'extérieur du dispositif, avaient été mis à la disposition de ceux qui souhaitaient une relation plus traditionnelle (ou plus confortable) avec le spectacle. Mais il suffisait d'assister à deux représentations en adoptant, chaque fois, un point de vue différent, pour comprendre tout ce qu'on perdait avec la position statique externe.

Le dispositif proprement dit, installé dans l'immense local de la Cartoucherie de Vincennes (une fois de plus, le hangar réclamé par Artaud !), est constitué de cinq aires de jeu, reliées entre elles par des passerelles. L'ensemble délimite un rectangle ouvert à l'intérieur duquel prennent place les spectateurs. Cet espace interne, précisons-le, n'est pas exclusivement réservé au public. Des acteurs peuvent le traverser ; des actions peuvent s'y jouer... La structure de bois (passerelles et aires de jeu) est placée à niveau de regard d'un spectateur debout, mais il n'y a pas de séparation infranchissable en ce sens que les acteurs peuvent aisément passer des aires de jeu au sol et inversement. D'autre part, cette structure de bois, à la fois longue et étroite, suscite, ou permet un jeu d'une grande mobilité, en accord avec les références historiques du Théâtre du Soleil (les bateleurs, les clowns...). Très fluide, l'action se déplace, par l'intermédiaire des passerelles, d'un tréteau à l'autre, obligeant les spectateurs de la zone centrale à une mobilité équivalente. De plus, les différentes aires de jeu permettent des actions simultanées qui peuvent être soit différentes et complémentaires, soit identiques les unes aux autres. Ainsi, par exemple, l'admirable épisode de la famine des paysans : quatre couples identiques, sur quatre tréteaux, disent leur détresse. Puis les quatre hommes, d'un geste analogue, arrachent à leur femme l'enfant qu'ils ne peuvent nourrir. Pour le tuer. Il est clair que la dissémination de la même scène en plusieurs points du dispositif n'est pas seulement destinée à aider les spectateurs éparpillés dans la zone centrale. Il s'en dégage un effet choral très impressionnant qui matérialise efficacement la relation entre le drame singulier et la détresse générale. Car, même si le spectateur s'attache à l'action ponctuelle qui se joue sur l'un des tréteaux, il perçoit autour de lui, avec les menus décalages inhérents à une telle pratique, en écho, la rumeur du même drame qui se joue « aux quatre coins de la France ». Le récit de la prise de la Bastille n'est pas moins émouvant. Epique, au sens ordinaire et au sens brechtien du terme, il instaure une véritable connivence entre les acteurs-narrateurs et les spectateurs. Ces derniers, sans même s'en rendre compte, deviennent le peuple de Paris en 1789... Mais laissons parler la didascalie du livret :

> Le silence s'installe dans la salle ; les bateleurs se sont répartis sur l'ensemble des praticables et dans les gradins ; ils attirent vers eux les spectateurs en leur faisant signe de se rapprocher ; peu à peu des groupes se forment où l'on entend raconter le récit de la prise de la Bastille, à mi-voix d'abord ; les narrateurs hésitent, butent sur les mots, cherchent dans leur mémoire, puis le mouvement s'accélère, les images s'enchaînent, un murmure puis un grondement se déploient dans la salle, scandés par un battement régulier et croissant de timbales ; les mêmes mots, les mêmes épisodes arrivent aux oreilles des spectateurs, les bateleurs assis au départ se sont peu à peu relevés, ils s'adressent à un nombre de plus en plus grand de personnes, ils crient, puis hurlent les derniers épisodes [...] et enfin de toutes parts :
> On l'a prise, la Bastille ! On l'a prise ![37].

Cette participation du public culmine, au milieu du spectacle, avec cette fête dans la fête qui se déploie, pour célébrer l'événement simultanément, en pleins feux, sur tous les tréteaux et dans l'espace central. Les spectateurs sont, cette fois, le public même de la fête, le peuple de Paris, comme ils seront encore le peuple de Paris qui assiste, un peu plus tard, au retour du couple royal (d'immenses poupées) ramené par le peuple (les acteurs qui sillonnent la zone centrale)[38]. On n'en finirait pas de multiplier les exemples et les évocations. Tous témoigneraient, non seulement de l'invention du Théâtre du Soleil, mais de l'extraordinaire richesse théâtrale qu'offre un dispositif pourtant fort simple.

Avec *l'Age d'or*, créé en 1976, le Théâtre du Soleil reste fidèle à son refus de la structure à l'italienne et au principe

37. *1789*, p. 47.
38. De même que Ronconi utilisait, dans l'*Orlando*, des « machines » qui connotaient la fête foraine, la foire, qui faisaient allusion à une illusion théâtrale perdue au lieu de tenter vainement de la susciter, de même *1789* fait intervenir — et le souvenir d'Artaud, là aussi, est présent — des marionnettes dont les acteurs-manipulateurs restent visibles...

qui gouvernait ses plus récentes scénographies : créer non plus un décor à l'intérieur d'une architecture fixe, mais inventer un dispositif qui soit lui-même « structurant », ainsi d'ailleurs que le préconisait Brecht, dès les années 30, en ce sens qu'il ne s'agit plus de représenter, figurativement ou symboliquement, le cadre d'une action, mais de permettre à un certain mode de relation entre les acteurs et le public d'exister.

Le hangar de la Cartoucherie est divisé en quatre zones[39] à l'intérieur desquelles quatre aires de jeu sont instituées, en apparence autonomes, en fait interdépendantes. Ces quatre zones revêtent la forme de cratères sur les pentes desquels les spectateurs sont invités à prendre place. Le jeu se déroule au fond de ces cratères, et il n'y a pas d'actions simultanées. Les comédiens entraînent les spectateurs d'une zone à l'autre grâce à une sorte de chemin de crête qui surplombe le dispositif.

Par sa forme, le cratère instaure, dans le face à face de l'acteur et du spectateur, une sorte d'intimité. La distance de l'un à l'autre est inférieure, de beaucoup, à ce qu'elle est dans la pratique à l'italienne. Un spectateur n'est jamais à plus de 15 m des personnages. La proximité, l'intimité sont requises par le jeu masqué sur lequel repose une grande partie du spectacle. Ce climat, d'autre part, est accentué par le tapis d'un brun chaleureux qui recouvre uniformément les pentes, les creux et les allées intermédiaires.

La technique d'éclairage est, elle aussi, adaptée aux exigences qu'imposent à la fois le jeu masqué et cette scénographie quadripartite. On utilise des rampes mobiles appropriées à un spectacle qui se transporte périodiquement d'un cratère à l'autre. Des fenêtres du hangar émane un éclairage de tonalité blanche et bleue, à base de tubes fluorescents. Cette dernière lumière vient jouer en contraste avec l'éclairage doux et chaud que diffusent les rampes ainsi

39. Par commodité, on n'évoquera pas ici la scénographie du prologue qui se jouait dans un espace attenant...

qu'une multitude de petites ampoules qui constellent le plafond et les poutrelles métalliques du hangar.

La rampe mobile, à laquelle viennent parfois s'ajouter des projecteurs de poursuite d'une extrême maniabilité, a pour fonction d'aider le comédien à faire vivre son masque, à exploiter son relief, ses arêtes, ses creux. De surcroît, un tel dispositif permet d'éclairer le public, donc de le ramener à la conscience de sa situation de collectivité, et en même temps, d'isoler le spectateur dans l'intimité de son face à face avec les comédiens.

L'importance de la lumière est, en l'occurrence, d'autant plus grande que le principe qui gouverne le jeu des comédiens exige qu'ils créent l'environnement dont ils ont besoin par le seul recours au corps, à la gestuelle et à la mimique. L'aire de jeu où ils évoluent est en effet un espace complètement nu, et chacun ne dispose que des accessoires strictement indispensables à la lisibilité de son jeu.

Si l'*Age d'or* n'a peut-être pas provoqué le même éblouissement, la même révélation que des spectacles comme l'*Orlando Furioso* ou *1789*, c'est vraisemblablement dû à l'effet d'accoutumance. Ce qui était, en 1969-1971, exploration de l'inconnu, avènement d'une nouvelle théâtralité, s'est bientôt imposé comme la norme d'une représentation adaptée aux aspirations d'un public de plus en plus indifférent à la banalité et à l'académisme des mises en scène à l'italienne. Si l'on doit numéroter les « scènes », comme les Républiques, et si l'on crédite Gordon Craig de l'invention d'une « cinquième scène » (jamais d'ailleurs réellement entrée dans les mœurs), alors on peut affirmer que les années 70 ont vu l'avènement de la « sixième »!...

Les années 1960-1970 marquent, on s'en aperçoit mieux avec le recul du temps, un point culminant dans l'évolution de la pratique théâtrale contemporaine. S'agissant de l'espace de la représentation, c'est à un véritable éclatement de la structure à l'italienne qu'on assiste. C'est aussi la première fois que se développe un aussi grand nombre d'expériences dont le radicalisme suscite l'adhésion du public. Le temps semble révolu où la théorie théâtrale rêvait, à l'intention de quelques lecteurs, d'un autre espace qui semblait, à la lettre, utopique, cependant que la pratique restait assujettie à des routines qui perpétuaient la tradition. Révolu aussi, le temps où l'on s'accommodait de quelques aménagements, où, sous l'impulsion d'un Vilar, la salle à l'italienne (re)devenait un amphithéâtre à l'Antique qui, s'il estompait l'inégalitarisme social caractéristique de la première, n'en maintenait pas moins la relation frontale, distante, statique, passive, du spectateur au spectacle.

Avec Grotowski, Ronconi, Mnouchkine, et bien d'autres qu'on regrette de n'avoir pu mentionner, le théâtre largue ses amarres. L'espace théâtral devient (ou redevient) une structure complètement aménageable, et transformable, d'une représentation à l'autre, qu'il s'agisse des aires de jeu ou des zones réservées au public. Le théâtre, maintenant, peut avoir lieu partout. En évitant, de préférence, ces constructions appelées... théâtres ! La structuration de ce nouvel espace peut être d'une infinie variété. Elle ne connaît d'autre limite que l'ingéniosité des scénographes, l'imagination des metteurs en scène et l'appareil technique et matériel à leur disposition.

A partir de cet éclatement du lieu théâtral, d'autres transformations s'imposent qu'on envisagera par ailleurs : elles concernent la scénographie (le terme de « décor » est devenu complètement inadéquat), le jeu de l'acteur...

Mais c'est surtout le statut du spectateur qui se trouve bouleversé. Jusqu'alors, on ne lui demandait, au fond, rien d'autre que de faire courtoisement semblant de ne pas exister pendant deux ou trois heures, et de se laisser séduire, ou émouvoir, par une fiction qu'il faisait courtoisement semblant de prendre pour la réalité. A présent, le théâtre lui offre une multitude de possibilités nouvelles, parfois à l'intérieur d'un même spectacle. Cela va de la participation plus ou moins active au jeu jusqu'à l'intégration à l'univers de la fiction ; de la liberté de mouvement, de choix, dans l'usage qu'il fait de la représentation jusqu'à l'asservissement consenti à une puissance à la fois présente et invisible, celle de la structure même qui le manipule ; de l'euphorie qui naît du jeu et du sentiment d'appartenance à une collectivité jusqu'au malaise provoqué par la désorientation, l'impression diffuse de transgresser un mystérieux interdit... En tout état de cause, pour ce spectateur, la pratique du théâtre peut (re)devenir une expérience, une aventure, bref, quelque chose de neuf et d'intense qui, comme le voulait Artaud, ne le laissera pas tout à fait intact...

Toutefois, si riches, si décisives qu'apparaissent ces métamorphoses de l'espace théâtral, elles ne doivent pas provoquer d'illusion d'optique. Force est de constater que, si l'on met à part les quelques noms évoqués plus haut, qui, souvent, poursuivent leurs recherches dans des conditions difficiles, le gros des bataillons du théâtre n'a guère encore manifesté l'intention de suivre ces traces. Et les salles à l'italienne ont sans doute encore de beaux jours devant elles !

Il est frappant d'observer qu'à la veille des années 80 la scène française n'en finit pas de reprendre (et d'affadir) les innovations de Vilar, de reproduire les stéréotypes de la théorie brechtienne de la représentation, alors même que Brecht n'a cessé de préconiser le changement, le théâtre comme *work in progress*... Et s'il est vrai que certains metteurs en scène ont besoin de l'espace à l'italienne pour affirmer la spécificité de leur génie (Strehler, Planchon, Chéreau...), du moins peut-on souhaiter que les autres ne laissent pas tomber en friche une liberté que le théâtre a si difficilement conquise et qui, aujourd'hui, ne lui est plus sérieusement contestée.

CHAPITRE IV

Les instruments de la représentation

Les options du metteur en scène, ses choix esthétiques et techniques supposent qu'il se soit interrogé sur ce qu'il veut donner à voir, et sur la façon dont il souhaite que le spectacle soit perçu.

Jusqu'à la fin du XIXe siècle, de telles questions n'étaient rien moins que primordiales en ce sens qu'on ne pouvait « penser » qu'une seule réponse : tout devait être mis en œuvre pour que le pouvoir illusionniste de la représentation atteigne à une efficacité maximum. En d'autres termes, le metteur en scène se donnait pour but d'organiser la confusion mentale du spectateur ! Affirmation à peine paradoxale : l'idéal, jamais atteint, mais toujours visé, était bien que le spectateur prît la fiction de la représentation pour le réel.

Cet objectif, longtemps considéré comme inhérent à l'essence même du théâtre, a conditionné toute l'évolution du spectacle à l'italienne, et notamment celle des techniques qui présidaient à l'animation de l'espace scénique. Ainsi, par exemple, tout ce qui était instrument de production de l'illusion théâtrale devait-il être masqué, rendu invisible au spectateur, sous peine de lui rappeler qu'il était en train d'assister à une entreprise de mystification dont il était la victime consentante. C'est pourquoi, dans la tradition occidentale, la scène *fermée* supplante la scène *ouverte* : la scène *fermée* est, encore aujourd'hui, et malgré toutes les expériences pour s'en affranchir, la plus répandue. L'ouverture de scène est délimitée par un cadre opaque (manteau d'Arlequin, rideaux latéraux dont la fonction est, précisément, de dissimuler à la vue du public tout ce qui est producteur d'illusion (les portants et les cintres pour le « décor », la rampe et la herse pour l'éclairage...) Au contraire, la scène *ouverte* (le théâtre médiéval, la scène élizabéthaine, les tréteaux de la commedia dell'arte...) qu'on redécouvre aujourd'hui, offre une perspective plus large, des possibilités théâtrales d'une grande variété, sans se soucier outre mesure de camoufler les instruments de la représentation[1]. Par opposition, la scène *fermée* se présente au spectateur comme une boîte dont à peu près la moitié d'une paroi serait percée, permettant ainsi à un regard extérieur de pénétrer dans l'espace de la représentation.

Du XVIe siècle à nos jours, l'espace scénique a donc été livré à des techniciens, d'une virtuosité souvent étonnante, et occupé par des décors qui obéissaient à toutes les lois de l'illusionnisme optique et acoustique. Chaque génération a eu à cœur de traquer tout ce qui pouvait laisser transparaître le « théâtre » en améliorant toujours un peu plus la technique du trompe-l'œil.

Antoine, en France, et Stanislavski, en Russie, représentent sans aucun doute les héritiers les plus remarquables d'une telle tradition. Par leurs recherches, ils vont perfectionner, autant que faire se peut, les techniques de vraisemblabilisation de l'image scénique.

Denis Bablet, dans son beau livre sur le décor de théâtre[2], donne de précieuses informations sur le goût du public de la fin du XIXe siècle pour la profusion décorative et son corollaire, l'encombrement de la scène. Les naturalistes s'appuient sur ce goût en l'articulant à une quête de l'exactitude archéologique ou sociologique. Mais ce « vérisme » n'a d'autre effet que de renforcer, et de diversifier, le plaisir du dépaysement.

1. Voir, par exemple, l'actuel Théâtre des Bouffes du Nord, tel qu'il est utilisé par Peter Brook.

2. *Le décor de théâtre de 1870 à 1914*, Paris, CNRS, 1975.

Du point de vue de l'esthétique de la représentation, entre la mansarde de Raskolnikov (Stanislavski) et le cabinet de Faust, tel que l'Opéra de Paris le donne à voir en 1892, entre les décors romains de *Jules César* (Stanislavski, 1903) et les fastes égyptiens d'*Aïda* (Opéra, 1901), il n'y a qu'une différence de degré du point de vue de la véracité. Et peut-être vaudrait-il mieux ne pas trop se fier aux sarcasmes polémiques des naturalistes : en dépit des invraisemblances dont on prend conscience, l'illusionnisme académique est une tradition qui, n'en doutons pas, fonctionne encore *efficacement*[3].

Quoi qu'il en soit, de l'espace scénique de la fin du XIXe siècle, on peut dire qu'il est utilisé au maximum de sa tridimensionalité : si l'encombrement du plateau aboutit à réduire la zone, et donc les possibilités, d'évolution des comédiens, on tend à compenser cet inconvénient par la modulation du sol à l'aide de *praticables*[4] qui reproduisent les dénivellations naturelles (pentes, tertres...) ou architecturales (plates-formes, terrasses, escaliers...) et qui permettent à la mise en scène de se déployer sur plusieurs plans. Evolution inséparable d'une demande de « grand spectacle », avec déploiements de foules, effets de machinerie... Ce sont les fameux « clous » qui fascinent tant le public de l'époque[5].

N'ironisons pas trop vite sur ce « pompiérisme »! Sans doute y a-t-il un fossé considérable entre cette conception du cadre de la représentation et notre propre idée du théâtre.

3. Certaines anecdotes témoignent de cette efficacité : un drame de Victor SÉJOUR, *la Madone des Roses*, se terminait par l'incendie du palais ducal d'Este. Le soir de la première, une bonne partie du public, effrayée, se rua hors du théâtre ! (rapporté par D. BABLET, *op. cit.*, p. 41).

4. On appelle *praticable* tout élément scénique (lit, balcon, fenêtre, escalier...) utilisable par le comédien. Il s'oppose à l'élément *figuré*, qui représente le même objet en deux dimensions. Ce dernier n'est naturellement pas utilisable.

5. C'est l'époque des grands « tableaux » dont aucun opéra, de MEYERBEER à VERDI, ne saurait se passer (cf. le célèbre « triomphe » d'*Aïda*, 1871). C'est aussi l'époque des grands ballets à argument, où la féerie alterne avec les scènes de cour (cf. les ballets de TCHAÏKOVSKI : *la Belle au bois dormant*, 1889 ; *le Lac des cygnes*, 1895).

Mais les recherches et les trouvailles des décorateurs, leur ingéniosité à utiliser les miroirs, les volets qui permettent des scénographies à transformations instantanées, et surtout l'électricité, dont on a dit l'importance qu'avait revêtue son entrée dans les théâtres, tout cela restera acquis, tout cela pourra être utilisé à l'intérieur d'une conception différente.

Quant à la recherche du dépaysement, de la surprise, de l'émerveillement, qui oserait affirmer que le public contemporain s'en désintéresse ? Il suffit de voir le triomphe fait à des spectacles comme l'*Orlando Furioso* ou *1789*. On peut simplement observer que l'avènement du cinéma a rendu ce public exigeant. Non qu'il attende du théâtre ce qu'il n'a pas les moyens de lui donner. Il ne lui demande pas de singer gauchement le cinéma, mais d'inventer des moyens et des formes d'enchantement que le cinéma ne puisse pas accaparer. Ce que le théâtre a d'ailleurs mis quelque temps à comprendre...

Cela dit, il est vrai que le théâtre illusionniste de la fin du XIXe siècle se perçoit lui-même comme une technologie plutôt que comme un art, et que les problèmes de stylisation, de symbolisation lui demeurent passablement étrangers.

Cette conception de l'image scénique, les naturalistes la reprennent en charge. Leur préoccupation n'est pas de changer la nature de la pratique théâtrale, mais de la ramener à un rapport plus authentique avec le réel. Lorsque Stanislavski monte le *Jules César* de Shakespeare, il y a chez lui une volonté d'exactitude archéologique certainement plus rigoureuse, plus minutieuse (il met à contribution les meilleurs experts de son temps) que chez les fabricants de spectacles à tout va, mais la conception qui fonde cette mise en scène n'est pas différente : il s'agit toujours de transporter le spectateur ailleurs, dans le temps et dans l'espace. Et qu'il croie à ce voyage ! Un critique, malveillant mais lucide, prétendait que, vu les options de la mise en scène, la pièce de Shakespeare aurait dû changer de titre et s'appeler « Rome au temps des Césars » !

Simplement, avec les naturalistes, la mythologie du « vrai » remplace celle du « vraisemblable » dont se satisfaisait jusqu'alors le théâtre académique. Ce changement n'est pas sans retentir sur les techniques de la représentation. On a déjà signalé (chap. I, p. 24 sq.) le rejet, au moins partiel, de la pratique du trompe-l'œil à laquelle on préfère l'introduction, sur la scène, de matériaux et d'objets authentiques ; leur poids, leur usure, leur « présence » disent un labeur, une existence, le passage des jours, la position sociale... Ils s'intègrent à un système signifiant qui est constitué par l'image scénique.

Comment, dès lors, imaginer que le *costume* ne soit pas redéfini, de la même manière, par l'esthétique naturaliste ? Le costume de scène devient un *vêtement*. C'est-à-dire qu'il témoigne sur le personnage qui le porte et, indirectement, sur le cadre dans lequel il apparaît. Il a été réellement porté. Il peut, il doit exhiber, le cas échéant, son usure, sa crasse ; il peut, il doit dire le statut social, la situation réelle du personnage. Il a, en fin de compte, une fonction qui l'apparente à un objet de scène : l'espace encadre le personnage à l'instar de son milieu familier, et le costume, en tant qu'élément visuel, établit un lien de signification essentiel entre le personnage et le contexte spatial dans lequel il évolue. Il n'y a rien là que de fort banal, pensera-t-on. C'est que près d'un siècle de mise en scène nous a familiarisés avec l'idée que tous les éléments de la représentation peuvent et doivent avoir une fonction signifiante. Mais dans la pratique courante du XIXe siècle, on était, semble-t-il, plus désinvolte, en dépit des proclamations et réclamations des auteurs romantiques qui rêvaient de reconstitutions historiques : Mlle Mars qui, en 1830, crée Doña Sol dans *Hernani*, se moque éperdument de toute véracité ibérique et tient à apparaître coiffée du *kakochnik* qu'elle arbore sur le portrait que Gérard a brossé d'elle. Parce que, disait-elle, il « la faisait toute jeune »!

L'*éclairage* sera, lui aussi, passé au crible de l'authenticité. Les naturalistes portent condamnation de toute forme d'éclairage de la scène qui trahit l'artifice, qui laisse transparaître sa théâtralité. Ainsi de la rampe qui envoie une lumière que la nature ne connaît pas, puisqu'elle éclaire l'acteur par le bas ; ainsi du « plein-feu » dont la lumière crue, et uniformément répartie, ne correspond à aucun référent dans le monde réel[6]... Le théâtre moderne doit aux naturalistes cette tradition d'un éclairage « atmosphérique » qui cherche et parvient à reproduire les moindres nuances de la lumière naturelle, en fonction de l'heure, du lieu, de la saison... Il y a une *vérité* de la lumière qu'il incombe au metteur en scène de trouver en localisant avec précision ses sources supposées, en en répartissant les reflets, en en déterminant l'intensité. Ainsi la lumière n'intervient-elle plus seulement de façon fonctionnelle, pour éclairer l'espace de l'action, mais pour le plonger dans l'atmosphère requise, pour le remodeler, le transformer progressivement, pour donner au temps une matérialité scénique. S'il fallait absolument dresser un bilan de l'apport des naturalistes au théâtre moderne, peut-être devrait-on souligner que c'est leur réflexion sur la lumière, et leur pratique, qui ont été les plus fécondes : car un tel type d'éclairage était appelé à prendre une importance d'autant plus grande que le XXe siècle allait voir la scène se désencombrer, se vider du fatras décoratif dont le siècle précédent l'avait surchargée. Dès lors, c'était à la lumière que l'on demanderait de prendre en charge une sémiologie de l'espace. De ce point de vue, les symbolistes, puis Appia et Craig et, un peu plus tard Copeau et Baty, assureront la transition et enrichiront une technique qui, dans la seconde moitié du XXe siècle, est devenue primordiale pour des metteurs en scène tels que Vilar et Chéreau en France, Strehler en Italie, Wieland Wagner en Allemagne de l'Ouest, etc.

Ajoutons cursivement que la mise en scène naturaliste intégrera le *bruit* à sa recherche d'un mimétisme parfait. Il est bien évident, en effet, que l'illusion visuelle se trouve

6. Inversement, Brecht lui redonnera droit de cité pour la raison précise qui le faisait condamner : il affiche la théâtralité...

singulièrement renforcée par une illusion auditive équivalente. Stanislavski s'en fera une spécialité, aidé en cela par des textes, comme ceux de Tchékhov, qui exigent la mise au point d'une atmosphère dans laquelle entrent, de façon raffinée, des éléments extrêmement divers. On y reviendra (cf. *infra*, p. 165).

De cette volonté de rigueur, à l'intérieur d'une esthétique illusionniste, découle une évolution capitale des usages. On l'a dit, avec Antoine et Stanislavski s'affirme la suprématie du metteur en scène. C'est de lui que tout doit procéder. Dès lors, le statut du scénographe, ou si l'on veut du décorateur, change du tout au tout. Il ne pourra plus être (seulement) cet entrepreneur à qui l'on commande, en fonction de sa spécialité (forêts, palais à l'antique, salons bourgeois...) tel type de décor en lui fournissant seulement un inventaire des contraintes qu'impose la pièce (époque, nombre de « sorties » nécessaire, praticables obligés...) et en lui faisant confiance pour le reste. Faut-il rappeler que c'est aux naturalistes qu'on doit l'application systématique d'un principe qui nous paraît, aujourd'hui, aller de soi ? Celui qui pose que, pour chaque pièce, doit être conçu un décor (ou un ensemble de décors) original. Car il était courant, au XIXe siècle, de réutiliser des décors, d'une pièce à l'autre, moyennant un minimum d'adaptation aux exigences du nouveau spectacle...

Avec le metteur en scène naturaliste, le décorateur perd cette autonomie. Il devient un technicien dont la mission est de matérialiser les conceptions formulées par le metteur en scène, et il travaille selon ses directives. Assurément, le spectacle en acquiert une unité organique et esthétique qu'il n'avait jamais connue. Bref, à l'illusionnisme décoratif de la tradition postromantique, les naturalistes substituent un illusionnisme signifiant. En assumant toutes les contraintes qui découlent de leur choix.

Dans la problématique de l'utilisation de l'espace scénique, les symbolistes vont introduire de nouvelle données.

On doit sans doute à leur orientation spiritualiste, à leurs théories « suggestionnistes », d'avoir amorcé le mouvement qu'on a signalé : avec eux, l'espace scénique se vide peu à peu de l'encombrement décoratif qui le limitait et l'étouffait. Rejetant le strict mimétisme des naturalistes, les symbolistes se débarrassent par là même de toutes les pesanteurs techniques qui en étaient la conséquence. On en vient, avec eux, à une conception plus souple, plus légère, de l'espace de la représentation, à un « recentrage » sur l'acteur et la lumière qui, l'un et l'autre, joueront de quelques objets signifiants ou suggestifs.

On l'a dit (cf. *supra*, p. 29 sq.) l'apport essentiel des symbolistes à la scène moderne est le recours aux peintres de chevalet. L'idée, en soi, n'est pas neuve. Les auteurs romantiques avaient déjà collaboré avec des peintres, soucieux comme eux de sortir de l'académisme régnant : Delacroix avait dessiné les costumes d'*Amy Robsart* (Hugo, 1828), Tony Johannot, ceux du *More de Venise* (Vigny, 1829), etc. Mais, l'intervention des peintres dans la mise en scène symboliste aboutit à une remise en question de la théorie de la représentation sur laquelle, jusqu'alors, s'étaient appuyées conception et construction des décors, si différente que fût, par ailleurs, l'esthétique qui les gouvernait.

On l'a vu, le décor traditionnel était essentiellement fondé sur la perspective illusionniste et l'accumulation des objets. Avec les Sérusier, Bonnard, Vuillard, Maurice Denis et tous les peintres mis à contribution par Paul Fort, priorité est donnée à la *toile de fond*. Mais celle-ci ne représente plus la réalité. Elle suggère un cadre imprécis, une atmosphère. Comme devant sa toile, le peintre laisse vagabonder son imagination, et ce ne sont plus les critères de ressemblance qui légitiment l'emploi des formes et des couleurs. La toile de fond conçue par Vuillard et Ibels, pour *Berthe au grand pied*, est violette, avec des rochers violets et une pluie d'or. Celle de *Roland* (Sérusier et Ibels), verte plaquée de guerriers d'or. Celle de *Théodat* (Maurice Denis) est d'or recouverte de lions héraldiques rouges... Pour *Pelléas et Mélisande*, la scénographie supprime tout accessoire, tout mobilier. Elle n'est plus qu'un pur jeu de couleurs et de lumières qui cherche à donner une correspondance visuelle aux tonalités spirituelles du drame de Maeterlinck.

Même lorsque la mise en scène choisira la voie d'une structuration tridimensionnelle de l'aire de jeu, lorsque l'architecte se substituera au peintre, la définition de l'espace scénique en termes plastiques ne sera plus remise en question. Le meilleur témoignage de cette transformation fondamentale nous est donné par les œuvres d'Appia et de Craig. Ce dernier, notamment, imprégné des recherches picturales et graphiques de son temps, réalisera le tour de force de frapper ses contemporains par la beauté picturale de ses scénographies (cf. *supra*, p. 92 sq.) et d'apparaître simultanément comme le père fondateur d'un espace architecturé qui ne serait qu'un pur agencement de plans, de volumes, de pleins et de vides sculptés par l'éclairage.

De même dans l'Allemagne des années 20, la scène expressionniste se livre-t-elle tout entière à la liberté plastique du décor de peintre : ce ne sont qu'éléments scéniques déformés, intérieurs qui se fondent dans les extérieurs, tels les décors de Reigbert pour *Der Sohn* (Hasenclaver, 1919) ou ceux de Sievert pour *Tambours dans la nuit* (Brecht, 1923) ; ce ne sont que coups de pinceau apparents et perspectives déformées. Et il faut signaler qu'à la même époque, un peintre comme Chagall transpose directement à la scène sa vision du monde et sa représentation de l'espace (voir ses décors pour *Mazeltov* de Cholem Aleikhem au Théâtre Kamerny juif de Moscou en 1921).

Mais revenons en France... Il n'est pas besoin de rappeler le retentissement provoqué, dans le Paris théâtral des années 20, par la découverte des Ballets russes de Serge de Diaghilev. Mais peut-être est-il bon de souligner que l'éblouissement fut moins dû à la nouveauté des chorégraphies ou au modernisme des compositeurs qu'au véritable

« choc » visuel provoqué par les décors[7]. Dès la fin du XIXe siècle, Diaghilev s'était intéressé de fort près aux mouvements qui agitaient la peinture de son temps. Rien d'étonnant, dès lors, à ce qu'il ait livré l'espace scénique à l'imagination plastique des peintres qu'il aimait. Il faut dire, à cet égard, que la scénographie du ballet est particulièrement adaptée à une invention proprement picturale, du fait que la chorégraphie exige un espace scénique uniformément plan qui offre le maximum de dégagement. Dans ces conditions, le travail du décorateur ne peut guère porter que sur le cadre, le fond et les costumes[8].

La nouveauté diaghilevienne tient surtout en ceci que la dimension picturale du spectacle est, maintenant, placée sur un plan d'égalité avec ses composantes musicales et chorégraphiques. D'où le sentiment qu'on voyait enfin réalisée cette unité organique de la représentation qui est un idéal caractéristique de cette époque. Henri Ghéon évoque ainsi la création de *l'Oiseau de feu* :

> *L'Oiseau de feu*, œuvre d'une collaboration intime entre le chorégraphe, le musicien et le peintre[9], nous propose le prodige d'équilibre le plus exquis que nous ayons jamais rêvé entre les sons, les mouvements et les formes. La vermiculture vieil or d'une toile de fond fantastique semble inventée selon les mêmes procédés que le tissu nuancé de l'orchestre. Dans l'orchestre, c'est vraiment l'enchanteur qui crie, les sorciers et les gnomes qui grouillent, se démènent. Quand l'oiseau passe, c'est la musique qui le porte. Stravinski, Fokine, Golovine, je ne vois plus qu'un seul auteur[10].

Promu maître absolu des formes et des couleurs, de la lumière et des ombres, le peintre jouit, dès lors, d'une

7. Denis BABLET le rappelle opportunément dans son livre sur le décor de théâtre (*op. cit.*, p. 186).

8. De cette époque date la prise en charge, dans un souci compréhensible d'unité visuelle et stylistique, des costumes par le peintre décorateur. Tout au long du XIXe siècle, on considérait ordinairement que ceux-ci relevaient d'une autre compétence...

9. *L'Oiseau de feu* a été créé en 1910 sur une musique de STRAVINSKI. La chorégraphie était de Mikhaïl FOKINE, les décors et costumes d'Alexandre GOLOVINE.

10. Texte cité par Denis BABLET, *op. cit.*, p. 192.

autorité sans égale, au point d'intervenir jusque dans le travail du chorégraphe, en arguant du fait que ce dernier aussi anime, à l'aide des corps et du mouvement, l'espace scénique, de sorte que toute initiative qui ne serait pas avalisée par le peintre pourrait être ruineuse pour l'équilibre plastique de l'ensemble.

Le décor pictural de cette époque — et il ne s'agit plus seulement ici des réalisations de Diaghilev — offre un étonnant contraste entre la richesse de son invention dans l'ordre des formes et des couleurs, invention d'autant plus libre que ne la limite aucun souci de reproduction mimétique et, d'autre part, une indifférence à peu près totale à la structuration architecturale de l'espace scénique. De la sorte, l'élément qui, dans ce type de décor, institue, comme tel, le lieu de l'action, c'est la *toile de fond.* Elle ferme, à l'arrière-plan, la boîte scénique, sans qu'on se soucie outre mesure de faire jouer les règles de la perspective illusionniste. Autrement dit, la toile de fond apparaît comme la transposition, à l'échelle de la scène à l'italienne, de l'espace pictural à deux dimensions, et c'est bien comme des créations de peintres que ces décors sont perçus et appréciés. Dans ce contexte, les costumes sont intégrés à la conception d'ensemble et le plus souvent pris en charge par le peintre, ou du moins supervisés par lui comme autant d'éléments plastiques qui doivent entrer dans la composition de l'image scénique. Par rapport à la théorie naturaliste du costume, il s'agit, on le voit, d'une problématique essentiellement différente.

D'autre part, même lorsqu'il pratique un art figuratif, comme c'est le cas, par exemple, durant toute la première période des Ballets russes au cours de laquelle Diaghilev fait appel à des peintres de son pays, le décorateur ne cherche plus à dissimuler son intervention par l'habituelle technique du trompe-l'œil. L'image scénique laisse maintenant voir le style, la griffe de son auteur et d'autant plus volontiers qu'il travaille généralement sur deux « référents » : non seulement le *réel* qu'impose l'argument de la pièce, ou du ballet, et qui sera de quelque façon « figuré », suggéré, mais aussi l'*art*, en ce sens que le décor sera volontiers la *citation* d'une forme plastique antérieure, peinture chinoise pour *le Rossignol*, art populaire russe pour *Petrouchka*[11].

Tout cela deviendra encore plus vrai lorsque Diaghilev fera appel à l'avant-garde parisienne qui, à la même époque, rejette toute contrainte imitative, sinon figurative. En témoignent, par exemple, les décors et costumes de Picasso pour *Parade*, en 1917, pour *le Tricorne* en 1919, ceux de Fernand Léger pour *la Création du monde* en 1923, ou de Picabia pour *Relâche*, en 1924[12].

Mais revenons au théâtre dramatique. Dès 1901-1911, Jacques Rouché, très au courant des recherches qui se poursuivent à l'étranger, vise, lui aussi, à transformer l'image scénique traditionnelle en faisant appel aux peintres. Il est sans doute difficile de parler, à propos de Rouché qui est essentiellement un pragmatique et un éclectique, d'une esthétique précisément définie. On repère, néanmoins, certaines lignes de force. D'abord — mais, on l'a vu, c'est une constante de l'époque — le souci de l'unité formelle et organique de la représentation. Le traitement de l'espace découlera donc, dans sa conception d'ensemble, d'un travail d'analyse de la pièce et de la définition, en accord avec le metteur en scène, d'un parti pris dominant qui régira la totalité de la représentation. L'intuition de Rouché est que la scénographie doit constituer à la fois un ensemble plastique organisé par une volonté picturale, et un système signifiant articulé d'une part à l'œuvre, de l'autre au destinataire, le spectateur. En d'autres termes, même si l'on renonce à l'imitation réaliste, même si l'on choisit de privi-

11. Ballets de FOKINE sur une musique de STRAVINSKI. Les décors et costumes étaient d'Alexandre BENOIS. *Petrouchka* a été créé en 1911, *le Rossignol* en 1914.

12. *Parade* a été créé par les Ballets russes. Livret de COCTEAU, musique de SATIE, chorégraphie de MASSINE. De même le *Tricorne* (FALLA, MASSINE). *La Création du monde* est due aux Ballets suédois de Rolf de MARÉ (l'argument était de CENDRARS, la musique de MILHAUD), ainsi que *Relâche* (SATIE).

légier, à la façon des symbolistes, le « climat », l' « atmosphère »..., il importe que les moyens mis en œuvre soient efficaces, c'est-à-dire qu'ils correspondent à la sensibilité — historiquement déterminée — du spectateur. Rouché cherche à définir une troisième voie qui éviterait à la fois la surcharge, l'encombrement de la scène naturaliste et la profusion décorative mise à la mode par les Ballets russes. Il organise l'espace autour de quelques objets-signes que la nudité du cadre met en valeur et qui orientent la « lecture » du public. Ainsi, le samovar ou l'icône suffiront à suggérer, au spectateur français de 1911, la Russie des *Frères Karamazov*. Cette simplicité des moyens, cette sobriété se doublent d'une « loyauté » de la technique. La stylisation picturale laisse voir l'intervention du peintre, son coup de pinceau, soit que la légèreté et l'approximation de l'esquisse demeurent apparentes, soit qu'il recoure à une esthétique « décorativiste ». Drésa, le décorateur de *la Nuit persane* de Jean-Louis Vaudoyer (1911), formule clairement cette option, qui affirme : « J'ai conçu un palais de toile peinte et l'ai exécuté pour qu'on ne se méprenne pas sur mon intention, qu'il paraisse bien de toile et de peinture »[13].

Il est vraisemblable que les options de Rouché ont eu, sur l'évolution de la mise en scène française, une influence plus profonde et plus durable que les innovations spectaculaires des Ballets russes. Sans doute, l'effet de choc produit par ces derniers a eu, en ce qui concerne le traitement de l'espace scénique, un incontestable retentissement. Mais, si Copeau, le Cartel, puis la génération des années 50 perpétueront l'usage du recours au peintre, ils n'en marqueront pas moins nettement leur volonté d'éviter les excès et inconvénients d'un picturalisme incontrôlé, de refuser que la scène devienne une annexe de la galerie d'art et le spectacle un kaléidoscope de tableaux vivants, si somptueux et séduisants qu'ils puissent être.

Quoi qu'il en soit, cette tradition de la collaboration

13. Texte cité par Denis BABLET, *op. cit.*, p. 223.

avec des peintres professionnels, inaugurée par les symbolistes et prestigieusement marquée par Diaghilev, connaîtra une longue fortune durant la première moitié du siècle, et demeurera particulièrement vivace dans la scénographie de la danse, ce qui tient sans doute à l'adéquation qu'on a signalée entre les deux formes d'art.

Dullin demande à Coutaud les décors et costumes des *Oiseaux* d'Aristophane (1928), ceux de *Plutus*, dix ans plus tard. Artaud demande à Balthus d'inventer la scénographie des *Cenci* en 1935, etc. A la même époque, une tendance un peu différente commence à se dessiner. Suivant les recommandations de Craig, certains metteurs en scène prennent en charge la mise au point de la scénographie — Pitoëff, par exemple, pour *Macbeth*, *Liliom* ou l'*Henri IV* de Pirandello ; Jouvet pour *Knock* (Jules Romains) ou *Malbrough s'en va-t-en guerre* (Achard)[14]. Ou bien, ils s'appuient sur la compétence de décorateurs professionnels, qui ne sont plus les artisans sans imagination du XIXe siècle, mais qui n'imposent pas, non plus, au metteur en scène, l'individualisme encombrant des créateurs de premier plan. Ce sont des collaborateurs efficaces, soucieux avant tout de réaliser aussi exactement que possible la vision du metteur en scène : Jean Hugo, Cassandre, André Barsacq (qui deviendra, par la suite, lui-même metteur en scène), Christian Bérard, surtout, le décorateur attitré de Jouvet[15], donneront à la scénographie française de cette époque ses caractéristiques propres : un style, qui avec le recul du temps, paraît d'une élégance un peu fade ; un « décorativisme » qui emprunte à la peinture sa liberté de conception mais aucune véritable audace formelle.

La génération suivante prend la même voie. Vilar,

14. On doit aussi à Jouvet la conception du dispositif scénique fixe du Vieux-Colombier de Copeau, en 1919.

15. Jouvet ne semble pas avoir eu de doctrine très précise : à Bérard, il demande les décors et costumes de *l'Ecole des Femmes*, de *Dom Juan*, de *la Folle de Chaillot* (GIRAUDOUX), des *Bonnes* (GENET), mais c'est à Braque qu'il s'adresse pour *Tartuffe*...

notamment, qui a besoin d'animer l'immensité d'Avignon ou le plateau nu de Chaillot. Il s'adresse à des peintres de premier plan (Gischia, principalement, mais aussi Pignon, Prassinos, Singier...). Il leur demande d'inventer des jeux de couleurs flamboyants, des formes simples et suggestives, et d'éviter l'habituelle joliesse des décorateurs professionnels[16].

L'esthétique du décor pictural reste marquée, tout au long de cette période, par un certain nombre de constantes : présence du peintre à travers les modes de stylisation adoptés, d'autant plus que rideau de scène[17] et toile de fond constituent des supports à deux dimensions où le peintre retrouve un espace familier. Bref, le graphisme, la palette retenue, la technique d'application des couleurs, les thèmes picturaux parfois..., tout contribue à transporter et à transposer, à l'échelle du théâtre, un univers plastique déjà connu du public. Ce picturalisme, d'autre part, a permis de perpétuer une pratique et une architecture traditionnelles : le peintre s'accommode fort bien de la scène à l'italienne qui, avec son cadre, son ouverture rectangulaire, la relation frontale qu'elle implique, s'apparente d'assez près à l'espace bidimensionnel du peintre. De fait, la toile peinte qui, au XIXe siècle, était le support d'une décoration illusionniste, reste le matériau fondamental. Car c'est, précisément, de la *toile*, c'est-à-dire le support habituel du peintre de chevalet.

En tant qu'espace, la boîte scénique est manifestement sous-employée par le décor pictural. Car, sauf exigences ponctuelles de la pièce ou du metteur en scène, l'aire de jeu se déploie sur un plan unique, et les seuls volumes que le

16. On lira, à cet égard, l'intéressante interview de Léon Gischia, recueillie par Hélène PARMELIN, dans son livre *Cinq peintres et le théâtre*, Paris, Ed. Cercle d'Art, 1956.

17. On ne confondra pas le « rideau de scène » avec le rideau ordinaire du théâtre. Le rideau de scène, d'usage récent, est une toile sur laquelle le peintre brossera un tableau emblématique de la pièce. Il permet de maintenir une certaine continuité de l'atmosphère lorsqu'on le baisse pour procéder à des changements de décors. Ou d'introduire le spectateur dans l'univers visuel de la pièce, avant même le début de celle-ci...

peintre intègre à la composition de l'image scénique sont les costumes et les accessoires. Il n'est pas sûr d'ailleurs qu'il faille en rendre le peintre seul responsable : une telle conception s'accorde trop bien à l'ambition de toute cette génération de metteurs en scène qui, dans le sillage de Lugné-Poe et de Copeau, cherchent à recentrer le spectacle théâtral sur l'acteur et le texte.

Aussi bien, durant la même période, se développe une conception de la scénographie radicalement différente. Celle-ci prétend considérer l'espace de la scène dans ses trois dimensions. Elle se donne pour fonction de structurer cet espace, et non plus de le décorer. Il s'agit, en somme, d'élaborer un système cohérent de volumes et de plans, qui n'entretiendront plus avec la réalité qu'un rapport allusif ou symbolique, et qui constitueront d'abord l'espace de la représentation en support efficace des évolutions de l'acteur. Par opposition au décor de peintre qui joue du chatoiement des couleurs et de la bidimensionalité, on a là les rudiments d'une théorie nouvelle qui fonde le *décor d'architecte*.

A l'origine de ce qui apparaîtra peut-être un jour comme la révolution scénographique majeure du XXe siècle, deux hommes, à peu près contemporains, qui sont plus des penseurs du théâtre que des praticiens : Adolphe Appia (1862-1928) et Edward Gordon Craig (1872-1966).

Si des metteurs en scène, tels que Copeau ou Gémier, ont salué en Appia l'un des théoriciens les plus importants du théâtre moderne, si Craig le tenait en très haute estime, on ne saurait dire que sa notoriété ait dépassé les cercles spécialisés (professionnels et historiens du théâtre). Peut-être est-ce imputable au fait que sa réflexion scénographique prend, comme référence essentielle, sinon exclusive, la dramaturgie wagnérienne dont on sait qu'elle est encore plus étrangère au public français que le théâtre de Shakespeare qui est l'un des pôles majeurs de la pensée de Craig. (Et les choses ont-elles tellement changé aujourd'hui?) Quoique

Appia voie dans le drame musical la source d'un renouveau dont l'art de la mise en scène a un urgent besoin, il ne se détourne pas pour autant du théâtre parlé. L'essentiel de son œuvre en témoigne. Celle-ci est constituée d'un « corpus » relativement restreint : livres[18], articles, projets de scénographie pour des œuvres lyriques (Glück, et surtout Wagner) ou dramatiques (Eschyle, Shakespeare, Goethe...). Ses réalisations scéniques furent très peu nombreuses, et restèrent en deçà de ses ambitions théoriques, son inexpérience pratique s'ajoutant ici aux obstacles matériels, techniques et humains que lui opposaient des usages traditionnels et routiniers[19].

La pensée théâtrale d'Appia procède d'une admiration et d'une insatisfaction : admiration pour l'œuvre de Wagner, en laquelle il voit, sur le plan poétique et musical, l'avenir du théâtre ; insatisfaction devant la timidité et le traditionalisme des conceptions scénographiques de Wagner, et des réalisations qu'il a avalisées alors qu'elles se bornaient à adapter, tant bien que mal, à cet univers nouveau, les habitudes de représentation imitative en vigueur dans la mise en scène d'opéra du XIXe siècle.

Appia refuse d'abord l'architecture à l'italienne à une époque où une telle mise en question était rien moins que courante. Il ne remet pas en cause — le théâtre musical, d'ailleurs, le lui interdisait — la relation frontale statique entre la salle et la scène, mais sa référence est l'espace antique comme en témoigne l'Institut d'Hellerau construit, en 1911, selon ses conceptions architecturales.

C'est que la structure à l'italienne est, à ses yeux, responsable de l'ornière illusionniste où s'est fourvoyée la représentation occidentale. Illusionnisme dont l'inadéquation éclate, dès qu'il s'agit d'un univers mythologique tel que

18. Ses trois principaux ouvrages sont *la Mise en scène du drame wagnérien* (1895), *la Musique et la mise en scène* (1897), et *l'Œuvre d'art vivant* (1921).

19. Les principales sont *Orphée et Eurydice* (GLÜCK) à Hellerau (1912-1913), *Tristan et Isolde* à la Scala de Milan (1923), et, au Stadttheater de Bâle, *l'Or du Rhin* (1924), *la Walkyrie* (1925), ainsi que le *Prométhée enchaîné* d'ESCHYLE (1925).

celui de Wagner. Du pseudo-réalisme dont on affuble ordinairement les mises en scène d'opéras wagnériens, on ne sait ce qu'il faut d'abord dénoncer : sa naïveté ou son inefficacité ? Le plus grave étant que cette absence d'imagination scénographique a donné au public des habitudes, des goûts ruineux pour la vie même de la représentation :

> L'exigence moyenne du public a prouvé son infériorité ; non contente de sacrifier l'expression artistique au trompe-l'œil vivant, il lui fallut encore sacrifier ce dernier à la nature morte, au tableau inanimé. Cette illusion tant prisée n'est donc obtenue qu'en renonçant au spectacle vivant, et notre œil s'est à ce point faussé que l'illusion lui semble dangereusement atteinte si l'activité des personnages ou de la lumière rend impossible le trompe-l'œil du décor ; tandis que si ce trompe-l'œil reste intact nous passons sur les plus ineptes invraisemblances de la part des autres facteurs[20].

Car l'illusionnisme est lui-même une illusion. Si complexes et raffinées que soient les techniques mises en œuvre, un regard un peu attentif décèle, sur la scène, entre la réalité et ce qui prétend la « représenter », d'innombrables discordances. Ne serait-ce que la rupture de l'illusion provoquée par l'intrusion de l'acteur dont les évolutions rendent à l'espace scénique sa tridimensionalité alors que la scénographie traditionnelle est le résultat bâtard engendré par le traitement pictural (sur deux dimensions) d'un espace tridimensionnel, à grand renfort d'illusionnisme optique.

De même Appia est sans doute l'un des premiers à prendre conscience des ressources extraordinaires que l'éclairage électrique met à la disposition du metteur en scène. Il déplore d'autant plus vivement qu'on ne l'utilise que pour illuminer des toiles peintes et renforcer leur capacité d'illusion.

Il dénonce aussi la surcharge décorative, l'encombrement matériel à quoi aboutit une scénographie qui compte sur le « détail vrai », les objets et accessoires, pour accentuer l'effet d'illusion. La conséquence la plus fâcheuse étant que l'espace de jeu de l'acteur se trouve rogné, limité au

20. *La Musique et la mise en scène*, p. 22.

minimum indispensable. De ce fait, les possibilités d'expression de ce dernier restent en friche, puisque, par nécessité, le statisme et la déclamation sont devenus l'alpha et l'oméga de l'art du comédien occidental.

Il s'insurge contre l'hétérogénéité esthétique des représentations de son temps, hétérogénéité imputable à la multiplicité des « centres de décision » en matière de mise en scène : l'auteur, la vedette, le décorateur..., chacun intervient pour faire prévaloir des exigences hétéroclites. Contre cela, Appia préconise de remettre tous les pouvoirs au metteur en scène dont la « juridiction » devrait l'emporter sur toute autre instance. Seule en effet une volonté artistique individuelle, disposant des moyens d'agir sur l'ensemble des composantes de la représentation, pourra *ordonner* celle-ci, intégrer tous les éléments qui y contribuent, les articuler les uns aux autres, et faire de la mise en scène une véritable *œuvre d'art*.

Cette unification de la représentation, Appia ne cesse d'insister sur ce point, ne pourra être atteinte que si l'élément structurant de la mise en scène est clairement défini et désigné : ce ne peut être que l'*acteur*. Et c'est en fonction de l'acteur que la scénographie devra être élaborée.

Comme tous les novateurs de son temps, Appia cherche à substituer la suggestion à l'imitation, en tant que fondement théorique de toute pratique scénographique. Mais la vision du spectateur appréhendera moins un espace autonome, vaguement évoqué, que les rapports du personnage avec son environnement :

> Quand la forêt doucement agitée par la brise attirera les regards de Siegfried, nous, spectateurs, nous regarderons Siegfried baigné de lumière et d'ombres mouvantes, et non plus des lambeaux découpés mis en mouvement par des ficelles[21].

Utiliser l'espace de la scène, l'animer, ce ne sera donc plus, on s'en doute, « brosser » un beau décor, mais faire

21. Comment réformer notre mise en scène ?, in *la Mise en scène du drame wagnérien*, p. 348.

en sorte que le public perçoive la vision que les personnages ont de ce qui les entoure, de l'espace « fictionnel » dans lequel ils évoluent.

Tout cela conduit Appia à jeter les bases d'une conception *architecturale* de la scénographie. Il récuse en effet la bidimensionalité réelle des éléments constitutifs du décor traditionnel, bidimensionalité qui les rend inutilisables par l'acteur. Il réclame que la *praticabilité* régisse globalement l'organisation de l'espace théâtral. La mise en scène devra permettre à l'acteur d'intégrer dans son jeu, d'exploiter tout ce qui est élément scénique, d'en faire autant d'agents de l'expression théâtrale :

> Plus la forme dramatique sera capable de dicter avec précision le rôle de l'acteur, plus l'acteur aura le droit d'en imposer les conditions à la plantation au moyen de la praticabilité, et par conséquent, plus accentué sera l'antagonisme de la plantation vis-à-vis de la peinture, puisque celle-ci, de par sa nature, est opposée à l'acteur et impuissante à remplir n'importe quelle condition émanant directement de lui[22].

L'une des intuitions les plus fécondes d'Appia est que la scénographie doit être un système de formes et de volumes réels, qui impose sans cesse au corps de l'acteur de trouver des solutions plastiques expressives. Il doit donc entretenir avec son environnement une relation complexe. L'adéquation psychologique y joue en effet avec une tension physique instaurée par un réseau de plans inclinés, d'escaliers et de tous les éléments architecturaux susceptibles d'obliger le corps à dominer les difficultés qu'ils peuvent offrir et à faire de celle-ci le tremplin de l'expressivité. Cela explique que les dispositifs imaginés par Appia apparaissent comme d'admirables architectures abstraites. Il leur donne d'ailleurs un nom significatif : celui d'*espaces rythmiques*...

Ces prémisses conduisent Appia à prôner la *mobilité*, voire la *fluidité* scénographiques. Ces caractéristiques sont impliquées par l'articulation qu'Appia cherche à établir

22. *La Musique et la mise en scène*, p. 15.

entre la subjectivité (elle-même changeante) des personnages et leur environnement. La *fluidité*, en l'occurrence, représente ce degré idéal de la mobilité qui permet d'éviter les ruptures de rythme et baisses de tension qu'introduisent ordinairement les modalités du « changement de décor » (baisser du rideau, « noir », attente, bruits de coulisse, etc.). L'objectif de la fluidité sera atteint, chez Appia, par une utilisation réfléchie des possibilités offertes par l'éclairage. Dans ce contexte, la lumière n'est plus seulement cet instrument fonctionnel qui se borne à assurer la visibilité de l'espace scénique ou à créer, dans le meilleur des cas, une « ambiance ». Elle permet de sculpter, de moduler les formes, les volumes du dispositif scénique en suscitant l'apparition et la disparition d'ombres plus ou moins épaisses, diffuses, de reflets... Toutes choses qui, bien entendu, n'excluent pas l'utilisation de la lumière comme instrument de localisation, de suggestion, ou d'atmosphère.

> La scène se passe à l'intérieur d'une forêt[23] ; le sol accidenté et diverses installations praticables appellent l'activité de la lumière ; les exigences positives du rôle de l'acteur sont satisfaites mais il reste à exprimer la forêt, c'est-à-dire des troncs d'arbres et du feuillage. Alors l'alternative se présente de sacrifier une partie de l'expression du sol et de l'éclairage pour marquer sur des toiles découpées la présence des arbres ; ou bien de n'exprimer de ceux-ci que les parties conciliables avec la praticabilité du sol et *charger l'éclairage de faire le reste par sa qualité particulière* [24].

Plus audacieux encore, pour l'époque, le pari qu'Appia prend sur la *projection*. Alors qu'on ne l'utilise guère que pour obtenir certains effets spéciaux, Appia y voit l'un des instruments essentiels d'animation de l'espace scénique. Aussi bien est-il à l'origine de recherches marquées par les mises en scène de Piscator et de Brecht, et surtout par les expériences plus récentes d'un scénographe comme Josef Svoboda. Il ne s'agit pas, faut-il le préciser ? de projections figuratives, mais d'un moyen de démultiplier les possibilités

23. Il s'agit toujours du *Siegfried* de WAGNER.
24. *La Musique et la mise en scène*, p. 50.

expressives de la lumière en jouant de taches d'intensités et de couleurs variables, changeantes, infiniment ductiles.

Cette théorie scénographique qui repose essentiellement sur des principes architecturaux (structuration des trois dimensions de l'espace scénique, modulation des formes et des volumes, des pleins et des vides, exploitation des potentialités expressives de la verticalité, de l'horizontalité jouant avec, ou contre, des plans obliques...) a conduit Appia à diminuer, sinon à sacrifier, dans l'image scénique, la part de la couleur. Sans doute est-ce la conséquence du refus, fortement affirmé par Appia, de la scénographie picturale et du décorativisme qu'elle suscite généralement. Décorativisme dont on sait qu'il repose principalement sur l'usage de la couleur. Cela dit, on aurait tort de croire qu'Appia ignore ou néglige les possibilités suggestives de la couleur. Simplement, il lui assigne de nouvelles fonctions qui s'accordent à sa théorie de la représentation. Au chatoiement, à la limite insignifiant, même s'il procure quelques émois esthétiques, Appia préférera une utilisation « massive » de la couleur, voire la monochromie du dispositif scénique, quitte à moduler celle-ci à l'aide de l'éclairage.

Evoquer la théorie scénographique de Craig risque d'obliger à quelques répétitions, tant il est vrai qu'à bien des égards il rejoint Appia.

Dans la technique de la gravure qu'il a étudiée de très près, Craig découvre les ressources expressives d'un univers plastique complètement affranchi de la couleur, et reposant tout entier sur le jeu contrasté du *noir* et du *blanc*. Aussi bien, à l'instar d'Appia, Craig juge-t-il illusoire et dangereux le recours au décor pictural.

Craig a été très frappé par la théorie wagnérienne du « drame musical de l'avenir » qui préconise une nouvelle architecture théâtrale comme lieu et instrument de la fusion des différents éléments qui contribuent à la représentation : poésie, musique, peinture, art du comédien... Toutefois cette « fusion », aux yeux de Craig, exige non seulement un espace approprié, mais aussi un maître d'œuvre capable de la réaliser : le *régisseur* qui devrait pouvoir intervenir à tous les niveaux, et à tous les instants, de la représentation. Dans cette optique, Craig préconise un certain nombre d'aménagements techniques comme l'installation d'une cabine de régie et d'un système de communication avec la scène qui permettraient une direction de la représentation, par le « régisseur », dans le fil même de son déroulement.

Mais c'est surtout l'art de la scénographie que ses recherches vont renouveler. Recherches faites, tout à la fois, de réflexions théoriques, de projets, de maquettes et de réalisations effectives... Les esquisses qu'il élabore se caractérisent par la nudité de l'espace, par le refus de tout décorativisme, par le jeu du clair-obscur. Aucun réalisme, aucun souci d'imitation archéologique (il s'agit souvent de pièces de Shakespeare). Peu de couleurs, et appliquées par masses uniformes... Bref, dès ces projets, on voit Craig s'orienter vers un type de scénographie qui privilégie la structuration architecturale de l'espace.

A partir de 1900, quelques mises en scène d'opéras, à l'époque presque tombés dans l'oubli, lui permettront de faire subir à ses idées l'épreuve de la réalisation. La première d'entre elles, *Didon et Enée* de Purcell (1900), fait sensation. Craig y applique ses principes de dépouillement, de représentation allusive ou symbolique du réel. Aucun détail décoratif, aucun trompe-l'œil. Tous les efforts de Craig visent à la constitution d'une image scénique mouvante. Volumes et formes en sont les seuls éléments plastiques. L'éclairage est utilisé à la fois pour animer la scène et pour l'unifier. Complètement nouvelle dans sa conception, la technique employée permet d'éclairer les personnages de face, ou verticalement, car la lumière n'est plus « envoyée » de la rampe ou des coulisses, mais du fond de la salle et des cintres. Enfin, tirant parti d'une contrainte matérielle (la structure étagée du plateau dont il dispose), Craig multiplie les plans de jeu.

D'autres mises en scène, également bien accueillies,

permettront à Craig de vérifier l'efficacité d'une théorie de la scénographie qui rejoint celle d'Appia : le travail du scénographe, ou mieux du régisseur, n'est pas de représenter le réel, ni de décorer la scène, mais d'inventer une structure qui utilise les trois dimensions du plateau et qui réussisse à donner une contrepartie visuelle des tensions, du dynamisme spécifiques de l'œuvre mise en scène. Il s'agit donc, là aussi, d'une scénographie architecturale non figurative qui devrait permettre de faire ressortir le caractère mythologique, intemporel, c'est-à-dire, en dernier ressort, la signification universelle, de l'œuvre.

On l'a vu (cf. *supra*, p. 92), Craig n'envisage pas de sortir du cadre de la représentation à l'italienne. En tout cas, il travaille toujours dans l'hypothèse d'une relation frontale avec le spectacle. Mais, à force d'art, il multiplie la puissance expressive de l'espace traditionnel, et les sensations de profondeur, d'immensité, qui émanent de ses scénographies, frappent beaucoup les contemporains.

De plus en plus, l'évolution de sa réflexion, précipitée, sans doute, par les déceptions qu'il éprouve à se heurter sans cesse à la routine, à l'incompréhension, à la frivolité..., amène Craig à rêver d'un théâtre affranchi des contraintes multiples imposées par l'auteur, l'acteur... au détriment du pouvoir créateur du régisseur. Dans ce théâtre utopique, la scénographie deviendrait le centre même de la représentation, donnant à voir un espace constamment changeant grâce au jeu conjugué de l'éclairage et de volumes mobiles. Les personnages y seraient réduits à des silhouettes, purs volumes vivants chargés d'animer par quelques mouvements, rigoureusement élaborés et contrôlés, l'espace de la scène. C'est l'option qui préside à la mise au point du célèbre projet centré sur les innombrables modulations plastiques et dramatiques qu'on peut tirer d'un escalier, *The Steps* (1905).

Craig a toujours été conscient que la réflexion théâtrale devait être une pensée à la fois théorique et technique. D'autre part, il est persuadé que la technique en usage dans les théâtres de son temps limite les possibilités d'exploration des pouvoirs de la scène. Aussi s'attache-t-il à mettre au point l'instrument dont il a besoin pour atteindre à cette fluidité des formes scéniques à laquelle il aspire tout autant qu'Appia. Il s'agit d'inventer la technique scénographique qui permettra à la fois de maintenir la continuité de la représentation et de donner au régisseur la possibilité de modifier à tout instant, et sans limitation matérielle, la structure de l'image scénique. Cet instrument, ce sera les fameux *screens* — les équivalents français, « écran », « paravent »..., rendent mal compte de la réalité.

Le plateau est divisé à la façon d'un damier en un ensemble d'éléments indépendants les uns des autres, qui peuvent apparaître au même niveau ou s'élever vers les cintres à n'importe quelle hauteur. D'autres *screens*, en sens inverse, pourront descendre des cintres vers le plateau ; d'autres encore se déplacer latéralement. De la sorte, la scénographie constituée, comme le souhaitait Craig, d'un système de formes et de volumes non figuratif ou, du moins, non imitatif, sera indéfiniment modelable et modifiable, d'autant plus que l'éclairage interviendra pour démultiplier encore les possibilités de transformation de l'image scénique, permettant notamment d'arrondir, d'adoucir, ce que la géométrie des *screens* pourrait avoir d'un peu trop rigide ou anguleux.

Craig autorisera Yeats[25] à utiliser ce procédé à l'Abbey Theatre de Dublin en 1911. Ce sera un triomphe que Craig lui-même renouvellera, l'année suivante, au Théâtre d'Art de Moscou où il monte Hamlet en 1912, à l'invitation de Stanislavski. La critique contemporaine a conscience d'assister à un événement historique. L'envoyé du *Times* observe qu'il « est impossible de prévoir quel retentissement une réalisation aussi achevée et aussi réussie de ses théories pourra avoir sur le théâtre européen ». Craig est à peu près le seul à éprouver un sentiment d'insatisfaction...

25. Le grand poète irlandais qui cherchait, dans la voie tracée par les symbolistes, à renouveler la pratique théâtrale de son temps, vouait une admiration profonde aux recherches et aux réalisations de Craig.

Une autre tentative peut être considérée comme la matrice de bien des expériences ultérieures : installé à Florence, où il a ouvert un centre de recherches théâtrales affranchi des contraintes de temps, d'argent, de public... qui grèvent ordinairement la pratique de la scène, Craig conçoit, en 1914, la scénographie qui permettrait de mettre en scène rien moins que la *Passion selon saint Matthieu,* l'oratorio de Bach, en principe incompatible avec l'idée même d'une représentation théâtrale. Il imagine une architecture verticale, faite de plans superposés, d'escaliers... Grâce au jeu de l'ombre et de la lumière, et en jouant des règles de l'illusionnisme optique, il lui confère relief et profondeur. Il s'agit d'un dispositif fixe qui permet, en même temps, la multiplicité des lieux de l'action. Ce projet ne verra jamais le jour, mais il semble avoir inspiré l'architecture de scène du Vieux-Colombier, telle que Copeau la concevra, en 1919, à partir de principes analogues : un espace fixe, « abstrait », utilisable à la fois dans son horizontalité et dans sa verticalité grâce à une série de plans étagés reliés par des escaliers, la suppression de tout élément accusant la séparation de la scène et de la salle (rampe, rideau...). Une telle architecture pouvait être librement « aménagée » au gré des exigences fonctionnelles et poétiques de chaque pièce[26].

L'audace et la rigueur de la pensée d'Appia et de Craig, leurs exigences aussi, leur intransigeance et leur « perfectionnisme »..., autant de facteurs qui expliquent le petit nombre des réalisations qu'ils ont, l'un et l'autre, signées. Pourtant leur influence est sans doute l'une de celles qui ont le plus profondément affecté le théâtre moderne et contemporain. Il est certain que, sans les recherches d'Appia, qu'il considérait d'ailleurs comme son maître, Wieland Wagner n'aurait pu, dans un laps de temps aussi bref (1951-1966), atteindre à une telle perfection dans la rénovation de la mise

26. Copeau, par ailleurs réticent à l'égard du picturalisme caractéristique de la scénographie de son temps, est sans doute l'un de ceux qui, dès le départ, ont su le mieux évaluer et apprécier le caractère révolutionnaire des recherches d'Appia et de Craig.

en scène wagnérienne[27]. De la même façon, l'un des scénographes les plus audacieux de notre époque, Josef Svoboda, doit manifestement à Craig certaines de ses plus éclatantes réussites, telles que l'escalier monumental sur lequel il construit sa scénographie d'*Hamlet* (Théâtre national de Prague, 1959), celle d'*Œdipe roi* (Théâtre national de Prague, 1963), ou celle des *Vêpres siciliennes* (Opéras de Hambourg, 1969, et de Paris, 1974). On pourrait en dire autant de la géométrie « cubiste » qu'il conçoit pour la *Tétralogie* de Wagner (Covent-Garden, 1974-1976) ou pour *la Flûte enchantée* de Mozart (Munich, 1970)...

De l'immense escalier prolongé par le « grand bleu » (le cyclorama), dont Vilar n'hésite pas à faire le dispositif scénique de *Cinna* (Chaillot, 1954), à la scénographie abstraite, mais hautement expressive, avec son aire de jeu qui se « verticalise » progressivement, son camaïeu de gris allant du blanc au noir, que l'immense traîne rouge de Jocaste vient illuminer d'une éclaboussure sanglante, conçue par Jorge Lavelli pour *Œdipus Rex*, l'opéra-oratorio de Stravinsky (Opéra de Paris, 1979), on n'en finirait pas d'énumérer les exemples qui témoignent de la profondeur et de la permanence de l'influence d'Appia et de Craig sur les recherches actuelles.

Il est d'ailleurs manifeste que si le décor pictural a dominé la scène jusque dans les années 50, la tendance s'est, depuis lors, inversée, au point que le décor d'architecte peut apparaître comme l'un des facteurs déterminants du renouvellement de la scénographie et, plus largement, de la pratique du théâtre à l'italienne. A cela s'ajoute le fait que la conception architecturale de la scénographie était la seule qui puisse s'adapter à un théâtre décidé à rejeter toutes les normes de la représentation à l'italienne : l'espace pluridi-

27. On ne regrettera jamais assez que la mort prématurée de Wieland Wagner ait interrompu son œuvre. On peut également s'inquiéter de ce que la mise en scène wagnérienne actuelle se soit empressée d'embaumer et d'escamoter ce metteur en scène au profit de certaines tendances régressives ou réactionnaires...

mensionnel s'offrait à une structuration architecturale. Il échappait, en revanche, à peu près complètement à la décoration picturale.

Cela dit, l'abandon du point de vue frontal appelait une redéfinition de la scénographie architecturale, ne serait-ce que parce que le « perspectivisme » qui était exploité avec tant d'art par Appia et Craig devenait impraticable.

Dès les années 30, alors même que, dans les écrits d'Artaud, se décèlent des traces de la conception d'Appia et surtout de celle de Craig (le refus du mimétisme réaliste, l'élaboration d'un théâtre qui serait le véhicule d'une mythologie accordée à la sensibilité contemporaine, l'unification de la représentation grâce à un metteur en scène muni des pleins pouvoirs, etc.), la structure artaudienne se présente comme un espace architecturé, avec ses plans de jeu superposés et reliés par des escaliers ou des échelles, avec ses zones d'action dispersées et reliées par des passerelles... Mais elle ne peut plus (et ne cherche pas à) faire jouer les volumes et la lumière, ni élaborer une cinétique de la scène, dont le pouvoir de suggestion implique le point de vue frontal, et dont le pôle de focalisation est le point de fuite de la perspective traditionnelle. Il en ira d'ailleurs de même avec les metteurs en scène contemporains qui ont effectivement renoncé à la structure à l'italienne (Grotowski, Ronconi, Mnouchkine...) Chez les deux derniers, notamment, comme le préconisait Artaud, le scénographe organise un espace éclaté qui, en soi, ne suggère rien d'autre qu'une structure de jeu. Mais, après tout, est-on si loin d'Appia, par exemple, puisque l'animation d'une semblable machine à jouer, sa métamorphose en autant de lieux que l'action peut l'exiger sont tributaires de l'intervention de l'acteur, puisque, qui plus est, cette architecture multipolaire appelle une mobilité des corps qu'Appia n'a pas cessé de mettre au centre de ses préoccupations ? Il est vrai qu'à l'inverse Craig n'accordait guère de crédit et de pouvoir à l'acteur...

Cette nouvelle structuration de l'espace théâtral va entraîner d'autres conséquences. Notamment le recours à des instruments que la rigueur d'Appia et de Craig avait évincés. Parce qu'on les suspectait de « parasitage » décoratif. Parce que leur intégration scénographique faisait problème.

C'est le cas des *objets*. La multiplication des accessoires sur la scène naturaliste, leur flagrante inutilité dramatique avaient contribué à discréditer l'objet de scène. On lui reprochait son insignifiance théâtrale, son illusionnisme à bon marché... Déjà, les symbolistes en avaient, ou peu s'en faut, fait table rase ; Appia et Craig avaient suivi la même voie. La présence scénique d'un objet était subordonnée à une impérieuse nécessité dramatique. Son pouvoir signifiant devait être d'autant plus irrécusable qu'étant à peu près seul dans un espace fait de volumes et de lumières, il attirait tous les regards. Ainsi de la torche qui illumine le centre de la scène dans le dispositif qu'Appia imagine, en 1896, pour le second acte de *Tristan et Isolde*. Ainsi du trône royal, ou des bannières blanches, que Craig utilise dans sa mise en scène moscovite d'*Hamlet* en 1912.

Artaud n'aura pas la même réticence, mais il aura le même souci du *pouvoir* de l'objet. Pouvoir expressif, certes, mais plus encore pouvoir magique, en ce sens que, par sa seule présence, l'objet devrait avoir, sur la psyché du spectateur, un effet de choc, d'ébranlement, et devrait donc toucher en lui quelque chose de profondément enfoui... C'est ce qu'Artaud tente de faire avec la figure de la *roue* qui apparaît au dernier acte des *Cenci*, instrument du supplice de Béatrice, mais aussi emblème de toute une symbolique qui se répercute jusque dans les mouvements scéniques prescrits par Artaud. C'est également le recours aux *mannequins* qu'il préconise dès l'époque du Théâtre Alfred-Jarry et qui entre encore dans la scénographie du Théâtre de la Cruauté :

> Des mannequins, des masques énormes, des objets aux proportions singulières apparaîtront au même titre que des images verbales, insisteront sur le côté concret de toute image et de toute expression — avec pour contrepartie que des choses qui exigent d'habitude leur figuration objective seront escamotées ou dissimulées[28].

28. *Le théâtre et son double*, p. 116.

La déformation, l'agrandissement suffiront à déréaliser l'objet, à lui conférer une dimension fabuleuse, mythologique, au point qu'Artaud en fera l'un des pivots de l'animation de l'espace théâtral, voire l'axe de la scénographie, à la différence d'Appia ou de Craig, qui, eux, conçoivent des « décors », fussent-ils des architectures, et, parce qu'ils sont des architectures élaborées pour diffuser des images d'espaces, cohérents même dans leur changement :

> Il n'y aura pas de décor. Ce sera assez pour cet office des personnages hiéroglyphes, des costumes rituels, des mannequins de 10 m de haut représentant la barbe du roi Lear dans la tempête, des instruments de musique grands comme des hommes, des objets à forme et à destination inconnues[29].

Mutatis mutandis, c'est aussi le parti pris scénographique des metteurs en scène actuels qui ont choisi de rompre avec le point de vue frontal. Les espaces ronconiens, qu'il s'agisse de l'*Orlando Furioso*, ou d'*Utopia*[30], sont animés, traversés par des objets-machines qui s'apparentent assez à ceux qu'Artaud imaginait : l'hippogriffe, l'orque, les destriers des paladins, figurent simultanément les animaux qu'ils sont supposés être dans la fiction, et les « machines » théâtrales qu'ils sont réellement. D'où leur fascinante irréalité de jouets démesurément agrandis...

L'un des moments les plus spectaculaires de *1789* est constitué par l'évocation des journées d'octobre, au cours desquelles Louis XVI et Marie-Antoinette sont ramenés à Paris par le peuple. Louis XVI et Marie-Antoinette... D'immenses poupées, aériennes et caricaturales, brandies à bout de bâtons ! Il faut dire qu'à la même époque (les années 60) une troupe américaine, le *Bread and Puppet Theatre*, impose, aux Etats-Unis et en Europe, des rituels d'une force singulière, dont le message est à la fois politique et religieux. Peter Schumann, son animateur, crée un univers

29. *Op. cit.*, *ibid.*
30. Spectacle conçu en 1975, à partir d'un montage de comédies d'Aristophane.

fantastique (féerique ou cauchemardesque) dans lequel de gigantesques mannequins, des marionnettes, des figures masquées... deviennent les protagonistes d'actions très simples, très lentes, sortes de fables sur l'actualité. Ces mannequins, ces marionnettes peuvent atteindre 5 à 6 m de haut et exigent parfois plusieurs manipulateurs. D'autres sont manœuvrées par un homme qui se tient à l'intérieur. Ces « poupées » semblent transporter leur « espace » avec elles, de sorte que ce théâtre peut se manifester absolument n'importe où. Théâtre itinérant, ponctuel, qui invente ses scénarios, ses personnages, ses fables, ses formes au gré du moment, de l'actualité, du lieu... Sa scène, c'est l'église, l'usine, la rue...

Enfin, si la théorie du « théâtre pauvre » développée et mise en pratique par Grotowski lui impose cette ascèse de n'utiliser que des objets-outils dont l'acteur éprouve un besoin insurmontable, il n'en cherche pas moins à leur faire acquérir une singulière puissance théâtrale due à leur intégration à l'espace, sans doute, mais plus encore à l'action. Ce retentissement sur le spectateur provient à la fois de la charge symbolique et mythologique qui émane d'eux et de leur utilisation comme éléments de structuration (ou de déstructuration) de l'espace. On se souviendra sans doute longtemps des carcasses de lits-cages qui délimitaient l'asile carcéral de *Kordian* (1962) ou de l'extraordinaire manipulation des tuyaux de poêle par les déportés d'*Akropolis* (1967)[31] qui suffisait à rendre présent, concret, l'espace concentrationnaire...

Le *costume* doit, lui aussi, être considéré comme une variété particulière d'objet scénique. Car s'il a une fonction spécifique qui est de contribuer à l'élaboration du personnage par le comédien, il constitue aussi un ensemble de formes et de couleurs qui interviennent dans l'espace de la représentation, et qui doivent donc lui être intégrées.

A dire vrai, la mise en scène du XIXe siècle ne paraît

31. Il y a eu, en fait, trois versions de ce spectacle en 1962, 1964 et 1967.

pas s'être souciée outre mesure de l'intégration des costumes à une vision globale de l'image scénique. Il suffisait qu'ils fussent, dans le cadre d'une certaine convention, représentatifs ou évocateurs d'un type répertorié — empereur romain, grand d'Espagne, paysan moliéresque ou bourgeois balzacien... — auquel le personnage pouvait être, *grosso modo*, rapporté, pour que tout le monde fût satisfait.

Le souci d'une adéquation plus intime à un personnage, pris dans sa singularité psychologique et sociale, apparaîtra avec la scène naturaliste. Quant aux symbolistes, ils se préoccuperont d'intégrer le costume à l'unité de l'image scénique (cf. *supra*, p. 132).

A partir du moment où l'on s'adressait à un peintre pour élaborer cette image, pour gouverner les transformations et modulations que la représentation pouvait exiger, il n'était pas pensable qu'un élément aussi important, visuellement parlant, que le costume, lui échappât. Aussi bien, la scénographie picturale englobe-t-elle ordinairement la conception des costumes. A ceux-ci, le peintre appliquera les mêmes principes de stylisation, l'utilisation des mêmes gammes et des mêmes oppositions de couleurs qu'au(x) décor(s) afin de garantir la cohérence visuelle de l'image scénique.

Cette conception garde aujourd'hui force de loi pour la plupart des metteurs en scène qui travaillent encore dans le cadre de la structure à l'italienne. L'évolution qu'on a signalée pour le décor concerne, bien entendu, également le costume : plutôt que de faire appel à des peintres de chevalet dont la personnalité créatrice ne s'accommode pas toujours très bien des contraintes du théâtre et des exigences d'un metteur en scène, ce dernier préférera travailler en équipe avec un peintre-décorateur capable de résoudre les problèmes techniques auxquels il faut faire face pour réaliser exactement ce que requiert la vision du metteur en scène. D'où la nécessité d'éviter les collaborations occasionnelles : on l'a dit, l'association de Jouvet et de Christian Bérard fit courir les amateurs de théâtre de l'immédiat avant-guerre, celle de Vilar et de Léon Gischia fit les beaux soirs du TNP et d'Avignon.

Plus près de nous, on peut mentionner celle de Giorgio Strehler et Luciano Damiani, de Lavelli et Max Bignens, etc.

Il faut dire que, plus encore peut-être que le décor pictural, la scénographie architecturale exigeait une totale intégration des costumes à l'espace scénique. Comme ce dernier, le costume, selon Appia ou Craig, devait s'affranchir de tout réalisme et de tout décorativisme. Il devait, comme n'importe quel élément scénique, devenir un support de signification dans le cadre d'une esthétique symboliste. Haldane Macfall le montre clairement lorsqu'il décrit, par exemple, la scène finale de *Didon et Enée*, dans la mise en scène déjà citée de Craig :

> Didon, épuisée par la souffrance, vêtue d'une robe noire, entourée de ses suivantes agenouillées, est renversée sur les coussins noirs de son trône [...]. Une lumière atténuée baigne le visage de Didon [...] laissant le bas de la figure dans les ténèbres qui se confondent avec la teinte noire de la robe, tandis que la reine fait entendre son admirable chant de mort[32].

Et Wieland Wagner, en qui l'on doit voir l'un des héritiers les plus inspirés d'Appia et de Craig, attache une telle importance à l'intégration du personnage dans l'espace scénique, et à la signification que cette intégration véhicule, qu'il conçoit lui-même, ainsi que le recommandait Craig, la totalité constituée par la mise en scène, la scénographie et les costumes. C'est que le jeu de l'acteur-chanteur repose plus, selon Wieland, sur l'attitude-signe, sur le geste unique chargé du maximum d'efficacité expressive que sur un mouvement dont l'agitation ne parvient pas à masquer les stéréotypes. Le costume doit donc contribuer à ce jeu hiératique, en aidant à la fois à la caractérisation du personnage et à l'expressivité du corps. Il ne renverra à aucune réalité archéologique, n'acceptera aucune facilité décorative. Il sera un pur système de formes et de matières que l'éclairage,

32. Réflexion sur l'art de Gordon Craig dans ses rapports avec la mise en scène, in *le Studio*, sept. 1901, vol. XXIII, n° 102, supplément n° 36, p. 83.

le jeu de l'acteur plieront aux exigences de la situation dramatique.

A cet aboutissement, à cette intégration absolue du costume à une vision scénographique d'ensemble, on peut opposer une option différente. Le costume, alors, devient au contraire l'un des pôles visuels de la scénographie. Le metteur en scène ne joue plus, en ce cas, sur un principe d'unification, mais d'opposition, de tension. C'est particulièrement le cas lorsque le point de vue frontal est abandonné au profit d'un espace pluriel. Le regard du spectateur ne peut plus s'appuyer sur l'harmonie, l'équilibre d'une structure architecturée selon les lois de la perspective classique. Dès lors, il lui faut d'autres points d'appui : ce sont les objets, on l'a vu, mais aussi les costumes, qui en tiennent lieu. Artaud en était parfaitement conscient qui souhaitait que le costume fût celui d'un cérémonial, véritable hiéroglyphe (signe sacré) dont l'acteur devrait démultiplier les pouvoirs expressifs, ou plutôt « magiques ». Et c'est toujours la nostalgie de ces « costumes millénaires, à destination rituelle » (*Le théâtre et son double*, p. 114), chargés d'on ne sait trop quelle puissance, qui semble guider certaines recherches contemporaines qu'on peut situer dans la mouvance artaudienne. Pensons, par exemple, à la mise en scène, par Victor Garcia, des *Bonnes* de Genet (1971) : tranchant, de façon aiguë, par leurs couleurs crues (blanc, rouge, noir...) sur le gris miroitant des panneaux du dispositif scénique, les costumes n'évoquaient rien d'autre que la solennité étrange d'un cérémonial dont seules les officiantes eussent détenu la clé... D'autres exemples pourraient être invoqués qui témoigneraient de la pénétration, dans la pratique contemporaine, de la théorie artaudienne : les costumes d'André Acquart pour *les Nègres* du même Genet, mis en scène par Roger Blin (l'un des plus proches amis d'Artaud) en 1959, ou ceux des *Paravents* (Genet, Blin, Acquart, de nouveau) en 1966. Que le nom de Genet revienne sans cesse, lorsqu'il s'agit d'évoquer des tentatives dans lesquelles la représentation se ferait rituel, n'a rien qui doive étonner : il est en effet à peu près le seul dramaturge contemporain qui ait réalisé une œuvre théâtrale fondée sur une dramaturgie du cérémonial : « Même les très belles pièces occidentales, écrit-il, ont un air de chienlit, de mascarades, non de cérémonies »[33].

On aperçoit les limites d'une telle conception, et les difficultés sur lesquelles elle risque de buter. Elle exige en effet l'appropriation totale de l'œuvre à laquelle on l'applique. Pour Artaud, cela allait de soi, puisqu'il s'agissait d'inventer un nouveau théâtre affranchi de la tradition psychologisante et mimétique de la scène occidentale. Quant à Genet, on l'a dit, sa théorie de la représentation et ses œuvres appelaient naturellement une ritualisation de la mise en scène. Pour le reste, ce n'est pas un hasard si cette définition du costume a besoin de s'appuyer sur un théâtre fortement mythologique, par lui-même, qu'il s'agisse de la tragédie antique (*Medea* de Sénèque adaptée par Jean Vauthier et mise en scène par Jorge Lavelli en 1967), de l'univers shakespearien (le *Richard III* de Ronconi en 1968, le *Roi Lear* de Strehler en 1972) ou de l'opéra wagnérien (les mises en scène de Wieland Wagner). Une telle conception devient beaucoup plus problématique dès qu'il s'agit d'un théâtre entretenant d'autres rapports avec le réel. On imagine mal des costumes de ce type pour *Tartuffe* ou pour *Lorenzaccio*, pour *le Mariage de Figaro* ou *la Cerisaie*... Il est d'ailleurs significatif que, dans ses « programmes » futurs, Artaud n'ait retenu aucune de ces pièces, ni aucune pièce du même type.

De fait, c'est sans doute par le *costume* que la représentation moderne instaure le plus profondément sa relation au réel. Plus la scénographie est audacieuse, plus l'espace scénique tend à devenir symbolique, abstrait, ou à s'affirmer comme pure aire de jeu. Au costume, dès lors, et à quelques accessoires, il revient d'orienter la vision, l'interprétation, bref la « lecture » du spectateur. La pratique de Vilar était,

33. Lettre à Jean-Jacques Pauvert, in *Obliques*, n° 2, p. 3.

à cet égard, révélatrice : la fonction du costume était d'animer l'immense espace nu de Chaillot, ou celui d'Avignon, par les vives couleurs ou la mobilité de ses étoffes, mais, en même temps, de dire l'identité des personnages, leur position sociale, voire leur être profond. Ce n'est point par hasard que Gérard Philipe, dans *le Prince de Hombourg*, arborait un costume dont la blancheur éclatante ne disait pas seulement l'époque et le rang de celui qui le portait. Et les costumes de *la Mort de Danton* affichaient clairement, à travers la stylisation que Gischia leur avait fait subir, la période révolutionnaire ; ceux de *Lorenzaccio*, la Renaissance des Médicis, et ceux de *Meurtre dans la cathédrale* (T. S. Eliot), un Moyen Age de vitrail...

Plus largement, on pourrait observer que tout théâtre de la Cité, pour reprendre une expression chère à Vilar, tout théâtre qui se donne une vocation politique — l'expression étant entendue dans son acception la plus large et la plus noble —, a besoin d'articuler, quelque part, réel et théâtralité. C'est pourquoi, au-delà d'options esthétiques divergentes, la tendance la plus répandue d'un tel théâtre sera de donner au costume une fonction finalement analogue à celle que les naturalistes avaient définie : dire le réel, le « vécu » d'un personnage, afficher son statut social et en marquer au besoin les changements.

A cet égard, la pratique brechtienne ne s'écarte pas de la voie tracée par Antoine et Stanislavski. A l'exception de quelques pièces (*le Cercle de craie dans le Caucase*, *la Bonne âme de Sé-Tchouan*, *la Résistible ascension d'Arturo Ui*, etc.) dont l'allure de parabole autorise, et même requiert, une certaine liberté d'invention, la plupart de ses œuvres mettent en scène un contexte socio-historique extrêmement caractéristique dont le costume aura à rendre compte : *Mère Courage*, par exemple, avec les hauts et les bas de la guerre de Trente ans ; *la Vie de Galilée* et l'Italie de Secento, celle de la cour pontificale et celle du peuple des petites villes du Sud, etc. Et même les « paraboles » imposent des références précises dont le costumier ne peut guère s'affranchir : ainsi des « clowns » d'*Arturo Ui* qui, si « clownesque » que puisse être leur maquillage (mise en scène de Manfred Wekwerth et Peter Palitzsch au Berliner Ensemble), doivent assumer la double relation aux *mafiosi* de Chicago revus par le cinéma des années 30, et aux nazis. Tout cela, pourrait-on dire, fait partie du champ représentatif du costume.

Hélène Parmelin, la femme du peintre Edouard Pignon, qui avait conçu les costumes de *Mère Courage* pour la mise en scène de Vilar, a clairement fait ressortir ce qui oppose, au-delà de deux mises en scène évidemment différentes, deux conceptions de la fonction théâtrale du costume. Les Allemands, au nom du réalisme épique, avaient jugé assez sévèrement les « haillons flamboyants » sortis de la palette de Pignon. Dans la mise en scène de Brecht, au contraire, « pas de couleurs. Une sorte de gris répandu partout, revêtant les acteurs et les objets. Brecht voyait la guerre et la misère toutes grises » ...

> « Mettre de la couleur dans la guerre de Trente Ans est anti-réaliste, me disait un Allemand. Le gris convient à la guerre, à la misère. La couleur donne une vie qui n'a rien à faire là. » A quoi Pignon objectait que « trop de réalité enlève de la réalité... ». « Je ne crois pas à la couleur-symbole. L'uniformité du gris enlève le gris et le drame. La guerre de Trente Ans n'a pas besoin d'un fond neutre pour se traîner »[34].

Quoi qu'il en soit de ce débat, il illustre un moment très précis de l'histoire de la mise en scène contemporaine : celui où la scénographie picturale qui règne encore sur le théâtre français commence à être interrogée sur l'idéologie qu'elle véhicule.

Les deux spectacles « historiques » du Théâtre du Soleil, *1789* et *1793*, relevaient du même réalisme épique : les costumes avaient la charge de dire non seulement l'historicité de la représentation, mais aussi l'usure des jours, la « fatigue » sociale... en même temps que l'appartenance de classe. Pourtant, il ne s'agissait aucunement d'une mise en

34. *Cinq peintres et le théâtre*, pp. 144-146.

scène naturaliste. Simplement, il revenait aux costumes de matérialiser visuellement un certain rapport au réel. Rien n'était plus révélateur, à cet égard, que le dernier tableau (la vente aux enchères) qui donnait à voir, de la façon la plus efficace, le détournement et la récupération de la Révolution populaire, par la bourgeoisie du XIXe siècle, grâce à un effet de théâtre dans le théâtre : des bourgeois aux costumes « balzaciens » assistant à la représentation de « leur » Révolution sous la forme (presque) inoffensive d'une pantalonnade. Face à face, deux époques, deux types de costumes, deux gammes de couleurs, deux classes sociales...

Quant à la dramaturgie grotowskienne, il peut d'abord sembler paradoxal d'évoquer, à son propos, la question du costume puisqu'elle le récuse comme une superfluité du théâtre « riche ». Les spectacles du Théâtre-Laboratoire de Wrocław n'en présentent pas moins des acteurs vêtus d'une façon qui ne doit rien au hasard.

De fait, dans le costume grotowskien, on peut repérer au moins deux fonctions essentielles :

1° permettre au corps de l'acteur d'accéder à l'exactitude, ou plutôt à l'authenticité, et à l'intensité de l'expression ;
2° permettre au spectateur de structurer sa relation à l'acteur et à l'action, en enregistrant et en déchiffrant, fût-ce de façon inconsciente, les signes dont le costume est porteur.

Sans doute, les costumes du *Prince constant* n'ont-ils rien de réaliste. Il n'est cependant pas indifférent que le groupe des persécuteurs (la cour du roi maure) soit habillé d'un vêtement uniformément *noir*, de coupe *militaire*, cependant que Richard Ciezslak (le Prince) ne porte qu'un pagne *christique blanc*. De même, *Akropolis* ne représente pas de façon naturaliste l'univers concentrationnaire, mais il en visualise la réalité à l'aide de certains accessoires, du jeu des acteurs, et de ces costumes troués, rapiécés, grossièrement taillés dans des sacs qui annulent le corps, occultent la différence des sexes, de ces bérets qui remplacent la chevelure, de ces galoches sans lacet..., tous signes dont le déchiffrement ne saurait faire difficulté pour le spectateur le moins averti. Et ce n'est pas diminuer les mérites de l'entreprise de Grotowski que de souligner que la théorie qui sous-tend, chez lui, l'élaboration du costume, ne diffère pas fondamentalement de celle qu'on a rencontrée chez les fondateurs de la scénographie architecturale : refus de la représentation réaliste, refus de tout décorativisme, recherche d'un outil qui permette au corps de l'acteur de déployer ses facultés expressives dans le triple domaine de l'incarnation du personnage, de son intégration dans un espace qu'il doit en même temps créer, de sa relation aux autres personnages... C'était déjà, *mutatis mutandis*, la doctrine et la pratique d'Appia, de Craig, de Wieland Wagner...

S'il fallait dresser un bilan de l'usage du costume de théâtre aujourd'hui, on serait tenté de souligner que, comme dans le cas de l'architecture scénique, les metteurs en scène ont conquis une sorte de liberté à peu près illimitée. Ou, pour dire les choses autrement, de génération en génération, s'est formé un public capable de comprendre et d'accepter les options les plus diverses : le costume postnaturaliste dont le matériau sera plus signifiant, peut-être, que la couleur (Brecht, Planchon, Mnouchkine...), le costume ritualisé des cérémonies inspirées par Artaud où rien d'autre ne s'affiche qu'une pure somptuosité, le costume stylisé et suggestif, avec toutes les variantes qu'on peut imaginer, de Vilar à Ronconi, et de Chéreau à Grotowski, le costume abstrait, mythologique, qui épouse étroitement l'option scénographique d'Appia, de Craig, de Wieland Wagner, ou de Grotowski encore, l'absence même de tout costume de scène (le Living Theatre)... Le seul parti pris que le spectateur contemporain récuserait, sans doute, serait celui de l'insignifiance décorative[35]. Le public des salles du boulevard est le seul à s'émerveiller encore de voir l'héroïne rejoindre

35. On laisse de côté, ici, les formes de théâtre qui requièrent un type de costume prédéterminé par une tradition, par des contraintes inhérentes au genre ou à la technique (ballet, music-hall, cirque...).

son amant dans des robes de Dior ou de Saint-Laurent!

Il reste que le costume de théâtre, quelles que soient, par ailleurs, les options esthétiques et idéologiques qui régissent sa conception, apparaît bien comme l'un des liens et l'un des lieux de coïncidence les plus stables de la représentation et du réel. Certes, il est commode, et par certains côtés nécessaire, de parler de costume rituel ou de costume abstrait, c'est-à-dire de costume qui ne renverrait à rien d'autre qu'à sa réalité de costume de théâtre. Les choses, dans la pratique, sont à la fois plus complexes et plus nuancées. Les costumes des *Nègres* renvoient aussi, et délibérément, à l'époque coloniale. Ceux de Wieland Wagner pour *Tristan*, *Parsifal* ou la *Tétralogie* à une « réalité » qui pourrait être définie comme le médiévisme légendaire que le spectateur porte plus ou moins confusément en lui. Et le « jean » avec lequel Julian Beck apparaît en Kréon, s'il ne « signifie » plus la Grèce sophocléenne, n'en renvoie pas moins inévitablement à notre présent, donc à notre réel.

De bonne heure, les metteurs en scène ont su mettre à contribution les perfectionnements des techniques de reproduction et de diffusion des sons. Un espace, en effet, ne se définit pas seulement par les éléments visuels qui le constituent, mais aussi par un ensemble de sonorités, caractéristiques ou suggestives, qui, pour l'oreille, tissent une image dont l'efficacité sur le spectateur a été mille fois vérifiée, tant il est vrai que l'ouïe est un véhicule de l'illusion plus sensible encore que la vue[36].

Ce sont les naturalistes qui, les premiers, se sont interrogés sur la sonorisation de l'espace scénique. Et pour eux, autant la traditionnelle « musique de scène » utilisée ordinairement pour maintenir une certaine « atmosphère » durant les pauses occasionnées par les changements de

36. Il est bien évident que ces considérations ne s'appliquent qu'au théâtre dramatique. Elles ne concernent pas les mises en scène d'opéras, de ballets, ni même le music-hall, tous genres où la partie sonore (musicale) est strictement prédéterminée et échappe au pouvoir du metteur en scène.

décor leur apparaissait comme un artifice parasitaire dont il fallait se débarrasser, autant le bruitage pouvait, à leurs yeux, intervenir efficacement pour renforcer l'illusion visuelle par un véritable paysage sonore[37].

C'est sans doute au théâtre de Tchékhov qui tire un parti si subtil du jeu des silences et des bruits, de l'interférence du bavardage humain et des rumeurs de la nature, que Stanislavski doit d'avoir pris conscience du pouvoir de suggestion de ce qu'il appelle le « paysage auditif ». Il s'agit, pour lui, non seulement de restituer un cadre, une atmosphère caractéristiques, mais plus encore de révéler la relation, accord ou discordance, qui unit le personnage à son environnement. Dans une lettre à Tchékhov, du 10 septembre 1898, Stanislavski explique qu'il utilise, pour *la Mouette*, le coassement des grenouilles « exclusivement pour donner l'impression d'un silence complet. Au théâtre, le silence s'exprime par des sons et non par leur absence. Sinon, il serait impossible d'en donner l'illusion... ». Et, dans sa biographie de Stanislavski, Nina Gourfinkel rapporte qu'il recourait systématiquement aux « effets » de grillons ou de rossignols, de grelots (de troïka) ou d'horloge, au point que Tchékhov lui-même ne laissait pas d'ironiser à leur sujet. Il n'en reste pas moins que Stanislavski élaborait de véritables partitions sonores d'une extraordinaire précision et d'une richesse étonnante. Pour *les Trois Sœurs*, en 1901, bruits de voix, de vaisselle, musique du piano et du violon accompagnent le déjeuner d'anniversaire du premier acte. Au second acte, on entend le fameux « effet » de grelots de la troïka qui s'éloigne, « la faible musique d'accordéon » qui vient de la rue, et la berceuse de la nourrice en coulisse... L'acte suivant est ponctué par le tocsin de l'incendie, et, à la fin, on perçoit le rythme martial et dérisoire de la musique militaire qui accompagne le départ de la garnison.

37. L'esthétique naturaliste n'admettait qu'une intervention réaliste de la musique. Autrement dit, il fallait que celle-ci fût requise par l'action (la jeune première joue une valse de Chopin au piano ; un chanteur de rues passe en chantant sous les fenêtres, etc.).

En 1903, préparant *la Cerisaie*, Stanislavski prévoit de « faire passer un train pendant une des pauses », et, « tout à la fin, concert de grenouilles et cri du râle d'eau ». Tchékhov, à dire vrai, est légèrement agacé par la manie sonorisatrice de son metteur en scène! Faisant, avec lui, assaut de minutie, il objecte qu'à l'époque où se déroule l'action, la période des moissons, « le râle ne crie plus et les grenouilles se taisent ». Et il ajoute, sarcastique : « Si le train peut passer sans le moindre bruit, allez-y... » (lettres des 10 et 23 novembre 1903). Dans sa réalisation, Stanislavski n'introduira pas moins le « paysage auditif » qu'il juge le plus accordé à chaque moment d'émotion de la pièce. D'ailleurs, si l'on se reporte aux didascalies de Tchékhov, on peut s'interroger sur la bonne foi de ses protestations. Car, pour le final, par exemple, Stanislavski s'est contenté de réaliser scrupuleusement la partition sonore prévue par Tchékhov lui-même :

> On entend fermer à clef toutes les portes, les voitures qui démarrent. Le silence s'installe, coupé par les coups sourds de la hache sur le bois, des coups solitaires et tristes. On entend des pas. [...].
>
> On entend, au loin, comme venant du ciel, le son d'une corde qui se rompt, un son qui meurt tristement. Le silence s'installe, et on n'entend plus que les lointains coups de hache sur le bois, au fond du jardin[38].

Nul doute que, malgré les réticences de Tchékhov, il n'y ait eu un accord profond entre l'univers du dramaturge et les conceptions du metteur en scène. On pourrait en dire autant, s'agissant de Gorki. Entre la vision de celui-ci, dans *les Bas-Fonds* (1902), si elliptique qu'en fût parfois l'expression, et les extrapolations théâtrales de Stanislavski, aucune solution de continuité. Les grincements d'outils, rumeurs de disputes, cris de bébés, les berceuses, les bouffées d'orgue, de barbarie ou d'accordéon, les toux, les ronflements, le crépitement de la pluie sur les vitres..., tout cela constituait

38. *La Cerisaie*, IV, trad. Elsa TRIOLET, *Œuvres*, I, Gallimard, « Pléiade », p. 560.

un espace sonore idéalement approprié à l'univers de la pièce.

Appliquée à Shakespeare, la théorie du « paysage auditif » ne s'est pas avérée, à l'usage, aussi convaincante. C'est que la dramaturgie shakespearienne n'est pas d'essence réaliste, et ne s'appuie pas réellement sur les atmosphères ou les états d'âme, même si les uns et les autres y ont, d'évidence, droit de cité. « Nous jouerons *Jules César* dans des tons tchékhoviens », déclarait Stanislavski à sa troupe. Paradoxe difficile à soutenir ! On a dit (cf. *supra*, p. 129) l'échec de Stanislavski dans cette entreprise. Il n'avait pourtant pas mesuré sa peine. La Rome de César était le produit un peu vain, à nos yeux, d'un extraordinaire travail de reconstitution archéologique et « atmosphérique ». Pour le seul premier acte, le spectateur pouvait entendre le grondement d'un orage, les cris du peuple, le son des trompettes en provenance du Grand Cirque... Et la nuit italianissime comportait le chant des oiseaux, les aboiements intermittents des chiens, le clapotis des fontaines, le feulement des fauves venant du cirque, les appels de la garde, tantôt proches, tantôt lointains et, bien sûr, l' « effet » de grenouilles (coassements), etc.

Quoiqu'il ait eu conscience des difficultés que soulevait l'encombrement sonore qu'il imposait à l'univers shakespearien, Stanislavski ne semble pas en avoir tiré de leçon bien radicale lorsqu'il projette de reprendre *Othello*, en 1930. Pour l'acte vénitien, il prescrit le clapotis des eaux du Grand Canal, toute sorte de bruits et de rumeurs susceptibles d'évoquer la fébrilité de préparatifs de guerre, des cris en coulisse, et « ne pas oublier que durant toute cette scène [I, 3] il y a eu des coups de tonnerre [...]. A l'entrée d'Othello, au moment de son apparition, terrible coup de tonnerre, tel un présage de la tragédie qui l'attend à Chypre »[39].

39. STANISLAVSKI, *Othello*, mise en scène, p. 79. On lira avec profit ces notes de mise en scène publiées en français aux Ed. du Seuil en 1948, et reprises dans la collection « Point ».

En dépit de leurs excès, de leur naïveté parfois, ou de leur inadéquation, on ne saurait condamner sans nuances les innovations stanislavskiennes dans le domaine de ce qu'il faut bien appeler la scénographie sonore. Maniées avec doigté, elles confèrent à la représentation un extraordinaire poids de réalité et, lorsqu'elles s'accordent pleinement aux exigences ou aux possibilités de l'œuvre, elles démultiplient considérablement ses potentialités expressives et émotionnelles.

La mise en scène expressionniste qui attachait une telle importance à l' « ambiance » ne s'y trompera d'ailleurs pas, non plus que des hommes de théâtre plus récents qui n'hésitent pas à suivre la voie ouverte par Stanislavski, lorsque la pièce, et la vision qu'ils s'en font, leur paraît l'exiger. Témoin certaines réalisations de Strehler pour des comédies de Goldoni (*le Baruffe chiozzotte*, *Il Campiello*, notamment) ou celle de Patrice Chéreau pour *la Dispute* de Marivaux (1973).

L'intégration d'images sonores à la mise en scène n'appartient pas seulement au rêve naturaliste de réduplication du réel. Dans le sillage de la théorie wagnérienne du *Gesamtkuntswerk*[40], certains vont utiliser le matériau sonore — musique et bruitage — comme instrument de production de la théâtralité. Que Craig se soit d'abord intéressé à la mise en scène de l'opéra purcellien et haendélien, et qu'il ait, plus tard, rêvé sur une éventuelle réalisation de la *Passion selon saint Matthieu*, cela signale assez que, pour lui, le véritable théâtre incluait l'utilisation de la musique, pour autant que celle-ci fût complètement intégrée à la vision unifiée du « régisseur ».

En outre, l'opéra, ou l'oratorio, résolvait élégamment, aux yeux de Craig, le problème de la voix humaine. Ce qui séduisait Craig, dans l'œuvre musicale, c'est précisément

40. Denis BABLET propose de traduire l'expression par « œuvre d'art commune » dans la mesure où « Wagner prône l'union des arts agissant communément sur un public commun » (*le Décor de théâtre*, p. 58)

que la voix perd toute autonomie. Elle est partie intégrante d'une totalité régie par la partition. Les possibilités d'improvisation libre de l'acteur-chanteur sont strictement réglementées[41] quand elles ne sont pas, purement et simplement, annulées. Or, c'est bien cette perpétuelle instabilité, cette indiscipline potentielle ou minuscule qui, selon Craig, peut, à tout moment, gâcher la déclamation et le jeu de l'acteur de théâtre, et empêcher l'avènement de la représentation unifiée à laquelle il aspire[42].

Cette utilisation de la voix humaine comme un matériau sonore, on la retrouve dans la théorie d'Artaud ainsi que dans les quelques tentatives de mise en scène qu'il a signées. La voix, d'ailleurs, ne doit pas être considérée autrement que comme une source d'énergie sonore (cf. *supra*, p. 65). C'est son caractère physique qu'il cherche à exploiter, et le retentissement que peuvent avoir, sur la sensibilité, les nerfs du spectateur, des sons qui sont arrachés au plus profond du corps humain : la voix, au fond, de l'animalité de l'homme...

De façon plus générale, Artaud semble avoir voulu utiliser le matériel sonore de façon à en exhiber la théâtralité. Il l'amplifie, le grossit démesurément, exactement comme on a vu qu'il recourait à des objets, à des mannequins aux proportions irréalistes et inquiétantes. Pour la *Sonate des spectres* (Strindberg), il prévoit que « les pas des gens entrant seront agrandis, auront leurs propres échos » (*OC*, t. 2, p. 119). Et les innombrables indications qui émaillent les didascalies des *Cenci* (et qui sont développées dans le

41. Il ne semble d'ailleurs pas qu'à l'époque de Craig les exécutions musicales d'œuvres vocales du XVIIe et du XVIIIe siècle aient conservé les possibilités d'improvisation, vocale ou instrumentale, qui existaient à l'origine.

42. Si CRAIG admire le travail de Stanislavski, en dépit de tout ce qui les oppose sur le plan théorique, c'est notamment parce que le metteur en scène russe réussit à obtenir de ses comédiens une précision et une rigueur qu'on ne rencontre pas sur les scènes occidentales de l'époque : « Toujours ils y apportent un doigté sûr, délicat, magistral. Rien qui soit brouillonné », Le théâtre en Allemagne, en Russie, en Angleterre, 2e lettre ouverte à John Semar, in *De l'art du théâtre*, p. 112.

cahier de régie) reprennent constamment ce principe d'amplification des bruits et des voix. Au premier acte :

> Les voix s'amplifient, prenant la tonalité grave ou suraiguë et comme clarifiée des cloches. De temps en temps un son volumineux s'étale et fuse, comme arrêté par un obstacle qui le fait rejaillir en arêtes aiguisées[43].

> On entend la voix devenue caverneuse des cloches. Un calme inouï tombe sur la scène.
> Quelque chose comme un son de viole vibre très légèrement et très haut[44].

Toute l'action est ponctuée par des bruits de pas amplifiés qui tantôt se rapprochent, tantôt s'éloignent ; elle est traversée par un « orage épouvantable », par « un vent furieux » :

> La tempête fait rage de plus en plus et, mêlées au vent, on entend des voix qui prononcent le nom de Cenci, d'abord sur un seul ton prolongé et aigu, puis comme le battant d'une pendule.
> [...].
> Puis les voix agrandies passent comme un vol extrêmement rapproché[45].

L'assassinat de Francesco Cenci est « sonorisé » par « de terribles fanfares dont le bruit va en grossissant » (IV, 1, *op. cit.*, p. 254). Et, dans la prison de la dernière scène, une véritable symphonie de cris, de grincements, se déploie en contrepoint d'une « musique très douce et très dangereuse » (p. 264). Quant au final, il est organisé comme un véritable rituel, « une sorte de marche au supplice, qui éclate sur un rythme inca à sept temps » (IV, 2, p. 269)...

Artaud, on le voit, ne se soucie aucunement de créer un « paysage auditif » qui serait l'imitation de la nature. Il ne songe pas davantage à éliminer des composantes qui ne renverraient qu'au théâtre (la musique, par exemple). Bien au contraire, il considère que l'utilisation d'un matériel sonore n'atteindra, dans la représentation, sa pleine effi-

43. I, 3, Gallimard, *OC*, t. 4, p. 199.
44. *Ibid.*, p. 208.
45. III, 2, *op. cit.*, p. 244.

cacité que si sa théâtralité latente est complètement assumée, exhibée, démultipliée. A Jouvet, il écrit :

> Puisque nous faisons des dissonances, faisons-en, mais en disant au public : *nous faisons des dissonances.* Il criera ou applaudira, mais ne sera pas dans cet état de gêne provoqué par les demi-mesures et les choses à demi réussies[46].

Toutes ces recherches, toutes ces intuitions, la théorie du Théâtre de la Cruauté en formule la synthèse. Artaud y marque l'importance qu'il attache à une véritable *partition sonore* qui réglerait le jeu conjugué des voix, des bruits, de la musique, dans le but unique d'atteindre physiquement le spectateur au plus profond de lui-même. Cette partition, d'ailleurs, sera articulée à un ensemble non moins rigoureusement élaboré qu'on pourrait appeler la *partition visuelle* de la représentation : « Cris, plaintes [...], beauté incantatoire des voix, charme de l'harmonie, notes rares de la musique », tout cela jouera en consonance, ou en dissonance, avec « la beauté magique des costumes pris à certains modèles rituels », avec « le resplendissement » ou « les changements brusques de la lumière » (*OC*, t. 4, p. 112). Artaud d'ailleurs rêve d'inventer un système de notation du langage articulé qui permettrait de l'utiliser musicalement et « de donner aux mots à peu près l'importance qu'ils ont dans les rêves » (*op. cit.*, p. 112) :

> Puisqu'il est à la base de ce langage de procéder à une utilisation particulière des intonations, ces intonations doivent constituer une sorte d'équilibre harmonique, de déformation seconde de la parole, qu'il faudra pouvoir reproduire à volonté[47].

Il est clair que, dans la représentation artaudienne, l'émission vocale doit devenir un véritable instrument de musique, utilisable comme tel. Symétriquement, les instruments de musique seront utilisés comme des sources sonores. Hors de toute considération d'harmonie musicale. Ils prennent place parmi un matériel de production du son

46. *OC*, t. 3, p. 296.
47. *Ibid.*

qui se serait affranchi, au fond, de la tripartition usuelle (voix, instruments de musique, instruments de bruitage) :

> La nécessité d'agir directement et profondément sur la sensibilité par les organes invite, du point de vue sonore, à rechercher des qualités et des vibrations de sons absolument inaccoutumées, qualités que les instruments de musique actuels ne possèdent pas et qui poussent à remettre en usage des instruments anciens et oubliés, ou à créer des instruments nouveaux. Elles poussent aussi à rechercher, en dehors de la musique, des instruments et des appareils qui, basés sur des fusions spéciales ou des alliages renouvelés de métaux, puissent atteindre un diapason nouveau de l'octave, produire des sons ou des bruits insupportables, lancinants[48].

Brecht, lui, se place délibérément sur des positions théoriques antinomiques, en ce sens qu'il refuse absolument l'*effet de magie*, l'hypnose consécutive à l'utilisation de la musique, ou du bruitage, pendant la représentation. Cet effet de magie, il le dénonce aussi bien dans la pratique stanislavskienne que dans la mise en scène expressionniste, l'une et l'autre gouvernées par une recherche de l'atmosphère spécifique et de l'efficacité hallucinatoire. On peut penser, par extrapolation, qu'il n'aurait pas davantage consenti au projet artaudien qui vise à une emprise encore plus directe, physique, sur le spectateur, et à une inhibition de ses facultés réflexives...

On conçoit que Brecht, dans ce cadre, ait donné à la musique — le plus artificiel des bruits — un rôle prépondérant et, en même temps, complètement différent de celui qu'on lui a vu assumer jusqu'alors. La musique, dans la représentation épique, interviendra donc en s'affichant comme musique de théâtre. Au besoin, elle n'hésitera pas à se citer elle-même, à emprunter certaines formules mélodiques qui renvoient à des formes traditionnelles, closes, connues du spectateur : l'opéra, le cabaret, le cirque...

Loin d'accentuer l'atmosphère qui peut émaner d'une action, d'un lieu..., elle se fait entendre pour marquer des ruptures, pour désigner la représentation comme manifes-

48. *Op. cit.*, p. 113.

tation théâtrale. Dès l'*Opéra de quat'sous*, en 1928, Brecht prend le contrepied des usages contemporains. La musique ne se fond plus dans la continuité de la représentation. Elle se manifeste sous la forme de « numéros » isolés. Et tout concourt à exhiber cet isolement : la présence de l'orchestre sur scène, la modification de l'éclairage... Chaque numéro est désigné comme tel par la projection de son titre, par le changement de place des comédiens qui chantent leur *song* en s'adressant directement au public. En l'occurrence, il ne s'agit plus du tout d'inventer une scénographie sonore. Bien au contraire, la musique a pour fonction d'ironiser, de proposer un commentaire autonome qui disloquera tout effet de réel émanant, ou pouvant émaner, des autres composantes de la représentation[49].

La logique artaudienne, qui refusait à la représentation tout assujettissement au sens d'un discours articulé, conduisait à utiliser la voix humaine comme pur instrument de production sonore. La logique, inversement symétrique de la dramaturgie brechtienne, aboutit à faire de la musique un discours signifiant, une expression de la rationalité, une composante de ce « texte pluriel » dont on a déjà parlé. Par exemple, de la partition composée par Eisler, pour *Têtes rondes et têtes pointues*, Brecht observe qu'elle « est, elle aussi, en un sens, philosophique. Elle évite tout effet narcotique, surtout parce qu'elle lie étroitement la solution des problèmes musicaux et l'expression nette et claire du sens politique et philosophique des poèmes [les *songs*][50] ».

D'où l'une des caractéristiques majeures de l'usage « épique » de la musique qu'on pourrait définir comme l'*institution de l'hétérogénéité*. Alors que, de Craig à Artaud, la musique ou, plus largement, la sonorisation apparaît, globalement considérée, comme un instrument d'unification en ce qu'elle contribue à intégrer toutes les composantes de la

49. Sur le fonctionnement comme « texte » de la musique brechtienne, voir *supra*, chap. II, p. 69.
50. *Ecrits*, I, p. 460.

représentation les unes aux autres, Brecht assigne à la musique une fonction différente : interrompre la continuité de l'action, briser l'unité de l'image scénique, « dépsychologiser » le personnage en lui portant la contradiction, bref, casser tous les « effets de réel » que la représentation peut induire. Ce qui explique l'hétérogénéité délibérée de cette musique pourtant « composée ». Si Artaud visait à franchir la limite traditionnellement établie entre musique et bruit, Brecht, lui, juxtapose, sans les fondre, les références les plus diverses. Un exemple : dans *la Résistible ascension d'Arturo Ui*, chacun des épisodes du huitième tableau (le procès truqué de l'incendie des entrepôts [du Reichstag]) est ponctué par une intervention musicale que Brecht décrit ainsi : « Un orgue joue la *Marche funèbre* de Chopin sur un rythme de danse. » Ainsi se télescopent la foire (l'orgue de barbarie), la religion (l'orgue d'église), le culte de la « grande » musique (Chopin), le deuil — la Justice et la Liberté sont mises à mort — (la *Marche funèbre*), l'opérette, la fête, le théâtre (le rythme de danse) — cette mise à mort est une victoire pour certains... L'hétérogénéité de la musique « épique » tient donc à la multiplicité des référents juxtaposés, mais également au rapport qu'elle entretient avec un ensemble de bruits eux aussi signifiants. De la musique composée pour cette pièce par Dietrich Hosalla, Philippe Ivernel donne une suggestive évocation :

> Hosalla a composé une musique de foire, et le stand de tir n'est pas loin. Vacarme : cacophonies et stridences. Elle illustre le remue-ménage et l'horreur. Ou plutôt elle instruit. S'insèrent des thèmes exploités par les nazis : les *Préludes* de Franz Liszt, pendant le procès la *Marche funèbre* de Chopin. L'orchestre ne comporte que peu d'instruments : trompette, trombone, tuba, cor, piccolo, guitare électrique, saxophone, piano, harmonium, instruments de percussion. Quelques bruitages viennent renforcer l'atmosphère ainsi créée. Wekwerth et Palitzsch [les metteurs en scène pour la production du Berliner Ensemble en 1959] ont intercalé, dans le texte de Brecht, quelques *songs* rapportés, chantés par les gangsters dans l'esprit de l'*Opéra de quat'sous*[51].

51. *Les Voies de la création théâtrale*, t. 2, p. 68.

S'agissant de la dimension sonore et musicale de la représentation, la théorie du théâtre *épique* est, sans doute, la dernière en date des dramaturgies qui ait formulé une doctrine nouvelle.

De fait, la mise en scène contemporaine n'a pas su proposer, dans ce domaine, de théorie, ni même de pratique empirique, réellement neuves. A l'exception, cependant, de Grotowski et de son *théâtre pauvre*.

L'expérimentation et la réflexion de l'animateur du Théâtre-Laboratoire de Wrocław ne pouvaient éluder la question. Rappelons en effet que les deux grands axes théoriques qui structurent la pratique grotovskienne sont :

1° l'absolue prééminence de l'acteur sur toutes les autres composantes de la représentation ;
2° le refus intransigeant de toute intervention mécanique qui échapperait à la maîtrise de l'acteur.

Les implications de ces prémisses sont claires : étant donné qu'il n'est à aucun moment question de viser une reproduction mimétique du réel, ce théâtre exclut tout élément de bruitage obtenu par des moyens mécaniques. A l'exception de ceux que l'acteur pourrait manœuvrer, ou plutôt pourrait avoir besoin de manœuvrer afin de soutenir son « acte de dévoilement ». Entendons par là qu'aucun savant technicien de l'illusion sonore ne sera requis de produire, des coulisses, des tintinnabulations de troïka qui s'éloigne, ou des « effets » de grenouilles en sourdine, comme chez Stanislavski. En revanche, si l'acteur a impérieusement besoin du coassement de la grenouille, il devra le réaliser par des moyens purement vocaux. De la même façon, le théâtre *pauvre* évitera de faire appel à un orchestre professionnel ou à un enregistrement musical. Si l'action exige de la musique, elle sera produite par les seuls moyens dont dispose l'acteur (sa voix, sa capacité de jouer d'un instrument...) et les maladresses, l'imperfection de son jeu instrumental, de son chant, deviendront des éléments émouvants, expressifs de la vulnérabilité humaine qu'il tente de manifester (le violoniste dans *Akropolis*).

Parallèlement, le travail que Grotowski a mené sur les potentialités expressives du corps et de la voix l'a conduit à développer une théorie des « résonateurs », théorie qu'il présente d'ailleurs comme une métaphore commode, et non comme une découverte scientifiquement avérée. Le corps humain, observe Grotowski, n'utilise quotidiennement qu'une infime partie de ses ressources vocales. Cela est également vrai de l'acteur occidental[52], voire du chanteur. Un entraînement adéquat permettra à l'acteur de faire sortir à volonté de lui-même, donc d'exploiter, des « voix » proprement inouïes qui sembleront émaner de différents points de son organisme : l'occiput, le plexus solaire, le ventre... Ce sont ces zones qu'il dénomme « résonateurs ». Ainsi l'acteur grotowskien disposera-t-il d'une palette sonore complètement neuve, et mille fois plus riche que celle du comédien ordinaire qui ne maîtrise généralement que le « résonateur » laryngal. En l'occurrence, la voix peut devenir, à volonté, ce bruit tout à la fois humain et inhumain susceptible de bouleverser physiquement l'auditeur, cette pure « énergie sonore » à la conquête de laquelle Artaud aussi s'était lancé...[53].

On peut dire, sans excessive schématisation, que le théâtre contemporain n'a plus guère renouvelé la question, et que les entreprises actuelles oscillent entre trois usages possibles de la musique et du bruitage. (On laisse bien entendu de côté les metteurs en scène qui, dans ce domaine, perpétuent les traditions héritées du naturalisme et du symbolisme...)

Il y a ceux qui choisissent la voie artaudienne, qui cherchent à élaborer de complexes partitions musicales et sonores de telle façon que le spectateur se persuade,

52. Déjà Artaud déplorait que celui-ci fût devenu incapable d'émettre un cri véritable...

53. Pour plus de détail, on se reportera au livre de Grotowski déjà mentionné, *Vers un théâtre pauvre*, p. 122 sq.

comme le souhaitait Artaud, que « ses sens et sa chair sont en jeu [...], que nous sommes capables de le faire crier » (*OC*, t. 2, p. 13-14). C'est l'orientation qui caractérise surtout le théâtre américain des années 60 et peut-être cela s'explique-t-il par la proximité de pratiques musicales spécifiques (jazz, rock...). On peut en prendre pour exemple l'impressionnante évocation de la traite des Noirs dans *Slave Ship* de Le Roi Jones. Spectacle d'une violence rigoureuse tout entier porté par l'incandescente musique d'Archie Shepp (1969).

La voie inaugurée par Brecht a été naturellement suivie par ses héritiers : Planchon et Mnouchkine, en France, par exemple. Encore cela s'est-il fait avec une grande liberté d'allure par rapport à la doctrine — liberté d'ailleurs conforme à l'esprit même de la pensée « ouverte » de Brecht. Par exemple, *1789* associera, dans un grand pot-pourri non dénué d'ironie, des citations de « grande » musique (Haendel, Beethoven, Mahler...), la musique populaire des bateleurs, des effets choraux qui exploitent la structure multipolaire du lieu... Et, plus largement, les références au cirque, au cabaret berlinois sont des constantes récurrentes dans les spectacles du Théâtre du Soleil, des *Clowns* à *Méphisto*.

Enfin, l'austérité grotowskienne qui systématise, au fond, une défiance à l'égard du spectaculaire, de l'inessentiel, dont on pourrait trouver des marques aussi bien chez Craig que chez Copeau et les tenants d'un théâtre strictement gouvernés par le texte, nul doute qu'elle n'ait inspiré certains metteurs en scène, tels qu'Antoine Vitez ou Peter Brook dans ses récentes productions du Théâtre des Bouffes du Nord *(Timon d'Athènes, les Iks, Ubu, Mesure pour mesure)*.

Etudier l'art de concevoir, de construire et d'animer l'espace de la représentation permet au moins de faire un constat : celui de l'extraordinaire diversification des pratiques, si l'on prend comme terme de référence le monopole de l'illusionnisme conventionnel qui régnait sur la scène du XIXe siècle. Prolifération d'expériences empiriques, multiplication de doctrines, tout cela permet aujourd'hui la coexistence des réalisations les plus diverses.

Cette diversité est aussi le produit d'une longue mémoire. Curieusement, le théâtre qui est, on l'a trop dit, l'art de l'éphémère ne cesse de se souvenir, de prolonger, de redécouvrir... Il n'y a pas de véritable solution de continuité du dépouillement scénographique de Copeau à celui de Vilar, de l'austérité de Pitoëff, qui ne comptait guère que sur l'acteur pour créer son espace, à celle de Peter Brook dans sa ruine somptueuse des Bouffes du Nord. La rigoureuse reproduction du réel visée par Antoine et Stanislavski, le théâtre épique la reprend en charge en la désencombrant de ses redondances. Faut-il redire ici tout ce qui apparente entre eux Appia, Craig, Wieland Wagner et Svoboda ? Tout ce que le jeune théâtre américain a trouvé dans Artaud alors que lui-même n'a rien réalisé qui fût conforme à ses aspirations ? Tout ce que l'esthétisme raffiné, mais jamais insignifiant, d'un Chéreau doit à Strehler, voire à Gaston Baty, dont il n'a pourtant vu aucune réalisation ?

Et, ce qui est frappant, c'est que cette mémoire à l'œuvre dans la pratique théâtrale contemporaine n'est pas seulement inscrite dans le temps. Depuis un siècle, elle se déploie aussi dans l'espace. Ce sont des Russes (Stanislavski, Diaghilev, Meyerhold...) qui, en France, bouleversent les idées reçues dans le domaine de la scénographie. Ou un Anglais (Craig). C'est un Suisse qui permet à Wieland Wagner de révolutionner le paysage scénique bayreuthien, etc.

Peut-on, dans ce foisonnement, discerner quelques lignes directrices, quelques orientations annonciatrices de l'évolution scénographique de la prochaine décennie ?

Si les années 60-70 ont été dominées par le trop fameux débat symbolisé par les noms d'Artaud et de Brecht, s'il est vrai que l'utopie artaudienne a pu fasciner une génération plus ou moins revenue d'un brechtisme en voie de momification, l'aube des années 80 semble trahir un malaise, en tout cas une pause. Le courant plus ou moins abusivement qualifié d'artaudien paraît refluer, faute peut-être que le rêve d'un théâtre-événement se soit jamais *vraiment* réalisé. Alors ne restent que des oripeaux dérisoires, des mannequins inutiles, des stridences prétendument inouïes, mais mille fois entendues, des effets de lumière qui mettent le nerf optique à rude épreuve, mais que les « boîtes » à la mode réalisent avec plus de virtuosité...

Ce qui caractérise la représentation d'aujourd'hui, c'est peut-être un retour en force du *théâtre de texte* si contesté encore il y a quelques années. Phénomène qui implique une résurgence des théories qui lui font allégeance, et des usages scénographiques appropriés. Est-ce un signe révélateur ? Après les éblouissantes expériences de *1789*, *1793* et de *l'Age d'or*, le Théâtre du Soleil monte l'adaptation d'un roman de Klaus Mann, *Méphisto*, et revient à une scénographie frontale qui est une citation, à la fois ironique et nostalgique, de la scène traditionnelle — même si le vis-à-vis de deux « théâtres » encadrant le public et l'utilisation des parois latérales permettent de nuancer cette affirmation.

Autre signe : jamais les scènes françaises n'avaient accueilli autant de grands textes du répertoire international que durant les deux dernières saisons. Rarement, on avait vu autant de Shakespeare, du *Périclès* et de l'*Antoine et Cléopâtre* de Planchon au *Timon d'Athènes* et au *Mesure pour mesure* de Peter Brook. Rarement autant de Molière — et l'on se bornera à citer ici la « tétralogie » d'Antoine Vitez *(l'Ecole des Femmes, le Misanthrope, Tartuffe, Dom Juan)*... Strehler va de Shakespeare *(le Roi Lear)* à Tchékhov *(la Cerisaie)* et ne cesse de revenir à Goldoni *(Il Campiello*, la trilogie de *la Villégiature)*[54]...

Aussi bien la scénographie classique reposant sur la vision frontale, et la perspective traditionnelle, ne cesse-t-elle de réaffirmer sa vitalité. Une scénographie qui renonce à

54. L'intérêt manifesté par la plupart des metteurs en scène actuels pour l'opéra paraît témoigner du même phénomène : rien de plus contraignant, en ce qui concerne la scénographie, que ce genre qui interdit tout éclatement de l'espace et toute modification de la relation frontale.

s'affirmer par et pour elle-même, mais qui cherche essentiellement à créer un espace pour le texte, un espace pour l'acteur. Au-delà des noms qu'on vient de citer, ce seraient peut-être ceux de Craig et de Baty, de Copeau et de Vilar qui permettraient une juste mise en perspective des orientations actuelles.

Cette résurgence d'un certain classicisme formel dans l'art de la mise en scène est-elle la marque d'une orientation nouvelle, essentielle, durable du théâtre contemporain ? Faut-il l'interpréter, au contraire, comme un symptôme de désarroi doctrinal, reflet lui-même d'une crise plus profonde : celle d'un art qui se sent lentement asphyxié par l'évolution de la société ?

CHAPITRE V

Les métamorphoses du comédien

Dans sa théorie du « théâtre pauvre », Grotowski observe que tout ce qu'on a l'habitude de voir ou d'entendre sur une scène est à peu près superflu ! Sauf le face à face d'un acteur et d'un spectateur. En d'autres termes, supprimez décors et costumes, éclairages et musique, supprimez même le texte et le public, les accessoires et les figurants... Il suffit de préserver le face à face d'un seul acteur et d'un seul spectateur pour que le phénomène *théâtre* se produise.

Dire l'importance cardinale du comédien dans l'achèvement de toute mise en scène, ce n'est pas seulement énoncer une vérité première. La conscience qu'on a prise de cette importance, la place et la fonction qu'on a attribuées à l'acteur dans la représentation, les divers types d'intervention qu'il a proposés, ou qu'on lui a imposés au cours des âges, tout cela fait partie, ou devrait faire partie, d'une histoire du théâtre, d'une histoire des formes spécifiques de la représentation théâtrale.

Ce qu'on a appelé l'avènement du metteur en scène s'est effectué dans un climat plus ou moins passionnel dans la mesure où, pour s'imposer, il a dû battre en brèche ce que l'acteur, à tort ou à raison, considérait non pas comme d'abusifs privilèges, mais comme la part de liberté créatrice inhérente à son art. C'est que, contre l'aimable « démocratie » qui régnait, pensait-on, dans les troupes du XIXe siècle, le metteur en scène se posait en « autocrate », revendiquait un pouvoir absolu sur toutes les composantes de la représentation[1]. Ce climat conflictuel, même latent, explique la méfiance, et parfois le mépris, qui colore le discours sur l'acteur tenu par certains théoriciens. Craig, on y reviendra, rêve à la fois d'un théâtre sans acteur, et d'un acteur nouveau qui n'aurait plus rien de commun avec les histrions de son temps. Artaud proclame hautement que l'acteur de sa dramaturgie sera assujetti aux plus strictes contraintes et que, même si sa fonction est essentielle, aucune initiative ne doit lui être laissée...

Pourtant, avec le recul du temps, on s'aperçoit que cette « prise de pouvoir » du metteur en scène a été extraordinairement favorable à l'épanouissement et au renouvellement de l'art du comédien, même si elle a mis en question, et sans doute ruiné, le statut de la *vedette*. Alors que jusqu'à la fin du XIXe siècle, c'est la personnalité singulière, exceptionnelle, d'un comédien qui s'impose au besoin contre une technique essentiellement constituée de recettes que chaque génération hérite de la précédente et lègue à la suivante[2], le XXe siècle aura permis à l'acteur de découvrir la richesse, la variété des ressources et des moyens dont il dispose.

Les grandes théories de la représentation se sont presque toujours adossées à un refus du jeu traditionnel. Elles ont formulé des propositions, souvent très précises, qui visaient à réformer l'art du comédien, et, dans la plupart des cas, parfois avec un certain retard, ce qui paraissait extravagant ou irréalisable, a été expérimenté, mis en pratique, et a contribué à une transformation à la fois technique et esthé-

1. Cette métaphore confortable, on ne doit pas se dissimuler qu'elle est un leurre : le « pouvoir », dans les troupes traditionnelles, était exercé par les plus influents, ceux qui détenaient la puissance artistique (vedette, auteur...) ou économico-politique. La différence entre cette situation et celle que le metteur en scène prétendait imposer est que les motivations artistiques n'étaient pas toujours prédominantes dans le premier cas. Tant s'en faut !

2. Talma, Rachel, Julia Bartet, Sarah Bernhardt, Réjane..., etc. On leur reproche fréquemment, surtout à leur début, d'ignorer ou de bafouer les « règles de l'art » !

tique dont on ne mesure pas toujours l'ampleur. Tous les efforts d'un Stanislavski, par exemple, ont porté sur cette nécessaire réforme des techniques de l'acteur, et, dans son sillage, l'enseignement de Lee Strasberg aux Etats-Unis (l'Actors Studio) a renouvelé, et considérablement enrichi, l'art du comédien dans ce pays. De même, la théorie du théâtre épique exigeait-elle l'apparition d'un acteur nouveau, rompu à de nouvelles techniques. Ces techniques ont été « testées », puis mises en pratique par le Berliner Ensemble. Après quoi, elles ont essaimé. De nombreux metteurs en scène, se réclamant ou s'inspirant de la théorie et de la pratique brechtiennes, ont contribué à les répandre, fût-ce au prix d'adaptations et de transformations que Brecht, lui-même, recommandait pour tenir compte de la diversité des conditions de la représentation *hic et nunc* (traditions culturelles du public, circonstances historiques, etc.). Ainsi procédèrent Planchon et Bernard Sobel en France, Strehler et Gianfranco de Bosio en Italie... Même Artaud, qui a fortement dit sa haine et son mépris pour les pratiques frelatées de l'acteur de son temps, ne juge pas irréalisable son rêve d'un nouvel acteur qui serait à la fois le grand-prêtre et la victime sacrificielle d'un rituel où la représentation deviendrait événement, manifestation vitale. A cet effet, il devrait être doté d'une technique complètement renouvelée dont Artaud se préoccupe d'esquisser les prolégomènes[3]. Enfin rappelons que la recherche menée par Jerzy Grotowski, à Wrocław, au cours des années 60, ne visait à rien moins qu'à inventer un acteur doublement nouveau : nouveau par rapport à lui-même, nouveau par rapport à la définition ordinairement admise de l'acteur comme interprète d'un personnage de fiction.

Si le théâtre du XXe siècle a réussi à découvrir et à exploiter des possibilités jadis insoupçonnées, tant dans le corps que dans la voix de l'acteur, il est en même temps le

3. Voir, dans *le Théâtre et son double*, Un athlétisme affectif, *OC*, t. 4, pp. 154 sqq.

premier à prendre en charge son passé, à « réactiver », autant que faire se peut, des virtuosités (donc des techniques) souvent extraordinairement élaborées, qui étaient tombées en désuétude, sinon dans l'oubli. Déjà Craig, dans sa revue *The Mask*, puis à l'Arena Goldoni, s'est efforcé de promouvoir des recherches en ce sens. En Russie, Vakhtangov, en Italie, Strehler, en France, Ariane Mnouchkine, à des époques différentes, réussissent à faire revivre des techniques, vieilles de quatre siècles et plus, celles de la commedia dell'arte. Il ne s'agit pas (seulement) d'un travail intéressant l'entraînement du comédien. Ces efforts ont permis de réaliser d'admirables spectacles qui, loin d'apparaître comme des documents d'archéologie théâtrale, se sont révélés d'un étourdissant modernisme. Ce fut, en 1922, montée par Vakhtangov, *la Princesse Turandot* de Gozzi ; en 1947, l'*Arlequin, serviteur de deux maîtres* de Goldoni, mis en scène par Strehler qui révéla le prodigieux Arlequin de Marcello Moretti ; en 1975, *l'Age d'or*, cette création collective du Théâtre du Soleil qu'on a déjà eu l'occasion d'évoquer...

L'art de l'acteur du XXe siècle s'enrichit autrement : à l'élargissement historique correspond une ouverture géographique dont on a souligné l'importance. Il y a aujourd'hui une permanente circulation des metteurs en scène, des acteurs, des troupes à travers le monde. Le phénomène a pris de l'ampleur mais il n'est pas nouveau : en 1912, Craig vient à Moscou travailler avec la troupe de Stanislavski pour monter *Hamlet*. Un peu plus tard, ce dernier effectue une tournée aux Etats-Unis. Elle y laissera des traces durables (1923). On sait l'importance qu'a eue, pour Artaud, la révélation du théâtre balinais dont il a vu des représentations dans le cadre de l'exposition coloniale de 1931. Au cours d'une tournée mémorable, l'Opéra de Pékin éblouit l'Europe (1955) et, en 1962, Grotowski va, sur place, étudier l'art et la technique de l'acteur chinois...

Ce brassage des expériences, ces rencontres d'idées, de pratiques infiniment diverses, ont eu sur la notion même d'acteur une incidence qu'on ne saurait sous-estimer, même si elle est difficilement mesurable[4].

A cela s'ajoute un apport imputable au metteur en scène et qui, dans le perfectionnement de l'art du comédien, ne fut pas d'une petite influence : c'est à lui en effet qu'on doit une prise de conscience : celle de la nécessité absolue d'une *troupe permanente* et, s'agissant de l'acteur, de son intégration à cette troupe.

Une fois de plus, un phénomène qui peut sembler « naturel » est, en fait, le résultat d'une évolution historique de première importance. Il est admis aujourd'hui qu'un metteur en scène travaille avec « sa » troupe, c'est-à-dire avec une équipe stable constituée par les comédiens, certes, mais aussi, on l'oublie trop souvent, par l'ensemble du personnel technique. Cette troupe, à force de travailler avec « son » metteur en scène, acquiert une homogénéité, une précision, bref atteint un degré de perfection dont les troupes d'occasion ne sont jamais capables. Même lorsqu'elle se renouvelle, même lorsqu'elle s'ouvre à des éléments extérieurs, elle est devenue, par sa permanence, un véritable instrument de travail qui a en commun avec le metteur en scène une esthétique, une technique, un langage, etc. Ce que Craig enviait à Stanislavski, c'était précisément cet avantage de disposer d'une troupe qu'il s'employait constamment à former, à entraîner. Louis Jouvet n'eut de cesse d'avoir la sienne, et Jean-Louis Barrault, sitôt quittée la Comédie-Française, s'empressa de former sa propre compagnie en 1946. Vilar n'accepta la direction du TNP, en 1951, que parce qu'il était assuré de disposer d'un tel instrument. Le Théâtre du Soleil se définit comme une collectivité dont Ariane Mnouchkine n'est que

4. On sait, par exemple, la fascination que la *musical comedy* américaine (qui n'est, après tout, qu'une variante moderne de notre opérette) exerce sur certains acteurs français. C'est que ce genre, au-delà de son charme un peu facile, exige de ses interprètes une triple virtuosité de comédien, de danseur, de chanteur qui semble monnaie courante aux Etats-Unis alors que l'acteur français, faute d'une formation adéquate, en est toujours dépourvu.

l'un des membres, etc. Même chose à l'étranger, du Berliner Ensemble au Piccolo Theatro de Milan... Seul, le théâtre de boulevard a perpétué, pour des raisons économiques évidentes, cette pratique unanimement récusée qui est la constitution d'une troupe hétérogène, rassemblée à l'occasion d'un spectacle, dissoute aussitôt après...

Les critiques, souvent acerbes, formulées par les plus grands noms de la mise en scène, au début du XXe siècle, sont superposables et offrent un tableau assez sombre de la décadence où l'art du comédien semble être tombé depuis la fin du XIXe siècle. Esprit de routine, amateurisme, irresponsabilité, manque absolu de sens artistique..., voilà les griefs qu'on retrouve le plus souvent sous la plume de Stanislavski ou de Craig, d'Artaud ou de Brecht ! Sans doute faut-il faire la part de la polémique. L'époque en question fut aussi celle des « monstres sacrés », Sarah Bernhardt et Julia Bartet, Mounet-Sully et Réjane qu'Antoine admirait, en France ; la propre mère et le beau-père de Craig, Ellen Terry et Henry Irving, à qui l'inventeur de la « surmarionnette » n'a cessé de rendre hommage ; Eleonora Duse, en Italie, pour qui le même Craig et Appia acceptèrent de monter *Rosmersholm* en 1906, etc.

Le plus surprenant, peut-être, est que des critiques aussi radicales émanèrent de théoriciens qui furent en même temps de grands comédiens : Stanislavski n'a cessé de donner des interprétations mémorables tout au long de sa carrière ; Craig, dans sa jeunesse, s'affirma de bonne heure comme l'un des interprètes shakespeariens les plus inspirés de sa génération et le théâtre a sans doute beaucoup perdu lorsqu'il décida de renoncer à jouer. Artaud, enfin, eut peu d'occasion de faire éclater un génie d'acteur que sa conférence fameuse du Vieux-Colombier, en 1947, manifesta dans un paroxysme ambigu qui impressionna fortement l'auditoire (Gide et Audiberti, notamment, ont pu l'attester). Enfin, si Brecht, pour sa part n'a jamais sérieusement prétendu monter sur scène, de nombreux témoignages laissent supposer qu'il ne manquait pas d'aptitude à le faire...

L'expression même de *monstre sacré* suggère sans doute clairement à quel type d'interprètes on pouvait avoir affaire (dans le meilleur des cas), et pourquoi les novateurs de la scène pouvaient difficilement s'en accommoder, sauf lorsqu'ils acceptaient de plier leur génie à la volonté créatrice d'un metteur en scène, comme ce fut le cas de Stanislavski et d'Eleonora Duse avec Craig ou, plus tard, de Gérard Philipe avec Vilar.

Le *monstre sacré* apparaît d'abord, en scène tout au moins, comme un être complètement exceptionnel. Monstrueux à la fois dans le sens courant — interprète qui défie toutes les normes, qui transgresse toutes les règles — et aussi dans le sens étymologique de « prodige » *(monstrum)*. Cette singularité du monstre sacré, on conçoit qu'elle en vienne à orienter, à régir toute la représentation. Celle-ci n'est plus élaborée par référence à une œuvre, fût-elle prestigieuse, mais comme l'écrin de cette singularité. Quant à l'adjectif, il exprime le culte qu'un public subjugué pouvait rendre à ces « phénomènes », mais aussi le sentiment de l'inspiration, au sens platonicien du terme, qui émanait de leurs exhibitions. Toutes les conditions étaient donc réunies pour que régnât, sur la scène du début du siècle, un acteur-« vates », un acteur-mage qui se laissait pénétrer par on ne sait trop quel souffle divin et dont l'interprétation s'apparentait assez, semble-t-il, à l'intervention d'un grand-prêtre en transes ! Ces comédiens conféraient assurément à l'interprétation de leurs personnages une puissance tout à fait exceptionnelle : Théophile Gautier, Jules Janin, Musset... ont dit le caractère bouleversant des apparitions de Rachel dans les grands rôles tragiques ; Proust a dépeint l'envoûtement qu'exerçait sur lui Sarah Bernhardt. C'est qu'un tel type d'interprète donnait le sentiment d'être au-delà de toute technique (alors même qu'une technique vocale et gestuelle, parfois assez simple, semble-t-il, était mise en œuvre), dans le domaine de la pure authenticité, de la symbiose magique de la personnalité de l'acteur avec son rôle.

Mais les inconvénients d'une semblable pratique n'étaient pas moindres : une telle conception du travail de l'acteur le rendait entièrement tributaire de sa puissance physique et nerveuse. D'un soir à l'autre, voire d'un acte à l'autre, l'interprète pouvait se retrouver sans ressort, incapable de soutenir son personnage, faute de souffle, faute d'inspiration. Les contemporains de Rachel ont observé qu'elle avait souvent les plus grandes difficultés à « tenir » son rôle jusqu'au dernier acte, tant elle se « donnait » dès le premier ! Les admirateurs de Sarah Bernhardt ont reconnu que, certains soirs, elle pouvait être exécrable. Enfin, un esprit aussi pénétrant que Jouvet caractérisait pertinemment, devant ses élèves du Conservatoire, la technique de ces monstres sacrés : une diction vocalisante camouflée, qui devenait apparente dès que l'interprète n'était pas au mieux de sa forme :

> Les jours où [Mounet-Sully] n'était pas tout à fait bien, on voyait très bien comment il procédait [...]. On voyait très bien le mécanisme, parce que c'était un mécanisme assez simple. Il menait continuellement le rôle [Oreste, dans *Andromaque*] d'un décalage entre une exaltation vocale et un abattement profond. Rien que par cet effet vocal il donnait un ton clair, un ton d'homme insensé, aliéné, et brusquement, au moment où il était atteint, il était dans les basses profondes. Cela donnait vocalement un côté fou. Il y avait ce côté grand ténor et brusquement il rentrait dans la voix de basse[5].

Surtout, ce qui plaçait le monstre sacré à contre-courant de l'évolution du théâtre, toute question de personne et de personnalité mise à part[6], c'est qu'il était, par nature, complètement rebelle à l'idée de se soumettre à la discipline

5. *Tragédie classique et théâtre du XIX*e *siècle*, p. 72.
6. On se tromperait lourdement à voir, dans cette génération d'interprètes, des esprits bornés et indifférents à toute transformation de l'art théâtral. Mille exemples prouveraient le contraire, d'Ellen Terry à Eleonora Duse...

présupposée par la mise en scène, dans l'acception moderne du terme. Expliquer ce refus par l'amour-propre, la vanité, l'orgueil d'être cette idole dont le public et la presse lui renvoyaient complaisamment l'image, tout cela relève sans doute d'un psychologisme un peu court. Plus profondément, il y avait ce sentiment que la mise en scène devait lui imposer une mutilation, une véritable aliénation artistique. Car, on le conçoit assez bien, l'art du monstre sacré exigeait qu'il fût son propre « metteur en scène », de façon que rien ne vint borner ou perturber une métamorphose où il s'impliquait tout entier. Art fondé sur le narcissisme, sur l'exhibitionnisme ? Sans doute. Mais mieux vaut, en l'occurrence, s'abstenir de porter un jugement quelque peu teinté de puritanisme et reconnaître, qu'après tout, le narcissisme et l'exhibitionnisme pouvaient être les tremplins d'un type de jeu qui n'était manifestement ni sans grandeur, ni sans beauté.

Il n'est pas sûr, au demeurant, que les critiques adressées aux acteurs de leur temps par Craig, Stanislavski... aient visé ces interprètes hors du commun. Ce qu'ils parvenaient à réaliser obligeait, finalement, d'admettre leurs exigences, si encombrantes fussent-elles. Craig n'a cessé de rendre hommage à Henry Irving, « le plus grand acteur d'Europe »[7]. Il est vrai que l'art d'Irving, tout de calcul, de réflexion, minutieusement élaboré contre son (absence de) physique, et contre son absence de voix, interdit de l'assimiler au monstre sacré vaticinant...

Craig, à la vérité, s'en prend moins au monstre sacré, maître de ce qu'il fait dans la démesure, qu'à une certaine catégorie de comédiens pour qui l'émotion incontrôlée tient lieu d'art, et les formules toutes faites de technique. Aux yeux de Craig, cette absence de contrôle de soi, de travail médité n'est pas source d'art, mais d'accidents. L'acteur qui se livre à ses impulsions ne peut plus être

7. *Index to the story of my days*, Londres, Hulton Press, 1957, p. 103.

considéré comme un instrument « fiable » de la représentation, puisque celle-ci doit viser une rigoureuse perfection formelle et une absolue cohérence. « L'Art, écrit-il, est l'antithèse du Chaos qui n'est autre chose qu'une avalanche d'accidents. » Or, dans ce laisser-aller de l'interprète, « la pensée de l'acteur est dominée par son émotion, laquelle réussit à détruire ce que la pensée voulait créer ; et l'émotion triomphant, l'accident succède à l'accident. Et nous en venons à ceci : que l'émotion créatrice de toutes choses à l'origine est ensuite destructrice. Or, l'Art n'admet pas l'accident. Si bien que ce que l'acteur nous présente n'est point une œuvre d'art, mais une série d'aveux involontaires »[8].

L'autre critique formulée par Craig s'en prend, plus fondamentalement peut-être, à l'art même du comédien de son temps, au caractère mimétique de l'interprétation. Non seulement le jeu « à l'émotion » ne réussit jamais à atteindre la forme pure qui définit l'œuvre d'art, mais il prétend à une confusion de l'interprète et du personnage qui n'est qu'un leurre. La volonté d'identification affective débouche sur l'incohérence (les « accidents ») ou les stéréotypes attendus par le public :

> Aujourd'hui, l'acteur personnifiant un caractère a l'air d'avertir le public : « Regardez-moi ! Je vais être un tel, je ferai telle chose. » Puis il se met à *imiter* aussi exactement que possible ce qu'il a annoncé qu'il allait *indiquer*. Mettons qu'il soit Roméo. Il explique à l'auditoire qu'il est amoureux et le montre... en embrassant Juliette[9].

Curieusement, la critique stanislavskienne, qui débouche sur une théorie et une pratique de l'acteur tout à fait éloignées des conclusions de Craig, développe au départ des thèmes identiques. Stanislavski ne cesse de dénoncer l'inauthenticité, le jeu stéréotypé, l'automatisme routinier, « l'habileté extérieure » et tous ces défauts qu'il rassemble sous la

8. *De l'art du théâtre*, L'acteur et la surmarionnette, pp. 56-57.
9. *Op. cit.*, p. 60.

dénomination globalement péjorative de « théâtralité ». S'adressant aux comédiens qui vont jouer, sous sa direction, *l'Oiseau bleu* de Maeterlinck, il déclare :

> Le théâtral, voilà le grand ennemi du théâtre, et je vous invite à le combattre par les moyens les plus radicaux. Par sa banalité, le théâtre détruit l'harmonie. Il a cessé d'agir sur le public. A bas le théâtre ! Vive l'harmonie[10] !

Il y a toutefois une différence fondamentale sous ces convergences apparentes : si Craig récuse l'émotion comme un instrument incompatible avec tout projet de création artistique, Stanislavski, au contraire, distingue d'une part la simulation et l'émotion authentique, de l'autre émotion contrôlée et réaction incontrôlée. Le bon acteur, selon Stanislavski, ne saurait pratiquer que le jeu « à l'émotion ». Seulement il doit utiliser son expérience la plus intime pour trouver en lui-même une émotion vraie. Par ailleurs, il doit disposer d'une maîtrise technique telle qu'il puisse contrôler les manifestations de cette émotion, moduler, orienter son utilisation à des fins interprétatives. Cette maîtrise, il l'acquiert par un entraînement approprié — ce qu'on appellera, en dépit de Stanislavski lui-même, le « système » — fondé tout à la fois sur un travail du corps, de la respiration, de la voix... et sur une articulation permanente de l'introspection — l'émotion vraie ne pouvant naître que d'une expérience revécue dans une sorte d'anamnèse — et de l'interprétation. Ce travail doit également mener une lutte permanente contre les facilités et les entraînements qui découlent de toute pratique théâtrale plus ou moins assujettie aux contraintes de la tradition, des habitudes du public, de la routine qui parasite une mise en scène appelée à se répéter de soir en soir, etc.

> Il est étrange de constater que, lorsque nous montons sur la scène, nous perdons notre don naturel. Au lieu d'agir en créateurs, nous nous livrons à des contorsions prétentieuses. Qu'est-ce qui nous conduit à cela ? C'est que nous sommes placés dans des condi-

10. Cit. par N. Gourfinkel, in *Constantin Stanislavski*, p. 190.

tions telles qu'il nous faut créer en présence du public. La simulation forcée et conventionnelle est encouragée par la présentation scénique, par le fait qu'on nous impose des actions et des paroles prescrites par un auteur, par le décor composé par un peintre, par la mise en scène conçue par un maître d'œuvre, par notre propre embarras, notre trac, par des goûts médiocres et les traditions fausses qui paralysent notre nature.

Tout cela pousse l'acteur à l'exhibitionnisme, à une interprétation peu sincère. Le mode d'approche que nous avons choisi — l'art de vivre un rôle — est en rébellion violente contre ces autres principes d'interprétation traditionnels[11].

Quant à Artaud, sa dénonciation de l'acteur occidental est impliquée dans son refus de toute dramaturgie gouvernée par la psychologie et, plus largement, par le texte littéraire. Lorsqu'il décrit l'acteur balinais, il exprime, comme en « creux », son dégoût du réalisme à l'occidentale. Les Balinais, écrit-il, « redonnent à la convention théâtrale son prix supérieur ». Et il salue « ces roulements mécaniques d'yeux, ces moues des lèvres, ce dosage des crispations musculaires, aux effets méthodiquement calculés et qui enlèvent tout recours à l'improvisation spontanée »[12].

Tout autant que Craig, et sur ce point la parenté est troublante, Artaud rêve à un acteur qui parviendrait à s'affranchir des impondérables circonstanciels, des interférences émotionnelles, qui réussirait à renoncer à sa « liberté d'interprète » et qui accéderait à une discipline vocale, à une maîtrise corporelle si totales qu'il pourrait, au moment voulu, émettre exactement le « signe » qu'il est requis de produire. Une « surmarionnette », en somme, un acteur-danseur comparable aux desservants de ce théâtre balinais où « tout [...] est calculé avec une adorable et mathématique minutie », où « rien n'[...] est laissé au hasard ou à l'initiative personnelle. C'est une sorte de danse supérieure où les danseurs seraient avant tout acteurs »[13].

Ce que dénonce Artaud, dans la pratique occidentale,

11. *La Construction du personnage*, pp. 299-300.
12. *Le Théâtre et son double*, Sur le théâtre balinais, *OC*, t. 4, p. 66.
13. *Op. cit.*, p. 69.

c'est un double conditionnement, une double aliénation : asservissement à la signification ou à la résonance psychologique des mots, asservissement au stéréotype mimétique. Autrement dit, les potentialités expressives du corps, du geste sont, dans le théâtre occidental, laissées en friche, condamnées à l'atrophie. On a pris l'habitude de faire passer l'essentiel du sens à travers la *déclamation*, quelques gestes et mouvements conventionnels venant appuyer, ou orner, une interprétation centrée sur la vocalité.

Même à ce niveau, Artaud accuse le « psychologisme » d'être responsable de la décadence du jeu occidental. Si l'acteur joue sur la voix, il s'agit uniquement du registre étroit qu'on désigne sous le nom de « parlé ». Il a oublié (on lui a fait oublier) que sa voix, c'est aussi de l'énergie sonore, et pas seulement le véhicule d'un discours. On l'a déjà rappelé, Artaud reproche à l'acteur occidental d'avoir perdu la faculté du cri. Non qu'il ait perdu toute puissance vocale, mais le seul cri qu'il soit capable d'émettre, après trois siècles de tradition « littéraire », a perdu sa vibration émotionnelle et n'est plus que la simulation factice et inefficace du cri...

Brecht, enfin, à la même époque, s'en prend, lui aussi, à ce type d'acteur produit par le courant réaliste et par le psychologisme sommaire dont il nourrit ses interprétations. Dès 1922, par exemple, il salue en Karl Valentin[14] « la renonciation presque complète aux jeux de physionomie et à la psychologie de pacotille »[15].

Si Brecht refuse, lui aussi, le jeu « à l'émotion », ce n'est sans doute pas pour les mêmes raisons que Craig ou Artaud. C'est qu'une telle pratique, sincère ou roublarde, vise à atteindre l'affectivité du spectateur, et aboutit à l'halluciner, c'est-à-dire à l'aveugler. Les acteurs, dit Brecht, « font appel à la suggestion. Ils se mettent et mettent le public

14. Karl Valentin (1882-1948) était l'auteur de farces et de sketches de cabaret. Il les interprétait lui-même, et Brecht était un grand admirateur de l'écrivain et du comédien.

15. *Ecrits sur le théâtre*, I, Critiques dramatiques d'Augsbourg, p. 44.

en transes [...]. En fin de compte, et si la séance est réussie, personne ne voit plus rien, n'apprend rien ; chacun a au mieux des souvenirs ; bref, chacun sent »[16].

Ce n'est pas que l'émotion doive être bannie de la représentation que Brecht appelle de ses vœux. Mais elle est porteuse d'idéologie et, à ce titre, mystificatrice. Ce qui justifie qu'elle soit soumise à un contrôle rigoureux :

> Les émotions ont toujours un fondement de classe très déterminé ; la forme sous laquelle elles se manifestent est toujours historique, c'est-à-dire spécifique, limitée, liée à une époque. Les émotions ne sont nullement universelles ni intemporelles[17].

La fonction idéologique de l'émotion théâtrale (de l'identification de l'acteur à son personnage et, par ricochet, du spectateur à ce personnage) tient à ce qu'elle privilégie le point de vue de l'individu et qu'elle camoufle ainsi le *processus*, le rapport à double sens qui relie l'individu à la collectivité, le rôle joué par l'individu au sein de la collectivité. De la sorte, le jeu « à l'émotion », non seulement n'apporte aucun savoir sur le monde réel, mais, qui plus est, il occulte toute possibilité de savoir. Donc de progrès.

Brecht en arrive ainsi à cette conclusion : il faut inventer un autre comédien, c'est-à-dire de nouvelles techniques d'interprétation, en même temps qu'une nouvelle définition de ses *tâches* au sein de la représentation. Un comédien qui, par son jeu, incitera le spectateur à s'interroger. Sur les comportements des personnages. Sur les actions qu'ils entreprennent ou refusent d'entreprendre. Sur les rapports de force qui sous-tendent les relations sociales, etc. Un comédien qui saura éviter l'hypnose du spectateur en lui rappelant, grâce aux procédures de la *distanciation*, que la scène n'est pas l'image d'un monde soudain devenu inoffensif, que la représentation n'imite pas le réel, mais le donne à voir.

La critique du jeu académique repose, on le voit, sur des

16. *Op. cit.*, La marche vers le théâtre contemporain, dialogue sur l'art dramatique, p. 186.
17. *Op. cit.*, Sur une dramaturgie non aristotélicienne, p. 239.

attendus extrêmement différents qui tiennent à la différence des conceptions de l'art du théâtre que chacun de ces discours véhicule. Craig et Brecht se méfient de l'émotion et tendent à faire du comédien un technicien de la représentation, l'un par souci d'accéder à une perfection formelle absolue, l'autre pour fonder un réalisme qui ne serait plus descriptif et imitatif, mais explicatif et interrogatif. Quant à Stanislavski et Artaud, c'est surtout à l'inauthenticité et à la convention de l'académisme interprétatif qu'ils s'en prennent. Parce qu'ils sont à la recherche d'une émotion perdue. Parce que, pour le premier, le théâtre est devenu un mensonge, et que seule la vérité est vraiment émouvante. Parce que, pour le second, le théâtre est devenu un cimetière et que seules les manifestations vitales sont vraiment bouleversantes.

Quelques remarques avant de poursuivre : d'abord, les théories de l'acteur dont il va être question n'ont pas toutes, tant s'en faut, trouvé leur incarnation dans une pratique. A cet égard, dans l'histoire de la représentation, la place d'un Stanislavski ou d'un Brecht qui ont, chacun, disposé durablement des moyens qui lui permettaient de faire subir à leurs conceptions l'épreuve du réel, autrement dit de les confronter à la réalité humaine constituée par les comédiens, le spectacle et le public, et à partir de là de les approfondir, voire de les transformer à travers la continuité d'une pratique, cette place est fondamentalement différente de celle de Craig ou d'Artaud qui n'ont pas eu les mêmes possibilités et n'ont pu travailler dans la réalité du théâtre que de façon ponctuelle et insatisfaisante.

Seconde remarque : le jeu de l'acteur, dans la pratique occidentale du théâtre, n'a pas évolué et ne s'est pas transformé de façon aussi rapide et aussi nette que, par exemple, la scénographie. La raison tient sans doute au fait que le « matériel humain » n'est pas aussi ductile que l'appareil technique de la représentation. En tout cas, il serait difficile de soutenir que l'*acteur nouveau*, que les uns et les autres appelaient de leurs vœux, soit véritablement apparu ou du moins qu'il se soit imposé contre l'acteur « ancien », sauf peut-être en ce qui concerne Brecht. La réalité est que, peu à peu, les idées nouvelles se sont infiltrées, ont irrigué et manifestement enrichi des pratiques qui demeurent relativement traditionnelles.

Laissons de côté Craig, dont la « surmarionnette » est restée une figure de papier, et même Artaud, dont l'acteur célébrant et paroxystique n'est pas vraiment entré en scène, malgré des tentatives parfois convaincantes. Mais, même l'enseignement de Stanislavski, pourtant depuis longtemps systématisé et repris en charge par d'autres pédagogues du théâtre, on ne saurait dire qu'il ait fait naître, en France du moins, une pratique de l'acteur foncièrement originale, et un comédien essentiellement différent de celui qu'avait formé l'enseignement traditionnel.

Et peut-on dire, à l'heure actuelle, qu'il y a, en France, des acteurs brechtiens ? Tout au plus observe-t-on que certains comédiens réussissent à plier leur technique de jeu aux exigences occasionnelles du théâtre épique. La condition socioprofessionnelle de l'acteur lui interdit, à la vérité, une spécialisation trop étroite, compte tenu du fait qu'il doit, pour gagner sa vie, rester éclectique et savoir s'intégrer à des formes de représentation (boulevard, télévision, cinéma...) plus ou moins traditionnelles. En outre, la pérennité d'un certain théâtre de texte et d'analyse psychologique, de Pirandello à Harold Pinter, de Tennessee Williams à Marguerite Duras, etc., n'a évidemment pas peu contribué à la perpétuation d'un type de jeu fondé sur la subtilité de l'expression, et sur la mythologie de l'incarnation du personnage. Sans doute, ce jeu, grâce précisément aux critiques et aux recherches qu'on a évoquées, a-t-il en gros réussi à se dépouiller des afféteries et des stéréotypes légués par le XIXe siècle (l'importance prise par le cinéma et la télévision dans l'évolution du goût du public a certainement accéléré une telle métamorphose), à cultiver l'exactitude du geste, la justesse de l'intonation, le raffinement des nuances... Mais, pour l'essentiel, il demeure conditionné par cette tradition occidentale, et spécialement française, de mise en valeur d'un texte et d'individualisation d'un personnage. Il faut d'ailleurs reconnaître que la faveur du public n'a pas cessé d'aller à des comédiens de ce type, de Ludmilla Pitoëff à Madeleine Renaud, ou de Raimu à Michel Bouquet[18]...

C'est peut-être finalement à Vilar qu'on doit, en France, l'apparition d'un acteur nouveau durant la décennie 1950-1960. La chose est, à certains égards, paradoxale, si l'on se souvient que Vilar est l'élève de Dullin, que Copeau est l'une de ses références majeures, et qu'il se place, on l'a vu, dans le sillage d'une tradition qui met au-dessus de tout, le théâtre de texte.

Quoi qu'il en soit, très vite, dès les premières saisons du TNP à Chaillot, mais aussi à Avignon, le public a eu le sentiment que la nouveauté des spectacles qu'on lui proposait tenait, pour une part, au comédien. Un comédien qui avait renoncé au jeu réaliste et psychologique, dont l'inadaptation au répertoire choisi par Vilar, et à l'espace scénique, était manifeste. Un comédien qui, en même temps, réussissait à éviter l'emphase de la déclamation caractérisant, à la même époque, l'interprétation du grand répertoire par la Comédie-Française[19].

A la base de cette transformation, la conjonction des idées de Vilar sur ce que doivent être la place et la fonction de l'acteur dans la représentation, et d'un ensemble de contraintes imposées par l'espace de Chaillot ou par celui d'Avignon.

18. Le phénomène est d'ailleurs identique à l'étranger, et le cinéma a contribué à populariser des noms qui sont d'abord ceux d'acteurs de théâtre : Laurence Olivier et Vivien Leigh, Alec Guinness et John Gielgud, Vittorio Gassman, etc.

19. Que la déclamation soit perçue comme emphase suggère simplement qu'elle s'est vidée de toute authenticité, qu'elle a sombré dans le procédé. Soutenue par la conviction, et par une adhésion profonde de l'acteur, non pas tellement à son personnage qu'à la forme, à la musique de son texte, elle permet des interprétations d'une indéniable puissance. Les derniers « déclamateurs » français sont sans doute Alain Cuny, Marie Bell, et Maria Casarès...

D'abord Vilar assume un certain nombre des principes et des orientations qui avaient fait le succès des spectacles du Cartel, durant l'entre-deux guerres, et notamment cette règle que la mise en scène doit être au service d'un texte et qu'elle doit bannir toute décorativisme, toute gratuité. Elle sera donc centrée sur le couple de l'acteur et du texte. Comme le recommandait Appia, l'espace sera tout à la fois dénudé et organisé, de façon que la rencontre de l'acteur et de son rôle soit le cœur expressif de la représentation. Vilar proclame que tout grand texte recèle une vertu de choc que la répétition, la routine ont émoussée. A l'acteur de la retrouver et de la faire retrouver ! Le rôle du metteur en scène sera de guider l'acteur, de l'amener à redécouvrir et à retraduire cette fraîcheur primordiale du texte. « En résumé, éliminer tous les moyens d'expression qui sont extérieurs aux lois pures et spartiates de la scène et réduire le spectacle à l'expression du corps et de l'âme de l'acteur », affirmait Vilar dès 1945[20].

A la différence d'un grand nombre de ses prédécesseurs, Vilar se méfie de la virtuosité technique chez le comédien. Elle est, selon lui, un facteur d'asservissement et d'automatisation de l'interprétation qui se soumet à d'autres contraintes que celles qui émanent du texte. Autant que Stanislavski, Vilar se méfie de la « théâtralité »... Pour cette raison, il préférera un mode d'approche du rôle empirique, adapté à la personnalité de chaque comédien : « Il n'existe pas de technique de l'interprétation, mais des pratiques, *des techniques*. Tout est expérience personnelle. Tout est personnel empirisme »[21].

Ces idées, dans la France des années 50, n'ont rien de révolutionnaire, et, encore une fois, doivent beaucoup aux leçons des animateurs du Cartel. Mais la conjoncture fait que Vilar va devoir les mettre à l'épreuve d'une architecture qui ne leur est pas adaptée, tantôt la cour du Palais

20. *De la tradition théâtrale*, p. 36.
21. *Op. cit.*, p. 33.

des Papes d'Avignon, tantôt l'immense nef de Chaillot (cf. *supra*, chap. III, p. 99 sq.). Aussi bien, les acteurs de Vilar ont-ils eu à ajuster une pratique traditionnelle à des conditions matérielles qui ne l'étaient plus. Les distances habituelles avaient tout d'un coup considérablement augmenté, qu'il s'agisse des dimensions du plateau ou de l'éloignement du public. Les problèmes d'acoustique soulevés par un espace de plein air (Avignon) ou par la salle inadéquate de Chaillot n'étaient pas moindres.

De ces obstacles, que Vilar n'a pas cherché à camoufler (les tentatives éphémères de sonorisation de Chaillot n'ont jamais été très probantes), sont sorties les bases d'un art original de l'interprétation. L'acteur est à peu près seul en scène, séparé de son ou de ses partenaires par une distance inhabituelle. Pour le spectateur, il est essentiellement une silhouette qui accroche et retient l'œil grâce aux costumes éclatants de Gischia (ou d'un autre peintre). En d'autres termes, l'acteur doit assumer ce paradoxe : on le voit, et, en même temps, au-delà des premiers rangs, on ne distingue plus le détail de son visage. Tout cela lui interdit le traditionnel jeu psychologique construit sur la visibilité et l'expressivité de la mimique, et sur ce rapport d'intimité que les petites salles à l'italienne[22] autorisent. Ajoutons que le répertoire choisi par Vilar en fonction de ces contraintes, et de son idéal d'un théâtre de la Cité, impliquait également de renoncer à cette pratique.

Bref, le « style TNP », s'agissant de l'acteur, c'est d'abord un art de la *stylisation*. Stylisation psychologique du personnage réduit à ses traits essentiels. Stylisation vocale qui évite à la fois la diction réaliste et la déclamation ampoulée — et Vilar choisit des acteurs dont la personnalité est portée à cette invention d'une *déclamation juste* sur le double plan de l'expressivité et de la musicalité : Gérard

22. Les premières armes de Vilar metteur en scène avaient eu lieu dans la minuscule salle du Théâtre de Poche où il avait notamment présenté *la Danse de Mort* (STRINDBERG) en 1942 et *Meurtre dans la cathédrale* (ELIOT) en 1945.

Philipe, Alain Cuny, Maria Casarès...[23]. Stylisation gestuelle également, Vilar estimant qu'un seul geste soigneusement médité a plus de force expressive que la gesticulation faussement « naturelle » en usage sur les scène traditionnelles. On conçoit l'importance que revêt, dans ce contexte, le costume. Il devient un véritable support de l'interprétation en ce qu'il permet et amplifie (rend perceptible) l'expressivité du corps et du geste. Gischia : « Toute la psychologie des personnages s'exprime dans le costume et réciproquement le costume est dans les personnages »[24].

En tant que comédien, Vilar ajoutait aux orientations qu'on a caractérisées un art de la *composition* qu'il tenait de son maître Dullin. Cela est d'autant plus remarquable que le « style TNP » ne favorisait guère, au fond, la singularisation des personnages, et convenait plutôt à ce type d'acteur qui a l'art de plier tous les personnages qu'il incarne à sa propre personnalité (Casarès et Cuny en sont de prestigieux exemples). Pourtant Vilar, tout en adoptant le jeu stylisé qu'on a défini, réussissait, lui, à plier sa personnalité à des personnages aussi antinomiques que l'Harpagon et le Dom Juan de Molière, que l'Auguste de *Cinna* et le Platonov de Tchékhov, que le Richard II de Shakespeare et l'Arturo Ui de Brecht...

Aujourd'hui, la nouveauté de ce style semble moins évidente. C'est qu'il s'est répandu dans un grand nombre d'entreprises du secteur public (centres dramatiques et troupes permanentes) au point d'apparaître, à son tour, comme une sorte de poncif. On ne saurait, pour autant, minimiser l'importance de l'action de Vilar, pour ce qui est de l'avènement d'un acteur « moderne ». Historiquement et esthétiquement, s'il ne propose pas une pratique radicalement nouvelle, il représente le chaînon intermédiaire

23. Parfois le comédien échouait à trouver cette justesse et l'équilibre qu'elle supposait, privilégiant l'expressivité au détriment de la musique (CASARÈS dans *Phèdre*) ou sacrifiant la première (VILAR dans *Macbeth* ou dans *le Songe d'une nuit d'été*) au bénéfice de la seconde...

24. Hélène PARMELIN, *Cinq peintres et le théâtre*, p. 89.

entre l'apport du Cartel et celui d'une nouvelle génération (Planchon, Chéreau, Jean-Pierre Vincent, Ariane Mnouchkine...) qui, elle, retiendra l'enseignement d'Artaud et, plus encore, celui de Brecht.

Mais revenons en arrière au début du siècle... La « surmarionnette » de Craig n'a jamais existé, et on peut se demander si son « inventeur » lui-même a jamais cru qu'un être humain pût accéder à ce degré suprême de la virtuosité et de la maîtrise technique, qui le rendrait aussi totalement manipulable que le plus parfait des instruments. Et que cet acteur instrumental pût simultanément devenir le *créateur* d'une nouvelle représentation... Mais peut-être ne s'agissait-il que d'un mythe pédagogique à méditer...

La surmarionnette, dit Craig, « ne rivalisera pas avec la vie, mais ira au-delà ; elle ne figurera pas le corps de chair et d'os, mais le corps en état d'extase, et tandis qu'émanera d'elle un esprit vivant, elle se revêtira d'une beauté de mort »[25]. C'est qu'il s'agit de « dépersonnaliser » l'acteur en l'arrachant aux délices exhibitionnistes de la représentation imitative (conventionnelle ou naturaliste) de la « vie ». Il s'agit aussi d'ouvrir la voie à une intervention *créatrice* du nouveau comédien :

> De nos jours, l'acteur s'applique à *personnifier* un caractère et à l'interpréter ; demain il essaiera de le *représenter* et de l'interpréter ; un jour prochain il en créera un lui-même. Ainsi renaîtra le style[26].

On s'explique, dès lors, l'intérêt constant que Craig a témoigné pour certaines traditions perdues ou mal connues : théâtre antique, commedia dell'arte, théâtres extrême-orientaux... D'une part, elles ont donné naissance à de véritables *créations* d'acteurs (Pantalon et Arlequin ne doivent rien, au départ, au génie créateur d'écrivains). De l'autre, elles ont en commun le recours au jeu masqué, ou au maquillage, qui ont pour effet de « décentrer » l'interprétation,

25. *De l'art du théâtre,* L'acteur et la surmarionnette, p. 74.
26. *Op. cit., ibid.*, p. 60.

puisque le personnage ne peut plus être individualisé par les jeux de physionomie. La mobilité et l'expressivité du visage sont, en effet, à la base du mimétisme psychologisant.

Que Craig n'ait jamais réellement pu incarner la surmarionnette n'entraîne pas que sa pensée relative au jeu de l'acteur soit restée lettre morte. Et, à la limite, les imprécisions, le caractère utopique de cette théorie ont permis aux hommes de théâtre les plus divers de s'en réclamer ou de s'en inspirer.

Meyerhold, en Russie, travaillera à promouvoir une pratique de l'acteur fondée non plus sur l'identification et l'anamnèse stanislavskiennes, mais sur la maîtrise d'une complète virtuosité corporelle et vocale. Craig et, plus tard, Artaud rêvaient d'un acteur-danseur. Meyerhold, Annenkov et quelques autres se réfèrent au cirque et veulent un acteur-gymnaste ! Annenkov : « Dans la maîtrise de l'acteur de cirque, les révolutionnaires du théâtre verront le germe d'une nouvelle forme théâtrale, du style nouveau »[27].

On a souvent aussi remarqué la parenté qui rapproche la surmarionnette et l'acteur artaudien, ne serait-ce que dans la « ritualisation » du jeu. Il est finalement assez peu intéressant de savoir si Artaud connaissait les théories de Craig (qu'il n'évoque jamais nommément), ou si sa propre pensée devait logiquement le conduire à des propositions analogues en ce qui concerne la fonction et l'art du comédien. L'essentiel est dans ces propositions.

On le sait, la rénovation du théâtre, pour Artaud, passe par une priorité : retrouver le moyen d'exploiter les potentialités énergétiques que l'acteur occidental a laissées en friche. Mais, s'il ne s'agissait que d'une simple libération pulsionnelle, la représentation se transformerait en ce qu'on appellera plus tard le psychodrame. Or, toute la théorie artaudienne du théâtre récuse un tel aboutissement. Le

27. Cité par Denis BABLET, in *Edward Gordon Craig*, p. 141. Il n'est peut-être pas inutile d'observer qu'à la même époque apparaissent les grands comiques du cinéma dont l'art doit tant au cirque (Chaplin, Harold Lloyd, Buster Keaton, les Marx Brothers, etc.).

théâtre, selon Artaud, ne saurait être ni le lieu ni l'instrument d'une manifestation individuelle. C'est, tout au contraire, l'acteur qui devra mettre ses ressources au service de la représentation considérée, on l'a vu, comme une totalité organique issue de la seule volonté créatrice du maître d'œuvre, le metteur en scène. Autrement dit, l'acteur sera (et ne sera que) le véhicule d'un nouveau langage, dont la spécificité permettra de libérer l'art de la représentation de la tutelle du texte et de la signification discursive. Artaud l'exprime admirablement dans le *Premier Manifeste du Théâtre de la Cruauté* : ce nouveau langage « fait des mots des incantations ».

> Il pousse la voix. Il utilise des vibrations et des qualités de voix. Il fait piétiner éperdument des rythmes. Il pilonne des sons. Il vise à exalter, à engourdir, à charmer, à arrêter la sensibilité. Il dégage le sens d'un lyrisme nouveau du geste, qui, par sa précipitation ou son amplitude dans l'air, finit par dépasser le lyrisme des mots. Il rompt enfin l'assujettissement intellectuel au langage, en donnant le sens d'une intellectualité nouvelle et plus profonde, qui se cache sous les gestes et sous les signes élevés à la dignité d'exorcismes particuliers[28].

Comme Craig, Artaud fonde sa théorie de l'acteur sur le principe de la *dépersonnalisation*. Non seulement le personnage, au sens traditionnel du terme, est expulsé de ce théâtre, mais la personnalité de l'acteur est occultée par le type d'intervention (on n'ose plus dire de « jeu ») qu'il requiert. A la limite, l'acteur artaudien n'est plus un individu de chair et d'émotions, mais le support et le véhicule d'un système sémiotique complexe articulé sur un usage « hiéroglyphique » — l'expression revient souvent sous la plume d'Artaud — du costume, du geste, de la voix...

Comme Craig également, Artaud préconise d'intégrer à un langage théâtral global tous les « signes » que l'acteur est susceptible de produire. Ce langage est une véritable polyphonie à l'intérieur de laquelle, par un système d'échos, de correspondances et de dissonances, les manifestations de

28. *Le Théâtre et son double*, p. 108.

l'acteur devraient se trouver mises en connexion avec les autres éléments qui le constituent (musique, lumière, etc.).

La différence — elle est d'ailleurs essentielle —, qui sépare l'acteur artaudien de la surmarionnette, ne réside pas dans une pratique assez analogue, autant qu'on puisse en juger, mais dans le projet qui fonde cette pratique. Alors que Craig vise une sorte d'absolu formel, la création d'un objet — la représentation — si parfait qu'il pourrait prétendre au titre d'œuvre d'art, Artaud veut instituer un théâtre-événement qui perturbe et transforme le spectateur. Contrairement à ce qu'on imagine souvent, de façon un peu naïve, l'acteur artaudien, même s'il doit atteindre une sorte de paroxysme, n'a pas à entrer en transe. Un tel état suppose en effet une perte de conscience et de contrôle de soi qui ne manquerait pas de précipiter dans l'anarchie l'ensemble de la représentation. En revanche, il doit être capable de susciter la transe du spectateur : « Savoir par avance les points du corps qu'il faut toucher c'est jeter le spectateur dans les transes magiques », lit-on dans « le Théâtre de Séraphin »[29].

Les écrits d'Artaud ne définissent pas de « praxis », d'école de l'acteur. C'est que l'écriture ne peut guère rendre compe d'un projet qui la nie. « Ce que je veux faire est plus facile à faire qu'à dire »[30], avoue-t-il[31]. Il n'en reste pas moins qu'Artaud est plus précis qu'on ne l'a dit parfois. Il s'attache à un certain nombre de problèmes qui relèvent de cette libération du jeu de l'acteur par rapport au texte (en tant que véhicule d'un sens discursif) dont il fait la première condition de la rénovation du théâtre. S'agissant, par exemple, du travail de la voix, il envisage la question de l'onomatopée, celle du cri, celle de l'incantation. Et, dans *Un athlétisme affectif*, il s'attache à jeter les bases d'un apprentissage qui

29. *Le Théâtre et son double*, p. 182.
30. 4e lettre sur le langage, *op. cit.*, p. 141.
31. Cette difficulté a été ressentie par la plupart de ceux qui ont tenté de « dire » une pratique de l'acteur. Même Stanislavski, dont l'expérience de pédagogue et de metteur en scène aurait dû faciliter la formalisation de la pensée, a eu le plus grand mal à se forger une terminologie appropriée.

permettrait à l'acteur de maîtriser, de condenser et d'extérioriser l'énergie diffuse de ses affects.

L'acteur artaudien, avec la (re)découverte du *Théâtre et son double*, dans les années 60, est devenu une sorte de mythe, à la fois obsédant et inaccessible. Ce sont certainement les troupes américaines d'avant-garde qui ont réussi à en donner les approximations les plus convaincantes, le Living Theatre, bien sûr, mais aussi l'Open Theatre de Joe Chaikin, etc. En France on peut mentionner des tentatives intéressantes, quoique privées, pour des raisons économiques, d'une continuité pourtant indispensable : celles de Victor Garcia, de Jean-Marie Patte, de Michel Hermon, de Stuart Seide sont les plus remarquables[32].

Mais, à la même époque, c'est certainement la recherche de Grotowski et de sa petite équipe de Wrocław qui a permis l'avènement d'un acteur sans doute proche de celui qu'Artaud avait rêvé. Evitons, d'entrée de jeu, un malentendu : si le jeune théâtre américain a lu Artaud et s'est plus ou moins inspiré de sa pensée, il n'en va pas de même avec Grotowski. Ce dernier n'a découvert *Le théâtre et son double* que postérieurement à l'élaboration de sa propre théorie du théâtre, et à un moment où sa recherche sur le jeu de l'acteur s'était pleinement développée[33]. Mais, aux yeux de Grotowski lui-même, les convergences manifestes qu'on a mille fois repérées entre les réalisations de ses comédiens et les propositions d'Artaud tiennent à la logique interne des deux dramaturgies.

Grotowski récuse le théâtre de son temps qui, pour l'essentiel de ses productions, s'épuise dans une vaine recherche du spectaculaire, dans une vaine singerie du réel

32. Les deux premiers ont donné des mises en scène complètement différentes, mais également impressionnantes, des *Bonnes* de GENET. Michel HERMON a réalisé, en 1968, un *Britannicus* paradoxal, les noces de Racine et d'Artaud n'allant pas de soi. Quant à Stuart SEIDE, ses choix rappellent de fort près ceux d'Artaud : *Troïlus et Cressida*, *Dommage qu'elle soit une putain*, *les Bacchantes*, etc.

33. Voir, à ce sujet, Raymonde TEMKINE, *Grotowski*, pp. 221-225.

que le cinéma est beaucoup mieux armé pour reproduire. Il prône donc un retour à la pureté primordiale du théâtre (même si cette pureté originelle n'est qu'un mythe sans fondement historique), c'est-à-dire un recentrement de la représentation sur la relation entre *un* acteur et *un* spectateur. Grotowski va, dès lors, explorer toutes les implications, toutes les virtualités de ce choix. D'où l'expression, pas toujours bien comprise, de « théâtre pauvre » appliquée par Grotowski à sa propre dramaturgie. Par cette formule, il désigne, non pas les difficultés économiques, matérielles où, depuis toujours, en France, se débat, et parfois sombre, le théâtre d'avant-garde, mais l'ascétisme qui doit gouverner une pratique reposant intégralement sur le travail de l'acteur[34].

La nouveauté la plus frappante du théâtre grotowskien réside sans doute dans une redéfinition de la fonction et de l'art de l'acteur. Celui-ci cesse d'être l'illusionniste ou l'imitateur de la scène traditionnelle. Il ne s'efface plus derrière un personnage, et il a renoncé aux « trucs » qui permettent, ou facilitent, une transformation mécanique : postiches, maquillages... L'acteur devient son propre personnage et la représentation n'est plus la simulation, réaliste ou stylisée, d'une action, mais un *acte* que l'acteur accomplit et dont il puise l'essentiel au plus profond de lui-même. Acte de *dévoilement*, dit Grotowski, qui repose sur un effort de totale sincérité, qui exige de l'individu qu'il accepte de renoncer à tous ses masques, fussent-ils les plus intimes et les plus nécessaires à son équilibre psychique. D'où l'usage complètement « irrespectueux » du texte qui n'est utilisé que pour éviter « l'écueil de l'indéfini, du chaos, de l'hystérie, de l'exaltation » (cf. *supra*, chap. II, p. 73 sq.).

Cette redéfinition radicale de l'acteur entraîne une redé-

34. Il faut souligner que l'entreprise de Grotowski n'a pu se développer que parce que le financement de son Théâtre-Laboratoire était entièrement pris en charge par l'Etat. Le « théâtre pauvre » exclut, en effet, toute possibilité de rentabilité, puisqu'il s'interdit d'*exploiter* son travail auprès d'un large public...

finition équivalente du rôle du metteur en scène. On l'a vu, tous les combats menés par Craig, Artaud... avaient pour objet de faire admettre l'autorité absolue du réalisateur sur tous les éléments qui contribuent à la représentation et, notamment, sur le comédien dont la fonction instrumentale devait occulter tout investissement personnel. L'entreprise de l'acteur grotowskien est d'une nature telle qu'un semblable rapport de pouvoir devient complètement inopérant. Le metteur en scène ne peut pas se substituer à l'acteur et lui imposer dogmatiquement la voie de son ascèse. Il devient, dès lors, quelque chose comme un « guide ». Il accompagne, techniquement et affectivement, l'acteur dans cette descente au fond de lui-même, l'aidant à résoudre les difficultés qu'il peut rencontrer, à vaincre les inhibitions auxquelles il se heurte, etc.

En quoi, demandera-t-on, s'agit-il encore de théâtre dans l'acception commune du terme ? C'est que l'acte de dévoilement de l'acteur a besoin du spectateur. Il doit instaurer une relation qui évite à la fois le danger du narcissisme (l'acteur s'exhibant complaisamment en face de lui-même) et celui de la prostitution (l'acteur cherchant à séduire le spectateur). Le dévoilement de l'acteur se fera donc, non pas *pour* le spectateur, mais *devant* lui. Et l'on sait qu'un tel face à face est, selon Grotowski, à la fois nécessaire et suffisant pour que le phénomène « théâtre » ait lieu.

D'autre part, l'acte de dévoilement de l'acteur n'est pas, à lui-même, sa propre fin. Il vise à *transformer* le spectateur. Une manifestation de sincérité absolue accomplie à proximité de ce dernier ne peut pas le laisser dans l'espèce de neutralité bienveillante qui était la sienne lorsqu'il est entré au théâtre. Elle provoque, cette sincérité, une *rencontre*, un effet d'ébranlement, qui peut être très profond. C'est pourquoi Grotowski, parmi d'autres raisons, ne recherche pas le grand public : ceux pour qui le théâtre n'est qu'un divertissement de fin de semaine, ceux qui vivent dans la bonne conscience et l'autosatisfaction... ont peu de chance d'être atteints par l'acte qui s'accomplit devant eux. Pour que la *rencontre* ait lieu, il faut que le spectateur la désire obscurément. Alors elle peut revêtir la puissance d'un événement dont il sortira transformé :

> Si en se défiant lui-même publiquement l'acteur défie les autres et par l'excès, la profanation et le sacrilège outrageant se révèle lui-même en s'arrachant son masque de tous les jours, il permet au spectateur d'entreprendre un processus similaire[35].

On comprend mieux, dès lors, la révolution que Grotowski fait subir à l'espace de la représentation (cf. *supra*, chap. III, p. 107 sq.). Pour être efficace, la relation de l'acteur et du spectateur ne peut plus être distante. Ce dernier doit percevoir, comme partie constitutive de ce qui se dévoile devant lui, la vérité physiologique de l'acteur, la matérialité de son regard, de son haleine, de sa transpiration... Ainsi redéfinie, l'action théâtrale s'apparente, selon les termes mêmes de Grotowski, « à un acte d'amour entre deux êtres s'aimant de l'amour le plus profondément enraciné, le plus authentique »[36].

Qu'en est-il, dans cette nouvelle acception du théâtre, de la formation de l'acteur ? Jusqu'alors, les théories relatives au jeu du comédien, si révolutionnaires qu'elles fussent, impliquaient un apprentissage technique et artistique. Mais ici ? Eu égard à la visée grotowskienne, peut-on, en bonne logique, imaginer une « formation » de l'acteur ? Par rapport à la recherche de l'authenticité intérieure, à ce qui s'apparente à une quête de soi, est-ce que la notion même de « formation » n'est pas incompatible avec le projet qui fonde ce théâtre ? Toute formation, dans cette perspective, n'est-elle pas déformation ?

Et il est vrai que Grotowki n'a pas de mots assez durs pour condamner la formation traditionnelle : elle ne propose, dit-il, qu'un apprentissage des clichés. Elle donne au comédien l'illusion de croire qu'il sait comment simuler la jalousie,

35. *Vers un théâtre pauvre*, p. 32.
36. *Op. cit.*

comment représenter un vieillard, comment « jouer » la tragédie... Une telle école contribue à emprisonner l'acteur dans sa fonction histrionique d'imitateur et d'illusionniste.

Pourtant Grotowski affirme la nécessité d'une formation du comédien. Pour un certain nombre de raisons qu'il puise dans sa propre théorie du théâtre : d'abord, si l'acte de dévoilement suppose la conquête de la spontanéité, celle-ci n'a rien à voir avec l'anarchie. Loin d'être étouffée par la discipline et l'entraînement, elle leur est consubstantielle en ce sens qu'ils lui permettent de se formaliser. Or la formalisation, la structuration sont indispensables au dévoilement de l'acteur puisqu'il doit être appréhendé par le spectateur. En outre, on l'a vu, le *corps* est son véhicule privilégié. Ce qui implique que l'acteur en connaisse et en maîtrise parfaitement les ressources. Enfin, l'efficacité de l'acte théâtral repose sur le sentiment de *magie* que devra éprouver le spectateur : dans le théâtre traditionnel, il s'agissait d'une magie illusionniste. En l'occurrence, le spectateur ne sera profondément atteint que s'il a le sentiment d'assister à des actions qu'il ne peut accomplir lui-même.

Toutes ces considérations ont amené Grotowski à élaborer une méthode originale de formation de l'acteur dont il faut dire ici quelques mots parce qu'elle éclaire l'intervention de ce dernier dans la dramaturgie grotowskienne.

Cette formation doit être *permanente*. Elle ne saurait être réduite à un apprentissage de quelques années, permettant ensuite l'exercice d'une profession. Un acteur qui cesse de *travailler*, c'est-à-dire de s'interroger sur son art, de s'entraîner, de remettre sa technique en question, devient bientôt incapable d'un acte de dévoilement authentique, maîtrisé de bout en bout. Il va donc se scléroser, se raccrocher à l'illusionnisme, aux stéréotypes. Dès lors, la sincérité lui fera défaut (comme on dit que le souffle peut faire défaut).

Elle doit être également *négative*, en ce sens qu'elle apprend à « ne pas faire ». Elle permet de casser les stéréotypes dont l'usage recouvre, le plus souvent, un blocage technique ou psychique. L'acteur qui joue « au stéréotype » témoigne de sa peur de s'engager, de se compromettre. Je joue, donc je ne suis pas !

Elle doit être aussi *intensive*. Non que la virtuosité, l'exploit sportif... soient des buts qui intéressent, pour eux-mêmes, l'acteur grotowskien, mais parce que la fatigue, l'épuisement psychique et nerveux qui, dans une pratique traditionnelle, constituent des handicaps permettent au contraire, ici, l'émergence d'une vérité enfouie, refoulée, que le contrôle de soi ne peut plus masquer ou déformer. En somme, l'épuisement est l'état le plus propice au dévoilement de soi.

Aussi bien conçoit-on que la formation grotowskienne ait renoncé à s'appuyer sur le travail du texte, et, *a fortiori*, sur l'habituel corpus de rôles empruntés au répertoire. Utiliser Faust ou Hamlet comme support d'un entraînement, c'est se condamner à la réitération des stéréotypes et aux blocages de toute sorte. Ce qu'elle vise, c'est la mise en branle de l'imaginaire du comédien, et, à cet égard, il est vrai que Grotowski a une dette envers le « système » stanislavskien.

Pas davantage n'est-elle une formation collective. Il n'y a pas de méthode. Grotowski intervient en fonction des problèmes personnels de chaque individu. Pour l'aider à découvrir des ressources spécifiques. Pour l'aider à résoudre des problèmes individuels — physiologiques ou psychologiques. Si l'entraînement se fait en groupe, c'est seulement dans la mesure où il peut être profitable de voir autrui affronter des difficultés à la fois semblables et différentes, comparées à celles qu'on doit soi-même surmonter...

L'intérêt, mais aussi les limites d'une telle métamorphose du comédien sont évidents. Soulignons seulement qu'il s'agit d'un théâtre si complètement distinct de ce à quoi la tradition occidentale nous a habitués qu'on imagine mal une interpénétration des deux modes de représentation. Aussi bien faut-il avouer que, dans l'état actuel des choses, l'influence de Grotowski sur le théâtre contemporain est restée limitée : certaines troupes se sont organisées sur ce modèle, et selon les principes qui régissent le Théâtre-Laboratoire de Wrocław, tout en s'efforçant d'éviter le mimétisme et d'affirmer une spécificité. L'Odin Theatre, la troupe norvégienne d'Eugenio Barba, est sans doute l'entreprise qui a été le plus loin dans cette voie. Le jeune théâtre américain a, lui aussi, tenté d'utiliser l'expérience grotowskienne, en particulier l'Open Theatre de Joe Chaikin. Mais, enfin, les différences sont trop fondamentales pour qu'on puisse imaginer une extension de la pratique grotowskienne au sein de l'institution théâtrale. Ce n'est pas que Grotowski n'ait suscité des émules. Mais la recherche qu'il poursuit — on a souvent dit sa parenté avec la psychanalyse — est de longue haleine, et les suiveurs trahissent assez vite leur impuissance à dépasser le niveau de l'imitation, voire de la simulation. Ils se parent d'oripeaux dont, précisément, Grotowski cherche à se défaire continuellement. Et ils tombent dans tous les errements que Grotowski n'a cessé de dénoncer : le stéréotype, le mimétisme, l'inauthenticité...

Quelle place doit-on assigner au « phénomène » Grotowski dans l'histoire de la représentation contemporaine ? Expérience marginale, destinée à le demeurer du fait de son radicalisme ? Ou accomplissement précurseur d'un théâtre nouveau qui se cherche en tâtonnant dans des voies diverses ? Il est sans doute trop tôt pour répondre, d'autant plus qu'aujourd'hui la recherche de Grotowski a pris un cours différent[37]. Reste que les « spectacles » présentés par le Théâtre-Laboratoire de Wrocław ont donné aux spectateurs le sentiment d'une expérience complètement neuve, et

37. Grotowski s'interroge présentement sur le *spectateur*. Sur la distinction de l'acteur et du spectateur. Il tente de montrer l'imprécision de ce clivage, de trouver l'acteur que le spectateur porte en lui, par des pratiques de groupe, théâtrales ou non (dynamique de groupe...). D'amener, en somme, le spectateur à faire, lui aussi, acte de dévoilement, à se libérer des inhibitions et traditions qui l'enfermaient dans son statut.

d'une intensité jamais approchée. A ce titre, ils occupent une place centrale dans l'histoire de la représentation actuelle. Centrale également, la place de la théorie grotowskienne. Par le radicalisme de ses refus. Par la nouveauté de la pratique théâtrale qu'elle propose.

Chronologiquement, la théorie brechtienne de l'acteur est évidemment antérieure à celle de Grotowski, mais il était éclairant de mettre en regard l'acteur artaudien et celui du Théâtre de Wrocław.

Ce n'est pas un hasard si les deux grandes tendances de l'avant-garde des années 60, s'agissant de l'acteur, se réclamaient d'Artaud ou de Brecht. A l'acteur-martyr qui, selon l'admirable formule d'Artaud, doit « être comme [un] supplicié que l'on brûle et qui [fait] des signes sur [son] bûcher » s'oppose intégralement l'acteur-technicien qui refuse de susciter l'illusion ou l'hallucination, mais vise à provoquer l'étonnement, l'interrogation critique et la compréhension des processus représentés.

La pratique brechtienne reposant sur une analyse minutieuse[38] et sur des techniques précises, traditionnelles ou non, en tout cas transmissibles, on conçoit que l'acteur formé à ce que Brecht appelle la représentation aristotélicienne ait pu envisager de se reconvertir au jeu épique, notamment sous l'impulsion de metteurs en scène eux-mêmes convertis à la théorie brechtienne du théâtre (Roger Planchon en France est certainement le plus notoire et le plus talentueux de ces disciples de Brecht).

On a trop dit que le jeu brechtien qui se définissait lui-même comme une pratique didactique, ou plutôt pédagogique, donnait lieu à des représentations « froides » dans

38. Brecht a relaté la lenteur et la méticulosité du travail d'analyse à la fois psychologique, politique et dramaturgique, effectué en collaboration avec Charles Laughton sur le personnage de Galilée (l'acteur américain devait créer la version américaine, *Galileo Galilei*, de ce qui deviendra définitivement *la Vie de Galilée*). Voir, à ce sujet, Bernard Dort, Lecture de la Vie de Galilée, in *les Voies de la création théatrale*, t. 3, pp. 125 sq.

lesquelles aucune place n'était faite à l'émotion. Il faut faire justice de ce reproche mal fondé : Brecht a constamment répété que le théâtre devait être un lieu et une source de plaisirs. Il donne notamment une importance extrême au plaisir esthétique (qui ne légitime pas automatiquement l'accusation de *formalisme* trop facilement articulée par de sourcilleux puritains), évoquant, par exemple, « la beauté que doivent revêtir la mise en place des personnages sur le plateau et le déplacement des groupes »[39]. Il vise surtout un plaisir de l'intelligence : rien n'est plus opposé, de tout évidence, au projet du théâtre épique, qu'un comédien qui distillerait l'ennui au nom du sérieux, et qui assommerait un spectateur qu'il doit au contraire chercher à éveiller et à convaincre.

> [La] seule justification [du théâtre] est le plaisir qu'il procure, mais ce plaisir est indispensable. On ne pourrait lui attribuer un statut plus élevé, en le transformant par exemple en une sorte de foire à la morale : il devrait alors plutôt veiller à ne pas se dégrader, ce qui ne manquerait pas de se produire dès l'instant où il ne ferait plus de la morale une source de plaisir, et de plaisir pour les sens (obligation qui d'ailleurs ne saurait que profiter à la morale)[40].

Quant à l'émotion, il est vrai que Brecht condamne le principe de l'identification sentimentale au personnage, parce qu'il y voit une source d'aveuglement et de mystification du spectateur. Mais il ne l'exclut pas systématiquement de son théâtre. Simplement, il requiert que le spectateur n'en reste pas au stade de l'adhésion affective, mais qu'il s'interroge sur les comportements, les situations qui ont provoqué son émotion. Une pièce comme *Mère Courage* est, à cet égard, particulièrement révélatrice, qui utilise des situations à forte charge émotionnelle, les méfaits de la guerre, la souffrance maternelle, etc. — et dans le rôle-titre, Helen Weigel, l'interprète favorite de Brecht, ne s'est pas privée d'émouvoir ! Mais ces situations, et leur interprétation par le comédien, sont élaborées de telle façon que le spectateur soit conduit à *situer*, donc à *critiquer*,

39. *Petit organon sur le théâtre*, p. 89.
40. *Op. cit.*, p. 13.

l'enchaînement des causes et des effets dont elles sont le résultat, et, par exemple, la contradiction dans laquelle s'enferme aveuglément l'héroïne qui croit pouvoir profiter des « retombées » économiques de la guerre sans prendre conscience que la contrepartie de ce bénéfice matériel est la dislocation de sa famille et la mort de ses enfants.

Dans ces conditions, s'il doit se libérer de toute une mythologie qui pose comme allant de soi la fusion des deux subjectivités de l'interprète et du personnage, en bref la traditionnelle identification, l'acteur du théâtre épique ne renonce pas à « vivre » son rôle. Mais il apporte quelque chose de plus : il *représente* son personnage et il se situe par rapport à cette représentation. Qu'il incarne, par exemple, un « jaloux », il devra renoncer à jouer la tragédie de la jalousie (Othello) ou la comédie de la jalousie (George Dandin), parce que, ce faisant, il occulterait toute possibilité de compréhension et de critique de ce comportement en le présentant comme un « destin », c'est-à-dire comme une manifestation inévitable, naturelle (procédant d'une nature humaine intemporelle, universelle). Il représentera, au contraire, la jalousie comme la résultante d'un ensemble de facteurs déterminés par la situation historique du personnage (celle d'Othello, mercenaire prestigieux, mais noir, de la République de Venise, celle de George Dandin, paysan enrichi et déraciné), mais aussi par l'idéologie d'une époque et d'un système social que l'auteur reproduit.

D'autres facteurs que les éléments de caractérisation individuelle entreront donc dans l'élaboration du rôle, et notamment des procédures qui assurent la « mise à distance » de l'action représentée et dont le principe directeur est que le comédien ne doit pas s'identifier au personnage qu'il interprète, ou plutôt qu'il représente :

> Si [l'acteur] doit représenter un possédé, il se gardera de donner l'impression de l'être lui-même ; sinon, comment les spectateurs découvriraient-ils ce qui possède le possédé[41] ?

41. *Op. cit.*, p. 63.

Mais il convient de préciser que, du principe de la distanciation, on ne saurait déduire ni un dogme méthodologique, ni même un ensemble de techniques ou de recettes définitivement établi. Tout dramaturge, tout metteur en scène, tout comédien, peut, à tout moment, en perfectionner ou en renouveler la mise en œuvre. Et ce renouvellement est d'autant plus nécessaire que l'effet d'étonnement et d'interrogation, que la distanciation cherche à provoquer, s'émousse dès lors que la répétition transforme en stéréotype une technique trop exploitée. On voit donc toute l'importance que revêt, dans l'art de l'acteur épique, la part de l'inventivité. Rien de plus étranger, au fond, à la réalité que cette image trop répandue d'un comédien figé dans le respect de quelques règles techniques et comme absent de lui-même et de son personnage.

Cela dit, on ne s'improvise pas acteur épique. Brecht a souligné qu'à un acteur nouveau devait correspondre un apprentissage nouveau, et de préférence à un moment de sa carrière où il n'est pas encore trop marqué par la pratique d'un jeu traditionnel. Un grand nombre de textes montrent son intérêt pour une pédagogie de l'acteur épique et, sous son impulsion, le Berliner Ensemble n'a pas été seulement une entreprise de spectacles, mais aussi un lieu de formation et de perfectionnement du comédien.

Aussi bien, la pénétration du jeu brechtien sur la scène française n'a-t-elle pas été seulement freinée par la réticence de comédiens traditionnels à expérimenter une forme d'interprétation qui ne leur était pas familière, mais aussi, et peut-être surtout, par l'absence de formation appropriée. Jean Dasté, montant à la Comédie de Saint-Etienne *le Cercle de craie dans le Caucase* (c'était la création française, en 1957), déplorait que la technique de l'acteur français ne lui permît pas le passage du parlé au chanté (les *songs*). Et en montant *Mère Courage* ou *Arturo Ui*, Vilar a sans doute eu raison de ne pas trop se préoccuper d'imposer à ses interprètes (et à lui-même) des procédures de distanciation qu'ils auraient eu le plus grand mal à mettre en œuvre. Le risque étant, évidemment, de « pathétiser » indûment, donc de fausser les œuvres de Brecht, et d'en brouiller la perception.

Si la pénétration de la pratique du jeu épique fut relativement lente et diffuse dans les années 60, elle ne saurait, pour autant, être minimisée. A la vérité, l'apprentissage s'est effectué sur le « tas », empiriquement. Comme à l'accoutumée, les principaux centres de formation de l'acteur existant en France, publics ou privés, sont demeurés trop longtemps crispés sur la perpétuation et la préservation d'une prétendue tradition française[42]. C'est donc, pour l'essentiel, à des metteurs en scène qu'on doit l'expérimentation et la mise en pratique de techniques peu familières empruntées à (ou inspirées de) la pédagogie brechtienne, techniques nécessaires à la réalisation de spectacles eux-mêmes gouvernés par la théorie du théâtre épique.

L'un des plus notoires, on l'a dit, et l'un des premiers fut certainement Roger Planchon à la tête de son théâtre de Villeurbanne. Ses premières tentatives, remettant en question ou, plutôt, faisant voler en éclats la vision traditionnelle des classiques, causèrent une sorte de scandale qui culmina lorsqu'il « s'attaqua » à Molière ou à Marivaux[43].

Ainsi par exemple, à la farce du cocuage, Planchon substitue-t-il une représentation des conflits de classes propres à la seconde moitié du XVIIe siècle *(George Dandin)*. Il montre le face à face d'une aristocratie oisive, économiquement sur le déclin, et d'une paysannerie enrichie qui cherche à se légitimer par l'acquisition de ce que les sociologues appellent les « biens symboliques » (l'accès au « nom », aux « bonnes manières »...), paysannerie qui ne laisse pas de se faire gruger par la classe détentrice de ces biens. Dans ce contexte, le personnage de Dandin ne sera plus interprété selon la tradition farcesque héritée du XVIIe siècle, en

42. La seule exception, ici, fut sans doute l'école rattachée au Centre dramatique de Strasbourg.

43. *George Dandin*, 1958 ; *La Seconde surprise de l'amour*, 1959.

exploitant tous les stéréotypes éprouvés de cette tradition, ni même dans la perspective « pathétisante » inventée par le XIXe siècle (perspective marquée par l'idéologie d'une bourgeoisie qui a le culte de l'ascension sociale et de la fidélité conjugale). Le Dandin de Planchon découle de la définition préalable de ce que Brecht appelle le « gestus social » du personnage, c'est-à-dire, sommairement, la ligne directrice qui régit et explique son comportement et à partir de laquelle l'interprétation fonde sa cohérence. Faut-il préciser que le « gestus » subordonne les facteurs psychologiques aux déterminismes sociaux[44] ? Dandin se définit donc d'abord comme un nouveau riche sans scrupule dont la préoccupation dominante est d'asseoir sa récente ascension sociale. « Je vois Dandin, dit Planchon, méchant, repoussant, frisant l'abjection »[45]. Le personnage est d'autant plus déplaisant qu'il n'a pas encore acquis la technique du camouflage et de la séduction, ce policé, cette élégance que confère une longue familiarité avec l'argent et avec la classe qui en détient les sources. « C'est un très riche propriétaire : son costume doit donner l'image de l'opulence, de la richesse, avec un je ne sais quoi du parvenu, mais pas de préciosité. Car où aurait-il appris la préciosité ? »[46]. C'est donc le comportement social et non plus l'infortune conjugale du personnage qui doit déterminer toute la construction de l'interprétation[47]. Ce nouveau Dandin est apparu, au public bien-pensant de 1958, tout à la fois dépourvu de ses vertus comiques et de la souffrance conjugale qui permettait l'adhésion affective

44. Voir sur cette question l'excellente étude de Patrice PAVIS, Mise au point sur le gestus, in *Silex*, avril 1978, n° 7, p. 68.

45. Cité par Emile COPFERMANN, in *Planchon*, pp. 116-117.

46. *Ibid.*, n. 44.

47. Pour mieux visualiser le « gestus » du personnage, Planchon n'hésite pas à introduire sur scène des figurants que Molière n'avait pas prévus, des paysans, témoins muets et accusateurs de l'ascension sociale de George Dandin. Par leur présence misérable, leur comportement laborieux, ils révèlent à quel prix elle s'effectue. Ils montrent aussi la solitude sociale d'un homme qui a rejeté et asservi sa classe d'origine, sans parvenir à se faire « reconnaître » par la classe dominante dont il essaie de forcer les portes.

du spectateur. Mais le vrai scandale était peut-être que la représentation épique ne montrait plus des créatures de la mythologie théâtrale française. Elle parlait des rapports de classes...

D'autres noms ont également contribué à cet avènement de l'acteur épique. On ne peut que les mentionner rapidement : en Allemagne, Benno Besson, Peter Palitzsch et Manfred Wekwerth qui ont eu à assumer la succession de Brecht au Berliner Ensemble. En Italie, Giorgio Strehler, Gianfranco de Bosio, Luigi Squarzina. En France, Jean-Pierre Vincent, Ariane Mnouchkine, Bernard Sobel, Jean Jourdheuil, et bien d'autres...

Les divers avatars de l'acteur contemporain ont contribué à la généralisation de l'une des revendications les plus constantes de la première moitié du siècle : l'intégration du comédien au sein d'une *troupe permanente*. C'est que toutes les recherches sur le jeu de l'acteur ont au moins ceci de commun : elles se définissent comme des pratiques *collectives*. Cette extension, cette institutionnalisation de la troupe permanente (centres dramatiques en France, *teatri stabili* en Italie, théâtres d'Etat en Europe de l'Est...), constituent peut-être, à y bien regarder, l'un des phénomènes capitaux dans l'histoire de la représentation contemporaine, et en tout cas le facteur d'évolution du jeu de l'acteur le plus important.

Sans doute serait-il excessif de déclarer close l'ère du « vedettariat ». D'autant que même les collectivités les plus soucieuses de l'éviter n'y sont pas toujours parvenues : Helen Weigel faisait figure de vedette au Berliner Ensemble ; de même Richard Cieszlak chez Grotowski, Julian Beck et Judith Malina au sein du Living Theatre. Mais enfin le terme, avec ces comédiens, ne véhicule plus les connotations d'irresponsabilité artistique et d'idolâtrie plus ou moins délirante dont il se chargeait au début du siècle.

Et, pour mesurer l'évolution des mœurs théâtrales, en une trentaine d'années, il suffit de comparer les usages de quelques troupes majeures. Celle de Vilar, au TNP, passait, avec raison, pour l'une des plus homogènes de son temps. C'était pourtant une troupe à vedettes. On allait voir Gérard Philipe dans *le Cid* ou dans *le Prince de Hombourg*, Germaine Montero dans *Mère Courage* ou Maria Casarès dans *Macbeth*... Les choses, avec Planchon, sont déjà différentes. L'équipe de Villeurbanne, depuis longtemps constituée, ne fait qu'un appel épisodique, intermittent, à des interprètes extérieurs. Acteurs connus, plutôt que vedettes, tentés par une expérience artistique rigoureuse : Michel Auclair dans *Tartuffe* et *Richard III*, Samy Frey et Francine Bergé dans *Bérénice*, Claude Rich dans *Périclès*...

Rapprochons-nous de l'époque actuelle : le Théâtre du Soleil va jusqu'à pratiquer un strict anonymat du comédien, qui, d'ailleurs, assume volontiers d'autres tâches que l'interprétation du rôle qui lui revient[48]. De même le petit groupe du CIRT animé par Peter Brook depuis 1971. Il s'agit d'une équipe internationale, quasi anonyme, décidée à travailler dans l'austérité préconisée par son créateur[49].

Cette évolution n'est pas réellement imputable à des raisons économiques (Gérard Philipe, au TNP, n'était pas mieux payé que tel ou tel de ses camarades moins célèbres), mais à une transformation des mentalités et des pratiques. Transformation qui, par ricochet, a transformé la vision et l'attente du public.

Ce n'est sans doute pas un hasard si le développement du vedettariat est lié à une pratique du théâtre centrée sur la notion de personnage fortement caractérisé. A des héros hors du commun, il faut des interprètes hors du commun ! Centrée aussi sur la valorisation (accompagné souvent d'un total irrespect) du texte. D'une part, l'individualisation

48. Rien n'est plus révélateur, à cet égard, que la présentation typographique du personnel ayant contribué au spectacle. En mêmes caractères et dans le plus égalitaire des ordres alphabétiques, apparaissent les noms des techniciens, costumiers, éclairagistes, documentalistes, administratifs, affichistes, comédiens... (cf. *1793*, p. 174).

49. Peter Brook avait pourtant dirigé les vedettes les plus prestigieuses de la scène anglaise : Laurence Olivier, Vivien Leigh, Paul Scoffield...

exacerbée requiert un discours approprié ; d'autre part, chacun sait que le charisme théâtral repose essentiellement sur la *voix*, c'est-à-dire sur la *déclamation* qui permet de la mettre en valeur[50].

Il devenait clair qu'à partir du moment où un nouveau théâtre avait besoin d'un nouvel acteur, le vedettariat serait mis en question. L'acteur nouveau doit représenter des rapports sociaux et des processus historiques dans une dramaturgie qui désindividualise le personnage (Brecht). Il doit investir un espace qui éclate, des aires de jeu qui se multiplient (Ronconi, Mnouchkine)...

L'acteur d'aujourd'hui est donc, logiquement, moins spectaculaire, mais plus virtuose. Il est capable de jouer à froid, de démonter et démasquer son personnage. Il privilégie la réflexion plutôt que l'instinct. Il joue « à l'ironie » plutôt qu' « à l'émotion ». Ce sont des vertus tout à fait opposées à celles de la vedette qui s'impose justement par son *pathos*. Ce nouvel acteur est, à la limite, sans visage et sans voix, ce qui ne veut pas dire sans personnalité. Il maîtrise des techniques peu familières aux vedettes dont l'art est surtout une stylisation de la diction et une vocalisation. Techniques acrobatiques du corps, travail sur le masque facial (Grotowski) ou jeu masqué, exploration des différents registres de la voix et, plus largement, de tout ce qu'on pourrait appeler la théâtralité du corps. C'était dans cette direction qu'Artaud rêvait d'entraîner l'acteur de son temps, que Meyerhold s'était engagé, mais trop brièvement. C'est aussi dans ce sens que Brecht a fait travailler ses comédiens du Berliner Ensemble et Ariane Mnouchkine ceux du Théâtre du Soleil. Que les techniques mises en œuvre soient nouvelles (Grotowski) ou traditionnelles (le cirque, la commedia dell' arte...), dans tous les cas il s'agit

50. Ce n'est certainement pas un hasard si le seul « lieu » où persiste le *star system*, que même le cinéma est en passe d'abandonner faute d'adorateurs, c'est la scène du théâtre lyrique. Les « monstres sacrés » le savaient déjà, c'est le *bel canto* qui suscite l'hypnose voluptueuse des foules et leurs acclamations éperdues...

de pratiques collectives qui excluent l'individualisme et le narcissisme inhérents au jeu de la vedette. Car, ici, la virtuosité multiple qui est développée n'est pas une fin en soi. Il s'agit de faire du comédien un instrument efficace. Disponible pour les recherches les plus variées et les plus audacieuses. Capable de faire apparaître toutes les formes de la théâtralité.

CHAPITRE VI

L'entreprise théâtrale en France

Il serait trop long de retracer ici, dans tous ses méandres, l'histoire de l'organisation du théâtre en France depuis un siècle. Il y faudrait à la fois le regard du sociologue — la question du public, ou plutôt des publics, étant généralement le pivot autour duquel s'ordonnent tout débat, toute réflexion consacrés à l'évolution et à la survie de l'entreprise théâtrale. Il y faudrait aussi le regard du publiciste : le théâtre n'est pas, tant s'en faut, un espace clos, indépendant des contingences et des choix politiques ou économiques. Mais l'étude de la représentation ne saurait se dispenser de rendre compte, au moins cursivement, du système dans lequel ses formes apparaissent. Système déterminé par le fait que l'art théâtral est assujetti à des contraintes matérielles, lié à des enjeux économiques et que, d'autre part, l'Etat définit et applique une politique culturelle qui se traduit par la répartition de subventions, par la prise en charge, partielle ou totale, du financement de certaines entreprises, ou, à l'inverse, par l'indifférence aux difficultés que rencontrent telle ou telle forme de théâtre que l'on ne souhaite pas (ou plus) soutenir.

Depuis une trentaine d'années, répétons-le, la question du public traverse tous les débats. Ceux qui concernent l'organisation et la politique du théâtre en France. Ceux qui s'intéressent au renouvellement du répertoire, à la transformation des formes et des pratiques de la scène, etc.

Le problème, pourtant, n'est pas nouveau, ni même la conscience qu'on peut avoir de son importance. Sans remonter jusqu'à la Révolution de 1789 qui a esquissé une réorganisation de l'entreprise théâtrale pour un nouveau public, on doit ici rappeler les tentatives de Firmin Gémier. Dès 1910, il constate qu'un public potentiel existe là où aucune implantation théâtrale ne permet de répondre à la « demande ». Considérant qu'il serait vain d'attendre que ces possibles « spectateurs » se plient à la loi du centralisme parisien et *viennent* au théâtre, Gémier part, avec son « théâtre national ambulant », à la recherche et à la conquête de cet « autre » public. L'entreprise est interrompue prématurément, mais, en 1920, Gémier est nommé directeur d'un Théâtre populaire du Trocadéro qu'il animera jusqu'en 1933. Puis ce sera un « creux » de dix-huit ans : le manque de dynamisme et d'imagination des gouvernements de la IIIe République, en matière de théâtre, la médiocrité des successeurs de Gémier, l'interruption due à la guerre, tout cela fera qu'à l'avénement du TNP de Vilar, en 1951, l'expression « théâtre populaire » évoque un art au rabais, bon marché, certes, quant au prix des places, mais aussi quant à la qualité des mises en scène qui n'avaient d'autre pôle de référence que le Théâtre-Français. Sans en avoir les moyens ni matériels ni humains ! L'avantage de tout cela était qu'il s'agissait d'un théâtre parfaitement académique et parfaitement inoffensif sur le plan politique.

Ce n'était pas, pourtant, qu'on n'eût conscience de la difficulté qu'il y avait à proposer, ou plutôt à imposer, à un public jusqu'alors exclu du théâtre et, plus largement, de toute pratique culturelle, un usage qui, tant au plan de la représentation qu'à celui du répertoire, démarquait les codes du théâtre bourgeois : rites du spectacle à l'italienne, célébration du patrimoine national, culte des formules traditionnelles et méfiance à l'encontre de tout ce qui risquait de les bousculer....

La question du répertoire, notamment, se posait dans les termes suivants : faut-il donner accès aux grandes œuvres accaparées, depuis le XIXe siècle, par la classe dominante ? Faut-il inventer un répertoire nouveau, spécifiquement adapté, dans ses modes d'écritures dramatique et scénique, à un public populaire ? Sans doute les deux options ne sont-elles pas incompatibles. Dans les faits, cependant, la première a largement dominé la décennie 1950-1960, alors que la seconde s'est fortement imposée après 1968. La génération de 1968 a en effet violemment mis en question l'ensemble d'une politique de théâtre populaire, dont les principaux promoteurs furent le TNP de Vilar, et, dans sa foulée, les centres dramatiques (Planchon, Rétoré, Gignoux, etc.). De fait, en proposant une « lecture » moderne des grands textes, ne se trompait-on pas d'adresse ? Ne répondait-on pas surtout à la « demande » d'une petite bourgeoisie désireuse d'accéder aux pratiques culturelles des couches supérieures, beaucoup plus qu'à celle d'un prolétariat indifférent à de telles préoccupations ? L'étude de la fréquentation de ces théâtres, par catégories sociales, au cours des vingt dernières années, appuierait sans doute, à quelques nuances près, une telle argumentation.

Quoi qu'il en soit, la génération de 1968 préconise une réorientation du théâtre populaire qui apparaît comme l'antithèse absolue des options prises vingt ans plus tôt. Dans les années 50, on acceptait en gros les contraintes de la structure à l'italienne quitte à l'aménager. C'est, on l'a vu, le parti de Vilar à Chaillot, celui de Planchon à Villeurbanne, etc. Deux modèles, au fond, se rejoignent ici : la référence au théâtre de la Cité, aux théâtres rassembleurs, chère à Vilar, et l'inspiration brechtienne de Planchon et de quelques autres. La nouvelle génération exige, quant à elle, une rupture radicale avec toute apparence d'institutionnalisation : le théâtre populaire doit se faire partout où se trouve le peuple (dans la rue, sur les lieux de travail et de réunion, le dispositif le plus facile à transporter et à adapter étant le meilleur...)[1].

1. Pierre Debauche, à Nanterre, avait déjà travaillé en ce sens, présentant aux travailleurs immigrés, sur leurs lieux d'habitation, des spectacles conçus à leur intention et, bien sûr, dans leur langue.

L'opposition de doctrine se retrouve au niveau de la définition même du *public populaire*. La génération des années 50 nourrit l'espoir que la salle de théâtre sera le lieu d'une rencontre pacifique et d'une fraternisation de classes. Les intérêts divergents ou opposés devant ici s'effacer au profit de valeurs communes. Le théâtre sera aussi, dans cette perspective, le lieu d'un apprentissage, d'une formation du spectateur. Progressivement, la fréquentation du théâtre le fera accéder à une sorte de compétence en ce sens qu'il aura acquis les repères à l'aune desquels distinguer le bon théâtre du moins bon, et l'envie de fréquenter d'autres salles. Vingt ans plus tard, on dénonce l'idéalisme mystificateur d'une telle conception. Que l'agent de change côtoie fraternellement l'ouvrier durant les deux heures d'une représentation ne peut que jouer au bénéfice du premier, et démobiliser, ou duper le second, en escamotant un antagonisme de classes. Le nouveau théâtre populaire sera, comme d'ailleurs le voulait Brecht, un théâtre *prolétarien*[2]. Il ne cherchera plus à remplir de grandes salles, il ira à la rencontre de petits groupes. Il visera prioritairement le public ouvrier et se soumettra à ses « besoins ». Ce n'est plus le théâtre qui formera le spectateur, mais le spectateur qui orientera le théâtre.

Alors que la génération de Vilar ambitionnait de transmettre un héritage à d'autres légataires, les enfants de mai 1968 refusent tout héritage. L'idée même d'une compétence professionnelle, d'une spécialisation qui introduirait un clivage et une hiérarchie entre les producteurs de la représentation (ceux qui savent et qui enseignent) et le public (ceux qui ignorent et qui apprennent), cette idée est tenue en suspicion. Ceux qui font le théâtre se posent en amateurs, ou plutôt en militants, non plus en professionnels. C'est que l'objectif visé est différent. Un rêve de révolution sinon par, du moins avec le théâtre s'est

2. Pour cette génération, la référence majeure est, en fait, l'action d'un animateur et acteur contemporain : l'Italien Dario Fo.

substitué à celui d'un partage démocratique du plaisir culturel. Ce nouveau théâtre populaire, au lieu de glorifier ce qui unit dans une sorte d'illusion universaliste, fait voir ce qui divise dans une exigence de lucidité critique. Aussi bien, alors que l'un met l'accent sur les rapports de l'individu et du monde, qu'il offre le héros à l'admiration passive du public, l'autre privilégie le groupe comme instrument de combat, et l'action représentée devrait susciter l'active participation du spectateur, l'espoir sous-jacent étant que cette adhésion se prolonge hors du théâtre.

Autre plan où s'affirme l'opposition de deux conceptions non plus seulement du théâtre, mais de la vie, et qui reflète sans doute une transformation idéologique : celui des valeurs. A un théâtre de la communion, de la célébration succède un théâtre de la fête. A une affirmation de la valeur morale succède une déclaration de liberté des corps. A un discours qui visait l'amélioration de la Loi et son ajustement en vue du bonheur général, succède un discours qui refuse le primat de la Loi pour affirmer celui du Désir...

En 1946, Vilar affirmait : « Il s'agit donc de faire une société, après quoi nous ferons peut-être du bon théâtre. » Vingt-cinq ans plus tard, André Benedetto[3] proclame sa volonté de « pratiquer le théâtre dans le but de créer une société dans laquelle chacun fera son théâtre... ».

Cette évolution explique un phénomène caractéristique de la dernière décennie : la multiplication de troupes indépendantes à l'existence souvent éphémère, ou intermittente, dans la mesure où elles estiment que leur projet de théâtre

3. Animateur de la Nouvelle Compagnie d'Avignon, Benedetto est le représentant exemplaire de cette « seconde génération » qui veut promouvoir, de préférence au « texte », la « création collective », et faire du théâtre un instrument de combat, et d'abord de dévoilement : démonter, comme Brecht le préconise, des processus, décrire non pas l'apparence qui s'affiche, mais la réalité qui se camoufle. Ses réalisations articulent volontiers des problèmes de politique générale (la jeunesse, la femme...) à l'affirmation d'une mémoire et d'une personnalité occitanes ; mentionnons seulement *Zone rouge* (1968), *Mandrin* (1970), *Rosa Lux* (1970), *la Madone des ordures* (1973), *Géronimo* (1974)... Pour plus de détails, on consultera avec profit *Travail théâtral*, automne 1971, n° 5.

(populaire ou révolutionnaire) exclut toute compromission avec les pouvoirs publics. Leur travail diffère également de ce qui se fait dans les centres dramatiques. Il s'agit d'abord d'inventer un répertoire qui épouse étroitement l'expérience quotidienne du spectateur. Pour réaliser cela, les comédiens entreprennent, eux-mêmes, de longues enquêtes dans les quartiers populaires, dans les usines, dans les hôpitaux, etc. Ainsi la troupe du Théâtre de l'Aquarium a-t-elle pris contact, pour monter *la Jeune Lune...*, avec les travailleurs de quatre entreprises occupées à Haisnes, Fougères, Rouen et Besançon. De la même façon, Jean-Paul Wenzel, l'un des promoteurs du « théâtre du quotidien », a-t-il invité les habitants de Bobigny à s'exprimer au sein de groupes de réflexion mis en place par le centre communal culturel. Il s'agit d'amener les gens à prendre la parole, à dire leur rapport à la cité, leurs façons de vivre, leurs espoirs et leurs angoisses, leur pratique de l'espace et du temps, etc. A partir de ce matériau, Jean-Paul Wenzel réalisera un spectacle organisé autour du thème de la *naissance d'une ville*. C'est également de cette façon que le Théâtre du Soleil a élaboré, partiellement, *l'Age d'or* (voir *supra*, chap. II, p. 78).

Une semblable pratique a fait école. De nombreuses troupes cherchent à articuler leur activité proprement théâtrale sur une relation de plus en plus étroite avec un environnement social spécifique. Elle permet de recueillir les informations de tous ordres dont le théâtre a besoin pour cerner et pour traduire la réalité singulière d'un spectateur qu'on ne définit plus de façon générale (l'ouvrier) ou abstraite (l'amateur de théâtre).

Autrement dit, le théâtre populaire n'attend plus, comme le faisait Vilar dans les années 60, l'hypothétique avènement d'auteurs écrivant « pour les masses d'aujourd'hui ». L'évolution, ici, est la conséquence (et peut-être aussi la cause) de la transformation des rapports traditionnels avec le texte de théâtre (voir *supra*, chap. II, p. 68 sq.). Le « collectif » prend en charge l'écriture de la pièce qu'il entend produire. Cette pratique de création collective détermine de nouveaux modes et de nouvelles formes de dramaturgie : plus souples, plus libres, et en même temps moins savamment élaborés... C'est qu'il s'agit de tout autre chose que d'une « œuvre » avec les connotations culturelles, élitistes, véhiculées par ce terme. On ne crée plus pour entrer dans le panthéon de l'histoire du théâtre et dans le patrimoine national, mais pour aider le spectateur à un moment de son histoire, à un point précis des luttes sociales et politiques. Et plutôt que de pièce, mieux vaudrait parler de spectacle. A une dramaturgie de l'intrigue, à un théâtre narratif, on préfère généralement un dispositif ouvert et modifiable, constitué — la leçon de Brecht n'est pas oubliée — de tableaux, de sketches, plus ou moins autonomes. Il faut dire que cette dramaturgie est aussi imposée par les conditions matérielles de la représentation. Jouer dans les usines occupées, dans les préaux, sur les places publiques..., voilà qui exige peu de moyens, une grande souplesse d'adaptation, la possibilité d'improviser, de développer ou de condenser le spectacle, en fonction de son environnement *hic et nunc* (attitude du public, intervention de la police, etc.).

Pour ces troupes, le passage dans une salle de théâtre institutionnelle ne constitue pas l'objectif final, mais plutôt une sorte d'activité secondaire qui permet, outre un éventuel gain financier et un certain impact publicitaire, un travail de rodage, de mise au point, d'autant plus nécessaire que la mise en scène n'émane pas d'un seul individu auquel serait reconnue une compétence spéciale et délégué un pouvoir de création qui appartient à l'ensemble du « collectif ». A la limite, chaque comédien est responsable de l'invention de son (de ses) personnage(s). A lui de reconstituer, de rendre vivantes, palpables, des situations qui lui ont été racontées, des individualités qu'il a pu rencontrer... Cependant, le professionnalisme que ces troupes revendiquent leur interdit de refuser ou de négliger une réflexion et une élaboration au niveau de la forme même de la représentation, sauf à se cantonner dans une dramaturgie axée sur le témoignage vécu, les stéréotypes de la quotidienneté, bref à en revenir à un néo-naturalisme qui reproduirait sans donner à comprendre. Ce qui explique l'attention portée par ces troupes aux problèmes de stylisation en relation avec la perception du spectateur, ainsi qu'en témoignent les plus récentes tentatives du Théâtre de l'Aquarium *(la Sœur de Shakespeare, Pépé)* ou du Théâtre du Soleil. La réactivation de certaines techniques tombées en désuétude (la commedia dell' arte) ou marginalisées (l'entrée de clowns), par ce théâtre, doit être située dans un tel contexte.

La définition et la mise en œuvre d'une pratique nouvelle du théâtre populaire doivent être replacées dans le paysage théâtral français, tel qu'il se présente à l'aube des années 80. Peut-être en apercevra-t-on mieux, ainsi, l'originalité et la nécessité.

Dans les pays européens, de l'Ouest et de l'Est, la plupart des villes d'une certaine importance disposent d'une structure de représentation constituée par un théâtre en état de fonctionnement et, souvent, par une troupe à demeure. L'art qui s'y pratique n'est pas forcément académique, témoin le Théâtre-Laboratoire de Wroclaw animé par Jerzy Grotowki, les recherches de Peter Zadek à Düsseldorf, le célébrissime Piccolo Teatro de Milan de Giorgio Strehler, etc.[4].

La France, elle, peut « afficher » quatre théâtres nationaux, dix-neuf « centres dramatiques » aux statuts fort divers, et, approximativement, trois cents compagnies plus ou moins régulières. Les conditions de travail de ces dernières sont excessivement précaires, réduites qu'elles sont, pour la plupart, à leurs ressources propres, c'est-à-dire à une perpétuelle insécurité, à la hantise de l'échec artistique qui se traduit par une immédiate sanction financière. On peut

4. Le financement de ces théâtres est pris en charge par l'Etat et/ou par la municipalité.

affirmer, sans gros risque d'erreur, que 90 % de ces entreprises sont des institutions intermittentes. Leur personnel artistique et technique est engagé ponctuellement, à l'occasion d'un spectacle, et ne bénéficie d'aucune stabilité de l'emploi.

C'est que le théâtre, indépendamment de toute option esthétique, ne peut plus être considéré du seul point de vue de la rentabilité. Qu'un spectacle connaisse une exploitation bénéficiaire, cela constitue une extraordinaire exception : on n'en dénombre guère plus de deux ou trois par an, et le plus souvent, ces « exceptions », faut-il le dire, n'ajoutent pas grand-chose à la gloire du théâtre ! Le phénomène n'est pas circonscrit aux formes « culturelles » de cet art. Les spectacles qui se définissent eux-mêmes comme de pures entreprises commerciales (théâtre de boulevard, music-hall...) sont victimes de la même évolution. On invoque ordinairement, pour expliquer cette « crise », des concurrences bien vainement dénoncées : cinéma, télévision, week-ends, etc. Mais la raison essentielle n'est pas là : car, si le prix des places était aligné sur la croissance des frais de production (fabrication des décors, des costumes, des accessoires, cachets, budget de fonctionnement et d'entretien...), la vérité est qu'il deviendrait inabordable pour le spectateur le plus fortuné ! La sauvegarde des activités théâtrales suppose donc une politique interventionniste de l'Etat.

En 1978, le budget de la nation, pour le théâtre, a été d'environ 187 millions de francs. Il faut préciser que, dans le financement et la gestion des théâtres, il existe diverses modalités d'intervention de l'Etat. Sur les comptes des théâtres nationaux, il exerce un contrôle direct.

Il n'est peut-être pas inutile de souligner que la Comédie-Française se voit attribuer une subvention supérieure à la subvention globale répartie entre les autres théâtres nationaux : 47,9 millions de francs pour 1978. A quoi s'ajoute une dotation spéciale pour l'Odéon dont la gestion et la programmation sont aujourd'hui sous la responsabilité de l'administrateur du Théâtre-Français (11,3 millions de francs pour 1978). Ce théâtre tient lieu de seconde salle à la Comédie-Française. Elle a pour vocation d'accueillir les troupes de la décentralisation ou des compagnies étrangères (le Piccolo Teatro de Milan, par exemple). Elle dispose également, grâce à Jean-Louis Barrault qui en fut le directeur de 1959 à 1968, d'une salle expérimentale, le Petit-Odéon.

Jusqu'en 1972, la salle de Chaillot a pu se prévaloir du fameux sigle TNP qui, dans l'esprit du public, était lié à l'entreprise conduite par Vilar de 1951 à 1963. En 1972, les missions du théâtre national populaire ont été dévolues au Centre dramatique de Villeurbanne animé, sur le plan artistique, par un duumvirat Roger Planchon - Patrice Chéreau. L'attribution du « label » TNP a eu évidemment pour corollaires tout à la fois un nouveau cahier des charges, une augmentation appropriée de la subvention et une transformation du mode de financement de ce théâtre. Quant à la salle de Chaillot, elle devait être restructurée de fond en comble, pour devenir un lieu de « renouvellement des formes et des conditions de la création contemporaine ». Louable projet, dont la réalisation fut confiée à Jack Lang, le créateur et l'animateur du Festival international de Théâtre de Nancy (voir *infra*, p. 243). Divers facteurs, malheureusement, se conjuguèrent qui débouchèrent sur la mise en sommeil, pour ne pas dire la mise à mort, de cette entreprise. Facteur économique : le coût d'utilisation de la grande salle rénovée se révéla plus onéreux qu'il n'avait été prévu. Facteur politique : l'incompatibilité d'humeur entre Jack Lang et le nouveau ministre de tutelle, Michel Guy. L'opposition politique, en l'occurrence[5], se doublait d'une rivalité « professionnelle », Michel Guy étant, par ailleurs, le fondateur et l'animateur du Festival d'Automne de Paris (voir *infra*, p. 244). Mais le facteur décisif fut sans doute une réorien-

5. On sait que, si Michel Guy se réclame de la majorité au pouvoir, Jack Lang est un animateur du Parti socialiste.

tation de toute la politique culturelle de l'Etat sur laquelle on reviendra. Bref, Jack Lang fut écarté par Michel Guy, et Chaillot confié à André-Louis Périnetti, qui, avec une subvention de 14,8 millions pour 1978, se vit contraint d'en faire un lieu d'accueil pour des spectacles venus de l'extérieur...

Quant au TEP (Théâtre de l'Est parisien) qui a, lui aussi, statut de théâtre national, sa vocation propre se définit à la fois par son passé et par son implantation. A l'origine, l'initiative d'une compagnie semi-professionnelle animée par Guy Rétoré qui s'efforça, avec des moyens de fortune, d'offrir des représentations d'un haut niveau aux habitants de l'Est parisien (les XIe, XIIe, XIXe et XXe arrondissements, notamment, et la banlieue avoisinante) complètement dépourvu de salles de théâtre. Devenu maison de la culture, en 1963, le TEP a reçu, en 1978, une subvention de 8,6 millions de francs. Rétoré a choisi de perpétuer la politique de théâtre populaire définie et mise en œuvre par Vilar au TNP de Chaillot. L'adhésion de son public légitime une orientation qui vaut peut-être plus par son adéquation à une « demande » que par son audace créatrice.

Le TNS (Théâtre national de Strasbourg), dirigé par Jean-Pierre Vincent, talentueux metteur en scène de la génération de Patrice Chéreau, a plusieurs particularités : d'abord son siège ne se trouve pas à Paris. Il comporte également — il est le seul dans ce cas — une école d'art dramatique qui dispense un enseignement très complet portant sur toutes les disciplines relatives au théâtre. Cette école, fondée par le prédécesseur de Jean-Pierre Vincent, Hubert Gignoux, permet au TNS une politique de recrutement local de son personnel artistique et technique. Sa subvention, pour 1978, est de 10,3 millions de francs.

A côté de ces théâtres nationaux, fonctionnent actuellement dix-neuf centres dramatiques qui constituent l'infrastructure du théâtre français non parisien. Il leur revient d'assurer la politique de *décentralisation* définie et progressivement mise en place, dès 1946, par Jeanne Laurent.

Cette politique a été reprise et développée, à partir de 1959, par le nouveau ministre des Affaires culturelles, André Malraux. Il s'agissait d'offrir aux villes de province la possibilité d'une vie théâtrale autonome, originale. Ces villes, jusqu'alors, n'avaient guère de contact avec le théâtre que celui qu'autorisaient les tournées de spectacles parisiens organisées par des officines privées. La politique de décentralisation devait permettre, sur place, des « saisons » répondant à certaines exigences d'ordre esthétique et culturel, et, par ce biais, de susciter l'apparition d'un public nouveau, dont les bases sociales se seraient élargies. De plus en plus les activités de ces centres s'efforcent à la mobilité. Par de fréquentes tournées ils cherchent à « irriguer » la région qui dépend de leur ville de rattachement.

La subvention attribuée, par l'Etat, à l'ensemble des centres dramatiques, était, pour 1978, de 60 millions. A cette somme, il convient d'ajouter, dans la plupart des cas, l'apport des collectivités locales, diversement important. Contrairement aux théâtres nationaux, les centres dramatiques sont assujettis à des formules juridiques variées. Ordinairement, des contrats trisannuels sont passés entre l'Etat et les directeurs choisis à titre personnel. Ces derniers doivent assurer l'exécution d'un cahier des charges qui comprennent la présentation d'un nombre donné de spectacles, des actions d'animation et de promotion en direction du public, des tournées, etc.

Reste à dire un mot du secteur privé qui fonctionne parallèlement, sinon concurremment, avec l'entreprise publique. Sous cette rubrique il faut mettre deux types de théâtre fort différents l'un de l'autre : les compagnies indépendantes, et l'entreprise privée *stricto sensu*. A la première catégorie appartiennent les jeunes troupes qui cherchent à travailler en s'immergeant dans un public populaire (voir *supra*, p. 227), les compagnies débutantes peu ou mal connues, mais aussi des ensembles quasi institutionnels par leur notoriété et par celle de leur animateur. Les jeunes compagnies sont soutenues (fort médiocrement) sur le plan financier, par le truchement d'une commission ministérielle qui répartit entre les plus remarquables — on parle même de « saupoudrage » ! — les maigres crédits qui sont affectés à cet usage... Quant aux compagnies « institutionnelles », elles sont directement soutenues par le ministère. En 1978, le budget d'aide aux compagnies indépendantes était de 25 millions de francs. Il peut aussi être intéressant de savoir que, pour l'exercice 1977, 88 subventions ont été attribuées pour 250 demandes. S'agissant des compagnies émargeant directement au ministère, les mieux dotées ont été celles de Peter Brook (2 millions), de Robert Hossein (1,8 million) et de Jean-Louis Barrault - Madeleine Renaud (1,4 million).

L'entreprise théâtrale privée, au sens strict du terme, est, pour l'essentiel, constituée d'une cinquantaine de théâtres fixes concentrés dans trois quartiers de la capitale. Ils sont aidés par le biais d'avantages fiscaux et par un fonds de soutien, ainsi que par des subventions en provenance de l'Etat (4 millions pour 1978) et de la ville de Paris. Enfin, les *cafés-théâtres*, sur lesquels on reviendra, constituent une catégorie à part, en ce qu'ils fonctionnent de façon autonome, à charge pour eux de respecter deux obligations : obtenir le visa de la Commission de Sécurité et le consentement de la Société des Auteurs. L'Etat se borne à prélever une taxe sur les consommations.

A l'exception des théâtres nationaux, dont le financement est totalement pris en charge par l'Etat, le secteur public relève ordinairement de deux bailleurs de fonds : l'Etat et les collectivités locales. Cette dyarchie ne va pas sans inconvénients. Au fil de l'expérience, il est apparu que les municipalités répugnent à se dessaisir d'un droit de regard, c'est-à-dire de censure, sur la programmation du théâtre qu'elles contribuent à faire vivre. D'où d'incessants litiges, un chantage à la suspension du financement municipal, qui obligent à de laborieuses tractations et compliquent singulièrement le travail de l'animateur... On peut évoquer, à titre d'exemple, les tribulations du Théâtre populaire de Lorraine, dirigé par Jacques Kraemer. D'abord implanté à Metz, le TPL a vu ses relations avec la municipalité se tendre rapidement. Ce qui l'empêcha, en 1975, d'accéder au statut de centre dramatique. Depuis 1976, son fonctionnement a été handicapé par le refus du conseil municipal messin de participer à son financement. En 1977, il a pourtant reçu, de l'Etat, une subvention de 500 000 F. Bref, pour échapper à cette situation, le TPL a dû renoncer à son implantation à Metz. La municipalité de Thionville a accepté de l'accueillir depuis mai 1977, et une convention, d'une durée de trois ans, à compter du 1er janvier 1978, a été passée entre les parties intéressées. Pour assurer la transition, Thionville a débloqué 300 000 F qui ont permis au TPL de franchir le cap du second semestre de 1977...

Toutes ces difficultés ne constituent que la partie émergée d'un iceberg qui a nom *paupérisation*. Activité culturelle dépourvue de rentabilité, le théâtre est l'une des professions les plus menacées qui soient en période de crise économique. Cette précarité se redouble de la faiblesse de ses structures professionnelles. D'après des statistiques récentes (1977), le nombre des artistes dramatiques — l'expression englobant à la fois le théâtre, le cinéma et la télévision — était évalué approximativement à 6 000. Le taux de chômage était estimé à 80 %. Il s'agit généralement d'un chômage intermittent. D'après le Syndicat français des Artistes-Interprètes, la durée moyenne du travail de chacun serait de six jours par mois ! Dans ces conditions, on s'explique que la plupart des jeunes comédiens doivent se disperser, non seulement entre plusieurs activités ponctuelles (théâtre, cinéma artistique ou publicitaire, télévision, postsynchronisation...), mais, souvent aussi, entre leur profession théâtrale et un second métier, plus régulièrement lucratif. Sur les 6 000 professionnels recensés en 1977, on estimait que :

— 200 recevaient des cachets équivalant à un salaire mensuel de 8 à 9 000 F ;

— 500 se situaient aux alentours de 4 000 F ;
— un millier ne dépassait pas les 2 500 F mensuels ;
— les 4 000 restant ne percevaient même pas le SMIC.

Il serait illusoire de penser que le secteur public — les théâtres « de prestige » mis à part — est beaucoup mieux loti. Le budget de fonctionnement des centres dramatiques ne cesse de s'alourdir, du fait de l'inflation, et les subventions allouées à ces théâtres, en 1978, les placent dans l'impossibilité de remplir intégralement leur mission. Aux termes des contrats signés, l'aide de l'Etat devait augmenter de 25 %. Elle ne s'est accrue, en fait, pour la période concernée, que de 7,4 % (de 9,8 % pour les maisons de la culture). Il y a là une politique de restriction délibérée contre laquelle s'est élevée la Commission des Affaires culturelles de l'Assemblée nationale. Le résultat le plus prévisible est que la mission de création dévolue aux centres dramatiques sera, de manière ou d'autre, réduite, que le nombre des créations prévues soit amputé ou que le nombre global des représentations soit diminué.

Cette paupérisation du théâtre rend de plus en plus aléatoire les entreprises qui sont de l'ordre de l'aventure créatrice, de la recherche artistique, et de plus en plus difficile l'avènement, ou même l'insertion professionnelle, du débutant (comédien ou metteur en scène). Situation qui explique l'apparition, depuis une quinzaine d'années, d'un phénomène marginal, mais qui a connu un grand développement, celui des *cafés-théâtres*.

L'accès aux salles institutionnelles requiert, en effet, des moyens financiers dont les jeunes troupes, mais aussi les auteurs, acteurs et metteurs en scène débutants, sont complètement dépourvus. D'où l'idée — confortée par la vague concomitante de mise en question de la structure à l'italienne — de jouer ailleurs, dans des lieux sommairement aménageables et susceptibles, en même temps, d'attirer le public en lui proposant quelque chose de plus que la seule représentation, des consommations, une atmosphère, une intimité... Ces lieux, c'étaient les arrière-salles de restaurants et de cafés. Ils comblaient au fond deux « vides » : celui qui avait été laissé par la disparition progressive de la plupart des salles expérimentales, contraintes, les unes après les autres, de fermer leurs portes, faute d'un indispensable soutien des pouvoirs publics[6], et aussi celui qu'avait creusé la fin des cabarets « rive gauche », dont la formule « intellectualisait » le cabaret traditionnel. Au lendemain de la guerre, ils avaient connu un succès qui ne s'est pas perpétué. Dernière explication qui permet de rendre compte du phénomène : l'impulsion donnée à la décentralisation a conduit à ce paradoxe que, dans le domaine du spectacle, la création, la recherche se font de plus en plus dans les centres dramatiques, dans les théâtres de la province ou de la périphérie parisienne. L'amateur de théâtre « différent » doit aller d'Ivry (Antoine Vitez) à Gennevilliers (Bernard Sobel), de Vincennes (Théâtre du Soleil) à Villeurbanne (Roger Planchon et Patrice Chéreau) !... Dans ce contexte, les cafés-théâtres ont fait office de poumon de secours, fournissant le seul espace où des inconnus puissent faire subir à leur travail l'épreuve du public. On aurait tort de se réjouir trop vite. Cette solution de fortune n'est qu'un pis-aller, en dépit des tours de force qui peuvent voir le jour, ici ou là. Pis-aller, parce que ces pseudo-théâtres ne disposent pas de l'équipement minimal qui permettrait à un metteur en scène de donner sa pleine mesure, parce qu'ils imposent une forme de théâtre limité quant au nombre des personnages (l'exiguïté de l'espace s'ajoutant ici à la médiocrité des moyens) et recentré sur le texte ou sur le « numéro » *(one man show)*. Faire ces remarques ne doit pas être pris pour une mise en question des cafés-théâtres : tant bien que mal, ils préservent un climat de légèreté, d'inventivité, de complicité avec le public, qu'on ne trouve plus guère

6. Les plus notoires sont le Vieux-Colombier et le Théâtre de Lutèce. Dans le même temps, l'ouverture de deux salles « laboratoires », la salle Gémier et le Petit-Odéon, rattachées à de grands théâtres, constituent d'heureuses, mais insuffisantes, exceptions.

ailleurs et ils constituent d'utiles « tremplins » pour de jeunes talents. Il s'agit seulement de dire que cette efflorescence n'est pas, comme un observateur peu attentif pourrait le croire, un signe de bonne santé du théâtre français. Mais, bien plutôt, un symptôme inquiétant et, à tout le moins, le produit d'une indifférence politique ruineuse à moyen terme...

Pour donner un aperçu complet de la situation du théâtre, en France, il convient d'évoquer, à côté des structures permanentes, un ensemble de *manifestations ponctuelles* connues sous le nom de *festivals*.

Du premier en date, le festival d'Avignon, on a déjà eu l'occasion de parler (voir *supra*, chap. III, p. 99 sq.). On n'y reviendra donc ici que pour dire son importance dans l'évolution de la pratique théâtrale contemporaine.

Après avoir démissionné de la direction du TNP de Chaillot, en 1963, Vilar choisit de conserver la direction artistique du festival d'Avignon. La « contestation » — pas toujours désintéressée — dont il fut l'objet durant l'été 1968 l'amena à envisager une réforme du festival. Quoi qu'on puisse penser de ces attaques, elles signalaient que l'usure du temps faisait son œuvre, que l'entreprise de jouvence des années 1950 tournait à l'institution académique. Malheureusement, la mort brutale de Vilar, en 1969, l'empêcha de réaliser ses projets.

Son successeur, démissionnaire en 1979, Paul Puaux a donné au festival une configuration nouvelle qui offre actuellement deux caractéristiques :

1° La cour d'honneur du palais des Papes n'est plus le lieu réservé d'une seule troupe, comme à l'époque où Avignon était le prolongement estival de la saison du TNP. Au cours des années, les compagnies les plus diverses, du Living Theatre à la Comédie-Française, du Ballet du XXe siècle (Maurice Béjart) au Théâtre de la Cité de Villeurbanne (Roger Planchon), s'y sont produites avec, il faut bien l'avouer, des fortunes diverses.

2° D'autres lieux de spectacle ont été « inventés », un peu partout dans Avignon. Cette inflation, Paul Puaux l'a subie et entérinée plus qu'il ne l'a réellement souhaitée. Elle a permis, en tout cas, aux jeunes troupes de bénéficier d'un exceptionnel rassemblement d'amateurs de théâtre, exigeants et avertis, mais *a priori* favorables à la recherche de la nouveauté. C'est ce qu'on a appelé, par référence au théâtre d'avant-garde new-yorkais qui se manifeste « off Broadway », le « off Avignon » ! Cet éclatement topographique du festival est donc un phénomène spontané que les organisateurs se sont efforcés de canaliser et d'intégrer. Il est, au fond, la conséquence de ce mouvement de refus de la structure à l'italienne qui connaît son apogée dans les années 1970. La redécouverte d'Artaud, les réalisations du Living Theatre, de Luca Ronconi, du Théâtre du Soleil, la vogue des cafés-théâtres, du théâtre de rue, etc., tout cela fait que le théâtre, à Avignon, se répand comme une traînée de poudre, s'installe là où il veut, là où il peut, pour le plus grand bénéfice des propriétaires de greniers, de hangars, de cours... Un trafic s'organise. Le moindre local se loue un an à l'avance, se sous-loue ! On hésite à dire si cette inflation est, pour le festival, un signe de bonne santé. Un même lieu offre plusieurs spectacles le même soir, et il arrive que le spectateur ait à choisir entre une bonne centaine de représentations diverses ! Festival ou foire ?

S'il est vrai qu'au départ ce théâtre *off* s'opposait aux spectacles *in* Avignon, comme la contestation s'oppose à l'institution, ce clivage s'est assez vite estompé. Aujourd'hui, la différence tient d'abord, et peut-être seulement, à l'importance plus ou moins grande des moyens mis en œuvre.

Durant ces dix dernières années, le festival d'Avignon a cherché à s'ouvrir à d'autres formes de spectacles que le théâtre dramatique, à la danse, par exemple (dès 1968, Vilar avait offert la cour d'honneur à Maurice Béjart), ou à ce qu'on appelle le « théâtre musical » et qui s'efforce d'inventer une forme nouvelle d'opéra, adaptée au goût, aux recherches musicales et théâtrales, aux moyens matériels d'aujourd'hui (dans le Cloître des Célestins).

Enfin, avec la formule du « théâtre ouvert » qui utilise un minimum de moyens et s'appuie sur une simple esquisse de mise en scène, il a tenté de promouvoir des textes inconnus en contournant l'obstacle des risques financiers qu'une mise en scène traditionnelle oblige à prendre. De fait, par lui-même, le festival n'a pas les moyens de financer les spectacles qu'il propose, en dépit des subventions qui lui sont allouées[7]. « Théâtre ouvert »[8] et les activités musicales sont pris en charge par Radio-France (France-Culture). Quant aux troupes invitées, le festival leur offre une infrastructure matérielle (les lieux, l'équipement) et administrative (location, logement du personnel...) et leur laisse le bénéfice des recettes. Mais le festival est obligé, eu égard à la tradition instituée par Vilar, à la composition sociologique de son public, de maintenir des prix « populaires ». Aussi bien, le bénéfice que les compagnies peuvent tirer d'un passage à Avignon n'est certainement pas d'ordre matériel. Le festival permet surtout de « lancer » un spectacle, de le faire « résonner » auprès d'un public qui rassemble, outre les amateurs et les professionnels du théâtre, les représentants de la presse régionale et nationale, des media audiovisuels, du ministère de la Culture, des directeurs de salles parisiennes, etc. Numériquement, ce public est évalué, d'un été à l'autre, à une population de 120 à 150 000 personnes, itinérantes ou stables.

Un autre festival a pris, dans le paysage théâtral français des années 60, une importance de premier plan : *le Théâtre des Nations*.

Créé en 1954, à l'initiative d'un directeur de théâtre, A.-M. Julien, le Théâtre des Nations, d'abord appelé

7. Pour l'année 1979, l'Etat a alloué au festival 300 000 F et les collectivités locales 5 millions et demi.

8. « Théâtre ouvert » n'a pas été maintenu en 1979. Il est permis de le regretter.

Festival international d'Art dramatique de Paris, a fait de la capitale, jusqu'en 1968, un véritable carrefour mondial des arts du spectacle (théâtre, danse, opéra). Un principe de base : inviter, pour une série de représentations, les troupes les plus prestigieuses, ou les réalisations les plus remarquables, de tous les pays.

Extraordinaire occasion de rencontres, de contacts et de confrontations ! La barrière des frontières, l'obstacle des distances se trouvaient levés. Ainsi, amateurs et professionnels eurent la possibilité de découvrir des individus, des compagnies depuis longtemps précédés d'une éclatante notoriété. Ce fut, à deux reprises, en 1955 et 1958, la venue à Paris du quasi légendaire Opéra de Pékin, qui permettait, enfin, de voir l'accomplissement d'une ancienne et fameuse tradition. A trois reprises, à partir de 1954, le public français put faire connaissance avec les réalisations du Berliner Ensemble, c'est-à-dire découvrir l'application de la théorie brechtienne du théâtre. On n'en finirait pas de citer des noms et des titres : Helen Weigel dans *Mère Courage*, Ingmar Bergmann metteur en scène de théâtre (*Une Saga*, 1959), Felsenstein qui commençait à révolutionner la mise en scène d'opéra *(les Contes d'Hoffman)*, Joan Littlewood et son Workshop Theatre, Peter Brook affichant, dans un drame inconnu de Shakespeare *(Titus Andronicus)*, deux « stars » de première grandeur (Laurence Olivier et Vivien Leigh)... Et il faudrait aussi mentionner des chorégraphes de notoriété mondiale (Jérôme Robbins), des étoiles internationales (Alicia Alonso), les plus grandes compagnies d'opéra (Berlin-Est, Francfort, Glyndebourne, Belgrade...), etc.

Le succès croissant de ces manifestations provoqua, paradoxalement, le déclin et la mort du Théâtre des Nations mais aussi sa résurrection !

Le déclin d'abord : la politique pesait de plus en plus lourd dans le choix des spectacles invités, les gouvernements ayant pris conscience qu'un succès au Théâtre des Nations pouvait avoir une certaine incidence sur leur « image de marque » internationale. Mais chacun sait que, lorsque les autorités politiques se mêlent d'art, leur choix ne brille jamais par l'audace ni par la sûreté du jugement. Que les spectacles les plus intéressants du point de vue de l'art de la scène ne sont pas toujours appréciés à leur exacte valeur par un pouvoir généralement plus sensible aux charmes de la docilité et du conformisme idéologique qu'à ceux de l'innovation artistique. Interférence de la diplomatie et du théâtre qui fut comme une lente gangrène. On vit, au Théâtre des Nations, de plus en plus de spectacles académiques et d'inoffensives manifestations folkloriques...

La mort ensuite : les événements de mai 1968 et l'occupation de l'Odéon provoquèrent l'interruption brutale du festival. Entre-temps, Jean-Louis Barrault avait reçu mission de lui faire subir une cure de jouvence : moins de troupes invitées, et un choix plus indépendant de la conjoncture politique et plus exigeant sur le plan artistique.

La résurrection, enfin : vu l'importance que le Théâtre des Nations avait prise dans la vie théâtrale internationale, le privilège accordé à Paris en tant que siège permanent de ses manifestations fut mis en cause. Il fut décidé que chaque année une capitale différente l'accueillerait...

A dire vrai, un autre festival français avait, entre temps, pris le relais : celui de Nancy créé par Jack Lang en 1963, avec des moyens de fortune. Il s'agissait au départ d'une manifestation universitaire qui se distinguait du Théâtre des Nations par son orientation résolument polémique et contestataire, tant au plan de la forme théâtrale — les troupes invitées représentaient l'avant-garde de leur pays d'origine — qu'à celui des contenus idéologiques — ces troupes n'étaient pas en odeur de sainteté auprès de leurs gouvernements, et l'invitation à Nancy, la notoriété qu'elles en retiraient, constituaient, pour ces compagnies, un appui non négligeable dans la lutte qu'elles menaient souvent pour leur survie.

Ces dernières années, Nancy a connu des difficultés dues à l'inadaptation d'une organisation dépassée par le succès du festival, difficultés dues aussi à l'éloignement de Jack Lang qui, accaparé par la transformation et la gestion de Chaillot (cf. *supra*, p. 232), a néanmoins voulu continuer à superviser le festival sans en assurer directement la charge, difficultés dues enfin à la municipalité qui ne voyait pas sans réticence le développement de manifestations si peu académiques. La session de 1977 se déroula dans une telle confusion, s'agissant de la programmation, de la billetterie, et même du déroulement des spectacles, que l'équipe responsable exprima son malaise par une cessation de travail : c'est que, manifestement, elle était insuffisamment étoffée et ne pouvait plus faire face aux tâches qui lui revenaient. Confusion également au niveau politique : à Nancy se croisaient des délégations tantôts venues de façon autonome, tantôt officiellement envoyées par leurs gouvernements.

Mais, au-delà, le désenchantement qui assombrit la session de 1977 signalait que le théâtre politique avait perdu cette vitalité des années 65-70, qui le poussait à toutes les remises en cause, à toutes les innovations dans la mesure où il se définissait lui-même comme un terrain de luttes politiques. L'illusion lyrique se fanait : jamais les dictatures n'avaient à ce point gangrené les pays du Tiers Monde (Afrique, Amérique latine, Asie du Sud-Est...). Jamais l'impuissance des mouvements progressistes devant cette montée du fascisme n'avait été aussi patente. Et il faudrait également parler de la déception qu'un nombre croissant d'intellectuels et d'artistes ressentait devant l'autoritarisme sclérosé des régimes socialistes. Dans ce contexte, tous les pôles de référence s'effondraient. Ni l'URSS, ni Cuba, ni la Chine ne réussissaient à préserver leur « image de marque », pour ne rien dire de certaines évolutions plus récentes (Portugal, Viêt-nam...). Et, enfin, toujours à l'arrière-plan, les difficultés économiques qui commençaient à frapper le théâtre de plein fouet.

Le Festival d'Automne de Paris a repris, avec plus d'éclectisme et de moyens — il est dirigé par Michel Guy qui fut un moment ministre des Affaires culturelles —, le projet et les orientations de l'entreprise nancéenne de Jack Lang, et le principe du Théâtre des Nations : il s'agit de rassembler dans la capitale, pendant trois mois (septembre à décembre), toute sorte de manifestations artistiques dans toute sorte de lieux. Un thème directeur vient, parfois, structurer ce qu'une telle option peut avoir d'hétéroclite. Par exemple, en 1978, une partie des manifestations fut centrée sur le Japon, avec des expositions (d'architecture, de calligraphie...), des séances d'animation, des concerts de musique traditionnelle et contemporaine, de la danse, du cinéma... En même temps, le festival accueillait un ensemble de spectacles dont la caractéristique commune était un avant-gardisme de bon aloi : recherches théâtro-musicales de Mauricio Kagel, concerts Philip Glass, productions étrangères (notamment *Mori el Merma*, fruit de la collaboration de la compagnie espagnole *la Claca* de Barcelone et de Joan Miro), mises en scènes françaises issues des centres dramatiques (*Maître Puntila et son valet Matti*, réalisé par le Centre dramatique des Alpes et Georges Lavaudant ; *la Mouette* par la Fabrique de Théâtre et Bruno Bayen) et de l'avant-garde parisienne, avec un cycle Molière d'Antoine Vitez, les réalisations rigoureuses de Jean-Marie Patte (*Œdipe* et *Faust*), un Shakespeare de Peter Brook (*Mesure pour mesure*), etc. La danse classique (Roland Petit, Rudolph Noureev), la *modern dance* (Murray Louis, Douglas Dunn...), la danse étrangère (le Ballet traditionnel japonais) figuraient également au programme du Festival d'Automne 1978.

L'espace du festival se démultiplie, les limites parisiennes éclatent, et les manifestations essaiment dans la périphérie (à Saint-Denis, à Nanterre...). Au total, seize lieux sont mis à contribution, salles de théâtre, mais aussi music-hall (Théâtre Mogador), musées (Centre Georges-Pompidou, Musée des Arts décoratifs...).

Le Festival d'Automne peut s'apprécier sous deux angles. Du point de vue de l'amateur de théâtre, il n'est pas niable qu'il offre un moment unique, dans l'année, une foisonnante saison de rencontres, de découvertes... Mais on peut aussi se placer du point de vue de la politique générale du théâtre en France : le Festival d'Automne fait de la « rentrée » parisienne un trimestre de prestige. Ce « lever de rideau » ne doit quand même pas camoufler les difficultés quotidiennes dans lesquelles se débat le théâtre français d'aujourd'hui. On a trop souvent dénoncé, de divers côtés, les inconvénients de la politique de prestige, dans ce domaine, le coup d'éclat qui sert de cache-misère, pour qu'il soit nécessaire d'y revenir bien longtemps. Que de jeunes metteurs en scène trouvent dans le Festival d'Automne une possibilité exceptionnelle de se faire « entendre » est assurément positif. Il est tout de même permis de regretter qu'ils en soient réduits à la recherche de semblables occasions, car ce n'est que l'effet le plus visible d'une carence de l'Etat dans le domaine de l'aide au jeune théâtre. Il est sans doute heureux que Brecht soit joué à Mogador, par une troupe grenobloise, et que Bob Wilson se produise au Théâtre des Variétés. Il est plus fâcheux que, durant le reste de l'année, un lieu comme Chaillot n'apparaisse pas, après les coûteuses transformations qu'on lui a fait subir, d'une utilité plus manifeste au théâtre moderne...

La première génération du théâtre populaire, celle de l'après-guerre, celle dont Vilar était le « patron », s'est définie et affirmée à travers son opposition aux formes bourgeoises et commerciales du théâtre. Celle qui s'exprime à Nancy s'en prend, elle, vingt ans plus tard, aux ambiguïtés d'un « théâtre populaire » institutionnalisé et, d'une certaine façon, embourgeoisé, enfermé dans des salles peu différentes, au fond — dorures et velours en moins —, des théâtres à l'italienne, enfermé aussi dans une professionnalisation qui perpétue, sous un « emballage » progressiste, une relation traditionnelle fondée sur le clivage entre une élite compétente et une masse docile vouée à la célébration et à la perpétuation de cette élite !

De fait, il n'est pas faux de le dire, l'idée même de théâtre ou, plus largement, de culture populaire a pris une coloration fâcheusement religieuse, avec ces centres dramatiques, ces maisons de la culture que Malraux lui-même n'hésitait pas à définir, sans craindre l'emphase, comme les cathédrales des temps modernes. Cathédrales fréquentées par le peuple des croyants ou par une foule de bigots qui viennent, rituellement, communier dans une grand-messe progressiste mensuelle ?

En même temps, on est obligé de le constater, la réponse donnée par la génération des années 60 à la question de la place et de la fonction du théâtre dans la société, le *freedom now* du Living Theatre avec ses protestations psalmodiées contre la guerre du Viêt-nam, cet anarchisme parfois violent, parfois douceâtre, tout cela, dix ans plus tard, a pris des allures d'accessoires fripés, manifestement insuffisants, pour ne pas dire dérisoires, au regard des ambitions et des espérances initiales.

Mais peut-être est-ce engager un faux débat. Peut-être la réponse donnée par le théâtre à la question que lui pose son insertion dans le réel ne saurait-elle être, eu égard à sa nature même, qu'une réponse dérisoire, quels qu'en soient les termes. Et peut-être aussi faut-il reconnaître que toute avant-garde a besoin de se fonder sur le « meurtre du Père », sur la négation polémique de ce qui l'a précédée.

Au théâtre des années 60, on est redevable des tentatives les plus remarquables pour échapper à la tyrannie, déjà dénoncée par Artaud, de ce langage discursif incompréhensible au plus grand nombre, pour pulvériser les barrières qu'on croyait les plus solides, celle qui sépare la salle de la scène, celle qui oppose l'en-dedans du théâtre à l'en-dehors du réel. Systématiquement, cette génération aura donné la preuve que la rue, les portes des casernes et des usines... peuvent devenir des espaces de représentation et de dénonciation.

Ce théâtre est aussi, aux yeux de l'historien, celui de la provocation du spectateur. Coûte que coûte, il tente de réaliser l'injonction artaudienne : arracher le spectateur à son confort, à sa passivité, à son voyeurisme. En cherchant à le faire « participer ». En choquant son système de valeurs par l'impudeur et l'exhibitionnisme. En brutalisant, par le son, la lumière, le cri, l'assoupissement d'une perception routinière.

Tout cela, il revient au Festival de Nancy d'en avoir révélé l'essentiel au public français. Ainsi que d'autres recherches, plus récentes. Car, sous l'effet de la répétition et de l'accoutumance, la provocation convulsive des années 60 s'est, à son tour, émoussée. Dix ans plus tard émerge un nouveau mode de représentation. Centré sur l'*image*. Une image qui s'enracine, d'ailleurs, dans certaines traditions fort anciennes telles que la gestuelle de la commedia dell' arte ou de la marionnette. Ce théâtre de l'image n'exclut pas le message politique, la contestation. Mais c'est son support qui a changé. Le cri, le slogan incantatoire, l'acte provocant dans la nudité de sa violence ont perdu de leur importance. L'image théâtrale fait la part du rêve et de la pure théâtralité, même lorsqu'elle représente le réel. De ce point de vue, c'est toujours Artaud qui, manifestement, fait figure de référence dans la mesure où ce sont les ressources spécifiques du théâtre — tridimensionalité de l'espace, lumière, corps, objets... — qui constituent cette image. Il faut bien l'avouer, l'école française est, sur ce terrain, assez peu présente. Les réalisations les plus frappantes sont d'origine italienne (Carmelo Bene, Meme Perlini, Mario Ricci...) ou nord-américaine (Bread and Puppett Theatre, San Francisco Mime Troup, Bob Wilson[9]). Ce théâtre a renoncé au grand rêve participationniste des années 60. Il est vrai que la conception même qui le gouverne appelle une revalorisation des fameux « défauts » du spectateur traditionnel : l'image doit être vue, absorbée,

9. Les spectacles de Bob Wilson (*le Regard du sourd*, *la Lettre de la reine Victoria*, *Einstein on the beach*...) jouent sur une modification de la perception de la durée théâtrale. Ils ont d'abord fait figure de manifestes et de références. Puis d'événements « bien parisiens » ! Peut-être faudrait-il s'interroger sur la notion d'avant-garde aujourd'hui...

elle doit susciter le rêve, et la passivité n'est plus forcément le symptôme de la paresse spirituelle, elle peut être le signe de la concentration intérieure...[10].

Ce théâtre de la dernière décennie s'interroge moins sur sa place dans la société que sur ses conditions d'existence. En même temps qu'il s'efforce de représenter un réel compréhensible, déchiffrable, il met en jeu ses possibilités et ses ressources. Il s'analyse, se raconte. Il exhibe le rapport qui l'unit au réel ou qui l'en sépare à jamais. Il ne nourrit plus l'illusion d'une efficacité dont il n'a pas les moyens. Il ne prétend plus dépasser ses limites, mais explorer le champ qu'elles marquent et, si possible, les faire reculer. Aussi bien ce théâtre n'hésite-t-il pas à s'appuyer sur les traditions qu'on a déjà mentionnées et, plus encore, à « emprunter » son bien à des formes voisines, music-hall et opéra, cinéma et télévision, cirque et bande dessinée... Si la génération des années 60 utilisait la violence de la représentation pour dénoncer la violence du réel, celle des années 70 s'intéresse davantage aux travestissements de la violence, à tout ce qui la rend invisible et insipide, au point qu'avant même de la dénoncer il devient nécessaire de la repérer là où elle se dissimule et se maquille.

Durant cette même décennie, plusieurs facteurs ont contribué à modifier la politique de l'Etat dans le domaine du théâtre. Les plus importants sont sans doute l'explosion de mai 1968 et la crise économique.

Les mots d'ordre de mai 1968 — « l'imagination au pouvoir »... — ont suscité une prise de conscience : il ne suffit plus de « moderniser » la représentation et de perpétuer le répertoire. Le théâtre doit être un lieu, n'importe quel

10. L'une des expériences récentes les plus remarquables : celle des acteurs du Squat. Ils opposent deux catégories de spectateurs — faut-il dire vrais et faux spectateurs ? Des actions sont représentées sous les yeux d'un public assis dans une boutique, cependant que, dans la rue, les passants s'arrêtent, et regardent le théâtre dans la vitrine. Quel est le statut de chaque groupe ? Public, et en même temps objet théâtral pour le groupe d'en face...

lieu, où l'on parle du présent, où l'on conteste, où l'on accuse. Cela s'ajoutant à des difficultés économiques de plus en plus pressantes, la façade libérale de la politique théâtrale de la Ve République a commencé de s'effriter. Car il serait illusoire de penser que l'Etat soutient une entreprise théâtrale dans la plus totale abnégation. Même s'il ne l'avoue pas, il attend de ce soutien une rétribution symbolique : non pas l'adhésion et la célébration, mais, plus subtilement, le renforcement de son « image », de son « prestige ». L'éclat d'une réussite artistique — disons, par exemple, la *Lulu* de Berg, présentée pour la première fois à l'Opéra de Paris dans sa version intégrale, sous la direction de Pierre Boulez et dans la mise en scène de Patrice Chéreau, événement qui mobilise l'intérêt de l'intelligentsia internationale —, cet éclat émet, pour reprendre un terme récurrent du discours politique, un *rayonnement*. Et ce rayonnement rehausse (fait reluire) l'image intérieure et extérieure du pouvoir qui a permis cet événement. On s'explique mieux, dès lors, que les attentions (et les subventions) du ministère de tutelle aillent, préférentiellement, en ces temps de crise économique et de réductions budgétaires drastiques, aux entreprises qui recèlent, pourrait-on dire, la plus forte capacité de « rayonnement ». Tournant le dos à la politique de Jeanne Laurent et d'André Malraux, le pouvoir choisit de privilégier, sur le plan culturel, la bourgeoisie qui constitue sa base électorale. Donc de répondre à sa « demande », à ses goûts. D'où l'appui diligent accordé aux théâtres dits « de prestige », à vocation muséographique, Comédie-Française et Opéra. D'où encore la réactivation d'un *vedettariat* tenu, lui aussi, pour une source de rayonnement ! Ce n'est pas un hasard politique, si les plus grands noms du chant international se succèdent sur la scène de l'Opéra de Paris depuis l'avènement de Rolf Liebermann en 1973, si des metteurs en scène naguère réputés « audacieux » ou « d'avant-garde » ont, à présent, facilement accès aux scènes (et aux moyens) des théâtres officiels : pour la réouverture de la salle Richelieu, en 1976, c'est Franco

Zeffirelli qui est chargé de mettre en scène *Lorenzaccio*, et c'est Claude Rich qui est engagé pour jouer le rôle-titre. C'est à Giorgio Strehler qu'on demande de monter *la Trilogie de la Villégiature* (Goldoni) en 1979. A côté de ces vedettes de la mise en scène internationale, des représentants de l'avant-garde y ont droit de cité : Lavelli monte un Ionesco *(le Roi se meurt)* et Vitez un Claudel *(Partage de midi)*. Politique identique à l'Opéra de Paris où les mêmes noms se retrouvent : Strehler y présente d'éblouissantes *Noces de Figaro* et un admirable *Simon Boccanegra*, Lavelli un *Faust* qui fait presque scandale et Chéreau des *Contes d'Hoffmann*, puis une *Lulu* d'une cruauté glacée...

Qu'on nous entende bien : il ne s'agit aucunement de mettre en question les réussites qu'on vient d'évoquer. D'un certain point de vue, en l'occurrence, la fin justifie les moyens et, de toute façon, les progrès sont manifestes s'il est vrai que les conditions de travail d'un Planchon, d'un Lavelli, d'un Chéreau sont infiniment meilleures que celles qu'eurent à subir, entre les deux guerres, Dullin ou Pitoëff, par exemple.

Mais cette promotion de l'avant-garde ne traduit pas une volonté politique. Elle reflète simplement l'évolution intellectuelle et esthétique de la bourgeoisie qui constitue encore l'essentiel du public des théâtres. De fait, tout concourt, aujourd'hui, à l'avènement d'un nouveau vedettariat : celui du metteur en scène.

Et l'on pourrait admettre que la promotion de ce vedettariat soit l'un des volets d'une politique à plusieurs dimensions. Mais elle en est l'axe directeur. Car, il faut bien le constater, le théâtre sans vedette, jeunes compagnies et centres dramatiques, ce théâtre est progressivement et systématiquement réduit à la portion congrue. Or, c'est dans ce vivier que se prépare l'avenir du théâtre. Tout se passe donc comme si l'on sacrifiait de propos délibéré cet avenir à la rentabilité immédiate (le rayonnement) d'une politique de prestige. « Après nous, le déluge » ? Comment ne pas comprendre, en tout cas, l'actuel désarroi des gens de théâtre ?

ÉLÉMENTS DE BIBLIOGRAPHIE[1]

ABIRACHED, Robert, *La crise du personnage dans le théâtre moderne*, Paris, Grasset, 1978.

ANDERS, France, *Jacques Copeau et le Cartel des Quatre*, Paris, Nizet, 1959.

ANTOINE, André, *Le Théâtre libre*, Paris, Eugène Verneau, 1890.

— Causerie sur la mise en scène, *La Revue de Paris*, 1er avril 1903.

APOLLINAIRE, Guillaume, *Les Mamelles de Tirésias*, in *Œuvres poétiques*, Paris, Gallimard, Pléiade, 1956.

APPIA, Adolphe, *La musique et la mise en scène*, Berne, Theaterkultur-Verlag, 1963.

— *L'œuvre d'art vivant*, Genève-Paris, Atar, 1921.

ARNAUD, Lucien, *Charles Dullin*, Paris, L'Arche, 1952.

ARTAUD, Antonin, Théâtre Alfred Jarry, *Œuvres complètes*, t. II, Paris, Gallimard, 1961.

— *Le théâtre et son double ; Le théâtre de Séraphin ; Les Cenci*, *Œuvres complètes*, t. IV, Paris, Gallimard, 1964.

— Autour du Théâtre et son double et des Cenci, *Œuvres complètes*, t. V, Paris, Gallimard, 1964.

BABLET, Denis, *Edward Gordon Craig*, Paris, L'Arche, 1962.

— *Josef Svoboda*, Lausanne, L'Age d'homme, 1970.

— *Le décor de théâtre de 1870 à 1914*, Paris, CNRS, 1975.

— *Les révolutions scéniques du vingtième siècle*, Paris, Société Internationale d'Art XXe siècle, 1975.

BARRAULT, Jean-Louis, *Réflexions sur le théâtre*, Paris, Vautrain, 1949.

— *Mise en scène de Phèdre*, Paris, Ed. du Seuil, 1946.

BATY, Gaston, *Rideau baissé*, Paris, Bordas, 1949.

BINER, Pierre, *Le Living Theatre*, Lausanne, L'Age d'homme, 1968.

BLANCHART, Paul, *Firmin Gémier*, Paris, L'Arche, 1954.

BORGAL, Clément, *Jacques Copeau*, Paris, L'Arche, 1960.

BRECHT, Bertolt, *Ecrits sur le théâtre*, Paris, L'Arche, 1963.

— *Ecrits sur le théâtre*, Paris, L'Arche, 1972, t. I.

BROOK, Peter, *L'espace vide*, Paris, Ed. du Seuil, 1977.

COPFERMANN, Emile, *Le théâtre populaire, pourquoi ?*, Paris, Maspero, 1969.

1. On ne donne ici que des textes français ou accessibles en traduction française.

COPFERMANN, Emile, *Roger Planchon*, Lausanne, L'Age d'homme, 1969.
— *La mise en crise du théâtre*, Paris, Maspero, 1972.
CRAIG, Edward Gordon, *De l'art du théâtre*, Paris, Lieutier-Librairie théâtrale, s.d.
— *Le théâtre en marche*, Paris, Gallimard, 1964.
DHOMME, Sylvain, *La mise en scène, d'Antoine à Brecht*, Paris, Nathan, 1959.
DORT, Bernard, *Lecture de Brecht*, Paris, Ed. du Seuil, 1960.
— *Théâtre public*, Paris, Ed. du Seuil, 1967.
— *Théâtre réel*, Paris, Ed. du Seuil, 1971.
— *Théâtre en jeu*, Paris, Ed. du Seuil, 1979.
DUVIGNAUD, Jean, *Sociologie du théâtre*, Paris, Presses Universitaires de France, 1965.
FRANK, André, *Georges Pitoëff*, Paris, L'Arche, 1958.
GOURFINKEL, Nina, *Constantin Stanislavski*, Paris, L'Arche, 1955.
GROTOWSKI, Jerzy, *Vers un théâtre pauvre*, Lausanne, L'Age d'homme, 1971.
JARRY, Alfred, Textes relatifs à Ubu roi, *Œuvres complètes*, t. I, Paris, Gallimard, Pléiade, 1972.
JOTTERAND, Frank, *Le nouveau théâtre américain*, Paris, Ed. du Seuil, 1970.
JOUVET, Louis, *Tragédie classique et théâtre du XIX*e *siècle*, Paris, Gallimard, 1968.
— *Le comédien désincarné*, Paris, Flammarion, 1954.
KOURILSKY, Françoise, *Le Bread and Puppet Theatre*, Lausanne, L'Age d'homme, 1971.
LANG, Jack, *L'Etat et le théâtre*, Paris, Pichon & Durand-Auzias, 1968.
LECLERC, Guy, *Le TNP de Jean Vilar*, Paris, Union Générale d'Editions, 1971.
LUST, Claude, *Wieland Wagner et la survie du théâtre lyrique*, Lausanne, L'Age d'homme, 1970.
MALLARMÉ, Stéphane, Crayonné au théâtre, *Œuvres complètes*, Paris, Gallimard, Pléiade, 1956.
MEYERHOLD, Vsévolod, *Le théâtre théâtral*, Paris, Gallimard, 1963.
MOUSSINAC, Léon, *Traité de la mise en scène*, Paris, Massin, 1948.
PANDOLFI, Vito, *Histoire du théâtre*, Verviers, Gérard & Cie, 1968-1969, 5 vol., coll. « Marabout-Université ».
PARMELIN, Hélène, *Cinq peintres et le théâtre*, Paris, Ed. Cercle d'art, 1956.
PISCATOR, Erwin, *Le théâtre politique*, Paris, L'Arche, 1962.
PITOËFF, Georges, *Notre théâtre*, Paris, Ed. Messages, 1949.
PRUNER, Francis, *Le Théâtre-Libre d'Antoine*, Paris, Ed. Lettres Modernes, 1958.

QUADRI, Franco, *Ronconi*, Paris, Union Générale d'Editions, 1974.
ROBICHEZ, Jacques, *Lugné-Poe*, Paris, L'Arche, 1955.
— *Le symbolisme au théâtre. Lugné-Poe et les débuts de l'Œuvre*, Paris, L'Arche, 1957.
ROLLAND, Romain, *Le théâtre du peuple*, Paris, Albin Michel, 1913.
ROUCHE, Jacques, *L'art théâtral moderne*, Paris, Bloud & Gay, 1924.
STANISLAVSKI, Constantin, *La formation de l'acteur*, Paris, Olivier Perrin, 1958.
— *La construction du personnage*, Paris, Olivier Perrin, 1966.
— *Mise en scène d'Othello*, Paris, Ed. du Seuil, 1948.
STRASBERG, Lee, *Le travail à l'Actors Studio*, Paris, Gallimard, 1969.
STREHLER, Giorgio, *Un théâtre pour la vie*, Paris, Fayard, 1980.
TEMKINE, Raymonde, *L'entreprise-théâtre*, Paris, Ed. Cujas, 1968.
— *Grotowski*, Lausanne, L'Age d'homme, 1970.
VEINSTEIN, André, *La mise en scène théâtrale et sa condition esthétique*, Paris, Flammarion, 1955.
— *Le théâtre expérimental*, Paris, La Renaissance du Livre, 1968.
VILAR, Jean, *De la tradition théâtrale*, Paris, Gallimard, 1963.
— *Le théâtre, service public*, Paris, Gallimard, 1975.
VIRMAUX, Alain, *Antonin Artaud et le théâtre*, Paris, Seghers, 1970.
ZOLA, Emile, Le naturalisme au théâtre, *Œuvres complètes*, t. 42, Paris, Bernouard, 1928.

Ouvrages collectifs :

L'expressionnisme dans le théâtre européen, Paris, CNRS, 1971.
Histoire des spectacles, Paris, Gallimard, « Encyclopédie de la Pléiade », 1965.
Le lieu théâtral dans la société moderne, Paris, CNRS, 1969.
1789, Paris, Stock, 1971.
1793, Paris, Stock, 1972.
L'Age d'or, Paris, Stock, 1975.
Les voies de la création théâtrale, Paris, CNRS, 1970-1979, 6 vol. parus.

Revues[2] *:*

Cahiers de la Compagnie Renaud-Barrault, Paris, Julliard, puis Gallimard.
Revue d'Histoire du théâtre, Paris, CNRS et Olivier Perrin.
Théâtre populaire, Paris, L'Arche (1953-1966).
Travail théâtral, Lausanne, L'Age d'homme.

2. On ne peut donner ici la liste des périodiques publiés par différentes compagnies en liaison avec leurs activités. Ils constituent une source précieuse d'informations et de documents.

Imprimé en France, à Vendôme
Imprimerie des Presses Universitaires de France
1980 — N° 27 246